2025年度版

TAC税理士講座

税理士受験シリーズ

# 2 簿記論

## 総合計算問題集 基礎編

# はじめに

本書は、ＴＡＣの税理士簿記論受験コースにおいて使用している問題集であり、いずれの問題も税理士簿記論合格のためには必ずマスターしていただきたい良問となります。

簿記の勉強は、「知っている」というだけでは十分でなく、「問題が解ける」ようにならなければなりません。そのためには、いろいろなパターンの問題を自分の手と頭で解いてみることが必要となります。実際に問題を解いてみると、それまで十分に理解していたと思っていたことが、実はあまりわかっていなかったということがはっきりしてきます。そうしたら、少しずつ問題が解けるように知識を吸収していきます。足もとを一歩一歩かためつつ先に進むのです。簿記の上達する秘訣はこれをおいて他にはありません。

ひたすら簿記の本を読んでいるだけでは、簿記は自分のものになりません。本書を利用することによって「良質の問題を体系的に解く」習慣を身につけ、一人でも多くの方が合格の栄冠を勝ち取られますことを願ってやみません。

**ＴＡＣ税理士講座**

# 本書の特長

## 1　総合問題対策の精選問題集

総合問題対策として、精選された総合問題を収録した問題集です。基礎編は、総合問題において個別論点を解答するために必要となる基礎的な問題文の読解力、集計力等を身につけるために活用してください。

## 2　制限時間を明示

問題にはすべて標準的な解答時間を制限時間として付しています。制限時間内の解答を目標としてください。

## 3　最新の改正に対応

最新の会計基準等の改正等に対応しています（令和６年７月までの施行法令に準拠）。

## 4　難易度を明示

問題ごとに、難易度を付しています。到達レベルにあわせて問題を選択することができます。

Aランク…基本問題

Bランク…やや難しい問題

Cランク…本試験レベルの難しい問題

## 5　本試験の出題の傾向と分析を掲載

本試験の出題傾向と分析を掲載しています。学習を進めるにあたって、参考にしてください。

（注）本書掲載の「出題の傾向と分析」は、「2024年度版　簿記論　過去問題集」に掲載されていたものになります。

# 本書の利用方法

## 1　解答時間を計って解く

解き始めの時間と終了時間を必ずチェックし、解答時間を記録しておきます。時間を意識しないトレーニングは意味がなく、上達も期待できません。ただし、解き慣れていない人は、最初は制限時間を気にしないで自分のペースで最後まで解いてみることをお勧めします。この場合でも解答時間はチェックし、徐々に制限時間内の解答を目指すようにしてください。目標としては、制限時間の70～80％の時間で解けるようになれば理想的です。

## 2　チェック欄の利用方法

目次には問題ごとにチェック欄を設けてあります。実際に問題を解いた後に、日付、得点、解答時間などを記入することにより、計画的な学習、弱点の発見ができます。

## 3　間違えた問題はもう一度解く

間違えた問題をそのままにしておくと、後日同じような問題を解いたときに再度間違える可能性が高くなります。そのため、間違えた問題はなぜ間違えたのかを徹底的に分析して、二度と同じ間違いを繰り返さないように対策を考え、少し時期をずらしてもう一度解いて確認してください。

## 4　個別問題対策の次に総合問題対策をする

税理士試験の問題は、そのほとんどが総合問題（30分または60分）として出題されます。総合問題ではボリュームの多さ、問題構造等が解答者にとって最大のネックであり、個別問題を解いただけではなかなか克服できません。そのため、個別問題対策として「個別計算問題集」を解き、次に総合問題における個別論点対策として「総合計算問題集 基礎編」及び応用論点対策として「総合計算問題集 応用編」を解くと、高い学習効果が期待できます。

そして、総合問題演習において、自分の苦手論点が明確になったのであれば、「個別計算問題集」を用いて苦手論点の克服に努めると、さらに学習効果が高まります。

## 5　答案用紙の利用方法

「答案用紙」は、ダウンロードでもご利用いただけます。Cyber Book Store（TAC出版書籍販売サイト）の「解答用紙ダウンロード」にアクセスしてください。

https://bookstore.tac-school.co.jp

本書の問題においては、資料以外のことは考慮せずに解答するようお願いいたします。

# 目次

# 出題の傾向と分析（実務家試験委員）

## (1) 解答箇所と解答要求事項

| 年　度 | 回　数 | 解答箇所 | 解答要求事項 | | |
|---|---|---|---|---|---|
| | | | 後T/B | 財務諸表 | 特定金額 |
| 平成26年 | 第64回 | 40箇所 | | 一部の科目 | |
| 平成27年 | 第65回 | 42箇所 | | 一部の科目 | |
| 平成28年 | 第66回 | 36箇所 | 一部の科目 | | |
| 平成29年 | 第67回 | 36箇所 | 一部の科目 | | |
| 平成30年 | 第68回 | 39箇所 | 一部の科目 | | |
| 令和元年 | 第69回 | 35箇所 | 一部の科目 | | |
| 令和２年 | 第70回 | 39箇所 | 一部の科目 | | |
| 令和３年 | 第71回 | 39箇所 | 一部の科目 | | |
| 令和４年 | 第72回 | 38箇所 | 一部の科目 | | |
| 令和５年 | 第73回 | 40箇所 | 一部の科目 | | |

## (2) 問題構造

| 年　度 | 回　数 | 出題形式 | 問題構造 |
|---|---|---|---|
| 平成26年 | 第64回 | 総合問題 | 決算整理型の総合問題（ソフトウェア制作業） |
| 平成27年 | 第65回 | 総合問題 | 決算整理型の総合問題（商品売買業） |
| 平成28年 | 第66回 | 総合問題 | 決算整理型の総合問題（商品売買業） |
| 平成29年 | 第67回 | 総合問題 | 決算整理型の総合問題（商品売買業） |
| 平成30年 | 第68回 | 総合問題 | 決算整理型の総合問題（商品売買業） |
| 令和元年 | 第69回 | 総合問題 | 決算整理型の総合問題（商品売買業、不動産賃貸業） |
| 令和２年 | 第70回 | 総合問題 | 決算整理型の総合問題（商品売買業） |
| 令和３年 | 第71回 | 総合問題 | 決算整理型の総合問題（商品売買業・本支店会計） |
| 令和４年 | 第72回 | 総合問題 | 決算整理型の総合問題（建設業・不動産賃貸業） |
| 令和５年 | 第73回 | 総合問題 | 決算整理型の総合問題(商品売買業・製造業） |

## (3) 出題テーマ及び論点

| テ ー マ | 論 点 | 平26<br>64回 | 平27<br>65回 | 平28<br>66回 | 平29<br>67回 | 平30<br>68回 | 令元<br>69回 | 令2<br>70回 | 令3<br>71回 | 令4<br>72回 | 令5<br>73回 |
|---|---|---|---|---|---|---|---|---|---|---|---|
| 簿記一巡 | 費用・収益の見越・繰延 | ○ | ○ | | | | | ○ | | ○ | ○ |
| 一般商品売買 | 会計処理（三分法） | | ○ | ○ | ○ | ○ | ○ | ○ | | | ○ |
| | 会計処理（分記法） | | | | | | | ○ | | | |
| | 会計処理（売上原価対立法） | ○ | | | | | | | | | |
| | 売上・仕入に関する返品・値引・割戻 | ○ | ○ | ○ | ○ | | ○ | | | | |
| | 払出単価の決定方法（先入先出法） | ○ | | | | | | ○ | ○ | | |
| | 払出単価の決定方法（移動平均法） | | | | | | ○ | | | | |
| | 払出単価の決定方法（総平均法） | | ○ | ○ | ○ | ○ | | | | | |
| | 商品の減耗 | ○ | ○ | | | ○ | ○ | ○ | ○ | | |
| | 商品の評価損 | ○ | ○ | ○ | ○ | ○ | | ○ | ○ | | ○ |
| | 仕入諸掛 | | | | | | | ○ | | | |
| | 仕入・売上の計上基準 | | ○ | ○ | ○ | | ○ | | | | |
| | 販売以外の商品の減少 | ○ | ○ | | ○ | | | ○ | | | |
| 特殊商品売買 | 割賦販売（販売基準） | | | | | | | ○ | | | |
| | 割賦販売（貸倒れ） | | | | | | | ○ | | | |
| | 未着品売買（その都度法） | | | | | | | | | | ○ |
| | 未着品売買（荷為替手形） | | | | | | | | | | ○ |
| | 委託販売（その都度法） | | | | | | ○ | | | | |
| | 委託販売（受託者売上額基準） | | | | | | ○ | | | | |
| | 委託販売（積送諸掛費） | | | | | | ○ | | | | |
| 債権・債務 | クレジット売掛金 | | | | | | | ○ | | | |
| | 電子記録債権債務 | | | | | | | ○ | | | ○ |
| | 前渡金・前受金 | ○ | | | | | | ○ | | | |
| | 売上割引・仕入割引 | | | ○ | | ○ | | | | | |
| | 預り保証金 | | | | | | | | | ○ | |
| 現金預金 | 現金の範囲 | | | ○ | | ○ | | ○ | ○ | | |
| | 小口現金 | | | | | | | | | | ○ |
| | 現金過不足 | | | | | ○ | | ○ | ○ | ○ | |
| | 銀行勘定調整 | ○ | ○ | | ○ | ○ | ○ | ○ | ○ | ○ | ○ |
| | 当座借越 | | | | | | | ○ | ○ | | |
| | 普通預金 | | | ○ | | ○ | | ○ | | | |
| 手形 | 約束手形 | ○ | ○ | | | | | | ○ | | |
| | 為替手形 | | | | | | | | ○ | | |
| | 手形の割引 | ○ | | | | | | | | | |
| | 不渡手形 | ○ | | | | | | | | | |
| 貸倒引当金 | 一般債権（貸倒実績率法） | | ○ | ○ | ○ | ○ | ○ | ○ | ○ | ○ | ○ |
| | 貸倒懸念債権（財務内容評価法） | ○ | ○ | ○ | | | | | | | |
| | 貸倒懸念債権（キャッシュ・フロー見積法） | ○ | | | | | | | | ○ | |
| | 破産更生債権等（財務内容評価法） | ○ | ○ | ○ | | | ○ | | | | |

| テーマ | 論点 | 平26<br>64回 | 平27<br>65回 | 平28<br>66回 | 平29<br>67回 | 平30<br>68回 | 令元<br>69回 | 令2<br>70回 | 令3<br>71回 | 令4<br>72回 | 令5<br>73回 |
|---|---|---|---|---|---|---|---|---|---|---|---|
| 貸倒引当金 | 金銭債権の貸倒 | ○ | ○ | ○ | | | | | ○ | | |
| 人件費 | 社会保険料 | ○ | ○ | | ○ | ○ | | | ○ | ○ | |
| | 賞与引当金 | | ○ | | ○ | ○ | | ○ | ○ | ○ | ○ |
| | 退職給付引当金（原則法） | | ○ | ○ | | | | | | | ○ |
| | 原則法における数理計算上の差異 | | ○ | ○ | | | | | | | ○ |
| | 年金資産の積立超過 | | ○ | | | | | | | | |
| | 退職給付引当金（簡便法） | ○ | | | ○ | | | ○ | | ○ | |
| | 簡便法における会計基準変更時差異 | ○ | | | | | | | | | |
| 有形固定資産 | 取得 | ○ | | | | ○ | | | | | ○ |
| | 取得原価の推定 | | | ○ | | | | | | | |
| | 減価償却（定額法） | ○ | ○ | ○ | ○ | ○ | ○ | ○ | ○ | ○ | ○ |
| | 減価償却（定率法） | ○ | | | ○ | ○ | | | ○ | ○ | ○ |
| | 耐用年数の変更 | | ○ | | | | | | | | |
| | 償却方法の変更<br>（定額法から定率法） | ○ | | | | | | | | | |
| | 資本的支出 | | | | | | | | | | ○ |
| | 売却 | | ○ | ○ | ○ | | | | | | |
| | 除却 | | | | | ○ | | | | | |
| | 焼失 | | | | | | ○ | | ○ | | ○ |
| | 法人税法上の減価償却 | ○ | | ○ | | ○ | | | | | |
| | ファイナンス・リース | | | ○ | | | | | | ○ | |
| | セール・アンド・リースバック | | | | | | | | ○ | | |
| | 減損会計 | | | ○ | ○ | | ○ | | ○ | | |
| | 資産除去債務 | ○ | ○ | | | ○ | | | | | |
| | 圧縮記帳（直接減額方式） | | | | | | | | ○ | | |
| | 圧縮記帳（積立金方式） | | | ○ | | | ○ | | | ○ | ○ |
| | 土地の再評価 | | ○ | | | | | | | | |
| | 敷金 | | | | | | ○ | | | | |
| 投資その他の資産 | 出資金（匿名組合契約） | | | | | | | | | | ○ |
| 株主資本 | 自己株式の有償取得 | ○ | | | | | | | | | |
| | 自己株式の処分 | ○ | | | | | | | | | |
| | 自己株式の取得・処分に関する手数料 | ○ | | | | | | | | | |
| 税金 | 租税公課 | | | | | ○ | | | | | ○ |
| | 法人税等 | ○ | ○ | ○ | ○ | | ○ | ○ | ○ | | ○ |
| | 税効果会計 | ○ | ○ | ○ | ○ | ○ | ○ | ○ | ○ | ○ | ○ |
| | 消費税等（税抜方式） | ○ | ○ | ○ | ○ | ○ | ○ | ○ | ○ | ○ | ○ |
| 社債 | 普通社債 | ○ | | | | | | | | | |
| | 普通社債の買入消却 | ○ | | | | | | | ○ | | |
| | 償却原価法（利息法） | ○ | | | | | | | | | |
| | 償却原価法（定額法） | | | | | | | | ○ | | |
| 有価証券 | 取得 | | ○ | | | | | | | | |
| | 単価の付替（移動平均法） | | ○ | | | | | | | | |

| テ　ー　マ | 論　　　　点 | 平26<br>64回 | 平27<br>65回 | 平28<br>66回 | 平29<br>67回 | 平30<br>68回 | 令元<br>69回 | 令2<br>70回 | 令3<br>71回 | 令4<br>72回 | 令5<br>73回 |
|---|---|---|---|---|---|---|---|---|---|---|---|
| 有価証券 | 売却 | | ○ | | | ○ | | | | | |
| | 売買目的有価証券 | | | | ○ | | ○ | ○ | | | |
| | 満期保有目的の債券 | | ○ | | | ○ | ○ | | | | |
| | 子会社株式・関連会社株式 | | | | | | ○ | | | | |
| | その他有価証券<br>(全部純資産直入法) | ○ | ○ | ○ | | ○ | ○ | ○ | ○ | | |
| | その他有価証券<br>(部分純資産直入法) | | | | | | | | | ○ | |
| | 償却原価法（利息法） | | | | | | ○ | | | | |
| | 償却原価法（定額法） | ○ | ○ | | | | | ○ | | | |
| | 保有目的区分の変更 | | | | | | ○ | ○ | | | |
| | 受取配当金の財源 | | | ○ | | | | | | | |
| | 減損処理 | | | ○ | ○ | | ○ | | ○ | ○ | |
| | ゴルフ会員権 | | | | | | | | ○ | | |
| 外貨建取引 | 外貨建取引の換算 | | | | ○ | ○ | | ○ | | | ○ |
| | 期末換算替 | | ○ | | ○ | ○ | | ○ | ○ | | ○ |
| | その他有価証券<br>(全部純資産直入法) | ○ | | | ○ | | ○ | | | | |
| | 満期保有目的の債券<br>(償却原価法適用) | ○ | | ○ | ○ | | | | | | |
| | 為替予約（独立処理） | | | | | | | | ○ | | |
| | 為替予約（振当処理） | | ○ | | | | | | | | |
| ソフトウェア | 自社利用目的ソフトウェア | ○ | ○ | | | | | ○ | | | |
| | 自社利用目的ソフトウェアの取得 | ○ | ○ | | | | | ○ | | | |
| | 自社利用目的ソフトウェアの使用年数変更 | ○ | | | | | | | | | |
| | 自社利用目的ソフトウェアの除却 | | ○ | | | | | | | | |
| | 市場販売目的ソフトウェア | ○ | | | | | | | | | |
| | 受注制作ソフトウェア<br>(工事完成基準) | ○ | | | | | | | | | |
| | 受注制作ソフトウェア<br>(工事進行基準) | ○ | | | | | | | | | |
| | 受注損失引当金 | ○ | | | | | | | | | |
| 新株予約権 | 外貨建新株予約権付社債 | | | ○ | | | | | | | |
| 取締役の報酬等 | 事後交付型（株式引受権） | | | | | | | | | | ○ |
| インセンティブ報酬 | 株式増価受益権<br>(株式報酬引当金) | | | | | | | | | | ○ |
| 会計上の変更 | 会計上の見積の変更 | ○ | ○ | | | | | | | | |
| ヘッジ会計 | 繰延ヘッジ（為替予約） | | | ○ | ○ | ○ | | | | | |
| | 繰延ヘッジ（金利スワップ） | | ○ | | | | | | ○ | | |
| | 繰延ヘッジ（通貨オプション） | | | | | ○ | | | | | |
| 製造業会計 | 勘定体系 | | | | | | | | | | ○ |
| | 期末仕掛品の評価 | | | | | | | | | | ○ |
| | 仕掛品の減損（異常減損費） | | | | | | | | | | ○ |
| | 期末製品の評価 | | | | | | | | | | ○ |

| テ　ー　マ | 論　　　点 | 平26<br>64回 | 平27<br>65回 | 平28<br>66回 | 平29<br>67回 | 平30<br>68回 | 令元<br>69回 | 令2<br>70回 | 令3<br>71回 | 令4<br>72回 | 令5<br>73回 |
|---|---|---|---|---|---|---|---|---|---|---|---|
| 本支店会計 | 在外支店 | | | | | | | | ○ | | |
| 収益認識基準 | 原価比例法 | | | | | | | | | ○ | |
| | 工事損失引当金 | | | | | | | | | ○ | |
| 組織再編 | 会社分割（投資の継続） | ○ | | | | | | | | | |
| 財務諸表 | １年基準 | | ○ | | | | | | | | |

## (4) 出題傾向の分析

1　実務家試験委員問題は必ず総合問題形式で出題される（ほとんどが決算整理型）
2　解答要求事項が変化に富む
3　実務に直結した論点がよく出題される
4　残高試算表の勘定科目内訳書が資料として与えられている
5　資料及び問題文が読み取りづらい

1　実務家試験委員問題は、すべて総合問題形式で出題されており、また、問題構造もほとんどが決算整理型で出題されている。なお、解答箇所の数は年によってマチマチであるが、解答箇所の数が少ない場合は、１箇所当たりの配点が大きくなることから**１つのミスが致命傷になりかねない**ため、注意して頂きたい。

2　解答要求は後T/Bまた財務諸表の金額算定が中心となるが、全ての科目を算定する場合と、一部の科目を算定する場合とがある。特に一部の科目の場合には、仕訳を考えて金額を算定しても解答要求でない場合があるため、解答要求の科目を確認して、「**解答要求に繋がる資料をピックアップする**」ことが必要となる。

また、修正仕訳・特定金額の算定等の解答要求が加わった場合には、効率よく解答するためには、後T/Bまたは財務諸表の金額を解答しながら、同時並行で修正仕訳・特定金額の算定等の解答も行うというように、「**二度手間を省く**」ことが必要である。

3　実務家試験委員問題では、次の実務的な項目が出題されている。

平成26年……外注加工費、消費税等、法人税法上の減価償却、社会保険料
平成27年……残高確認、消費税等、法人税法上の減価償却、社会保険料
平成28年……仮払金の精算、リベート契約、残高確認、消費税等、法人税法上の減価償却
平成29年……リベート契約、残高確認、賞与支給規定、消費税等、社会保険料
平成30年……ファクタリング取引、残高確認、改定償却率、消費税等
令和元年……敷金等、債務超過、残高確認、消費税等
令和２年……仮払金の精算、クレジット売掛金、電子記録債権、消費税等
令和５年……従業員の横領、電子記録債権、消費税の軽減税率、インセンティブ報酬

4　実務家試験委員問題では、残高試算表の勘定科目内訳書が資料として与えられることが多い。なお、当該資料が与えられた場合は、次の事項に留意して解答を行う必要がある。

(1) 最初に勘定科目内訳書の内容を確認し、誤っているものがあれば修正処理を行う。

(2) 修正事項及び決算整理事項等に着手する際は、勘定科目内訳書の内容もリンクさせながら解き進める。

5　実務家試験委員問題では、実務で使用する証票（当座勘定照合表、請求書等）が資料として与えられる場合があり、何をすべきか戸惑うことがある。

また、実務家試験委員の問題文は実務上の前提条件まで記載され、問題文が長く、説明が回りくどい場合があるため、読み取りづらいこともある。

# 問題編

TAX ACCOUNTANT

# 問題 1　一般総合(1)

| 制限時間 | 30分 |
|---|---|
| 難易度 | A |

当社の当期（自X20年４月１日　至X21年３月31日）に関する【資料１】及び【資料２】に基づいて、答案用紙に示した損益勘定及び残高勘定を作成しなさい。なお、利息及び減価償却の計算は月割りによることとし、千円未満の端数は四捨五入することとする。

【資料１】前期末の残高勘定

残　高　（単位：千円）

| 借方 | 金額 | 貸方 | 金額 |
|---|---|---|---|
| 現金預金 | 117,150 | 支払手形 | 35,000 |
| 受取手形 | 63,000 | 買掛金 | 104,000 |
| 売掛金 | 112,000 | 未払利息 | 50 |
| 繰越商品 | 14,000 | 未払法人税等 | 4,500 |
| 建物 | 200,000 | 貸倒引当金 | 3,500 |
| 車両 | 20,000 | 借入金 | 10,000 |
| 備品 | 12,000 | 減価償却累計額 | 102,800 |
| 土地 | 350,000 | 繰延税金負債 | 60 |
| 投資有価証券 | 3,700 | 資本金 | 500,000 |
| | | 利益準備金 | 50,000 |
| | | 繰越利益剰余金 | 81,800 |
| | | その他有価証券評価差額金 | 140 |
| | 891,850 | | 891,850 |

【資料２】当期中の取引

1　当期の売上に関する事項

(1) 現金売上：20,000千円

(2) 掛売上：825,000千円

(3) 手形売上：220,000千円

2　当期の仕入に関する事項

(1) 現金仕入：8,000千円

(2) 小切手の振出による仕入：25,000千円

(3) 掛仕入：585,000千円

(4) 手形仕入：150,000千円

(5) 手形の裏書譲渡による仕入：30,000千円

3　売掛金の回収等に関する事項

(1) 現金回収：35,000千円

(2) 預金振込による回収：485,000千円

(3) 得意先振出の約束手形による回収：300,000千円

(4) 期首売掛金の貸倒れ：3,000千円

4　買掛金の決済等に関する事項

(1) 小切手の振出による支払：450,000千円

(2) 約束手形の振出による支払：200,000千円

(3) 為替手形の振出による支払：20,000千円

5　受取手形の決済等に関する事項

(1) 期日取立：385,000千円

(2) 手形の割引：30,000千円（割引料120千円控除前）

6　支払手形の決済等に関する事項

(1) 期日決済：345,000千円

7　その他の事項

(1) 営業費の現金支払：204,770千円

(2) 借入金利息の支払：300千円

(3) 法人税等の確定納付及び中間納付：9,000千円

(4) 配当金の支払：1,000千円

(5) 配当金の受取：200千円

(6) 車両の現金購入：6,000千円

【資料３】決算整理事項

1　期末商品に関する事項

(1) 期末帳簿棚卸高：12,000千円

(2) 期末実地棚卸高：11,500千円

(3) 棚卸減耗費のうち、30%は原価処理する。

2　固定資産に関する事項

(1) 建物はＸ１年４月１日に取得したものであり、耐用年数40年、残存割合10%、定額法（償却率0.025）により減価償却を行う。

(2) 前期末に保有している車両はＸ18年４月１日に取得したものであり、当期に取得した車両はＸ20年８月１日に取得したものである。車両は耐用年数５年、残存割合０%、定率法（償却率0.400）により減価償却を行う。

(3) 備品はＸ17年４月１日に取得したものであり、耐用年数８年、残存割合０%、定額法（償

却率0.125）により減価償却を行う。

3　貸倒引当金に関する事項

受取手形及び売掛金の期末残高に対して２％の貸倒引当金を差額補充法により計上する。

4　投資有価証券に関する事項

(1) 前期末に保有している有価証券はＡ社株式のみであり、その他有価証券に区分している。

(2) その他有価証券の時価評価にあたっては税効果会計（法定実効税率30%）を適用する。

(3) 当社の保有するＡ社株式の期末時価は3,800千円である。

5　その他の事項

(1) 支払利息の見越額：50千円

(2) 営業費の繰延高：110千円

(3) 法人税等の年税額：13,500千円

⇨ 解答：101ページ

| 問題２ 一般総合(2) | 制限時間 30分 |
|---|---|
| | 難易度 A |

当社の当期（自ｘ19年４月１日　至ｘ20年３月31日）に関する【資料１】及び【資料２】に基づいて、繰越試算表及び損益勘定を作成しなさい。なお、利息及び減価償却の計算は月割りによることとし、千円未満の端数は四捨五入することとする。

【資料１】決算整理前残高試算表

決算整理前残高試算表　（単位：千円）

| 借方科目 | 金額 | 貸方科目 | 金額 |
|---|---|---|---|
| 現金 | 1,250 | 支払手形 | 12,600 |
| 当座預金 | 22,950 | 買掛金 | 18,800 |
| 受取手形 | 28,000 | 貸倒引当金 | 600 |
| 売掛金 | 53,510 | 借入金 | 40,000 |
| 繰越商品 | 38,000 | 建物減価償却累計額 | 121,500 |
| 建物 | 360,000 | 備品減価償却累計額 | 39,040 |
| 備品 | 80,600 | 資本金 | 300,000 |
| 建設仮勘定 | 54,000 | 繰越利益剰余金 | 18,770 |
| 仕入 | 722,000 | 売上 | 900,000 |
| 営業費 | 89,500 | | |
| 支払利息 | 1,500 | | |
| | 1,451,310 | | 1,451,310 |

【資料２】決算整理事項

1　期末に金庫を調べた結果、現金の実際有高は980千円であった。帳簿残高との差額について調査したところ、営業費250千円の支払いが未記帳であることが判明したが、その他については不明である。

2　ｘ20年３月31日における当座預金の勘定残高と取引銀行の当座預金口座の残高が不一致であった。差額について調査したところ、次の事項が判明した。

(1) 決算日に現金100千円を預け入れたが、銀行では翌日の入金として処理されていた。

(2) 得意先から売掛金230千円を回収した際に誤って320千円で記帳していた。

(3) 買掛金の支払いとして振り出した小切手300千円が金庫に保管されていた。

(4) 買掛金の支払いとして振り出した小切手200千円が未決済であった。

(5) 営業費125千円が引き落とされていたが、未記帳であった。

3　期末商品帳簿棚卸高は76,000千円であり、期末商品実地棚卸高は75,430千円であった。差額について調査したところ、期中に見本品として提供した商品380千円が未記帳であることが判明したが、その他については不明である。

4　固定資産についての事項は次のとおりである。

(1) 建物は耐用年数40年、残存価額を取得価額の10％とする定額法（償却率：年0.025）により償却している。

x19年7月31日に倉庫（取得価額40,000千円、期首減価償却累計額27,000千円）を取り壊し、新たに倉庫を建設した。旧倉庫の取り壊しから新倉庫の建設までにかかった費用は旧倉庫の取壊・撤去費用1,400千円及び新倉庫の建設代金57,600千円であり、このうち期末までに支払った金額を建設仮勘定に計上し、残額は翌期に支払うこととなっている。なお、新倉庫はx20年2月1日から使用しており、新倉庫は耐用年数40年、残存価額をゼロとする定額法（償却率0.025）により償却する。

(2) 備品は耐用年数10年、残存価額をゼロとする定率法（償却率0.200）により償却している。決算整理前残高試算表の備品のうち、600千円はx19年10月1日に取得し、使用しているものである。

5　受取手形及び売掛金の期末残高に対して2％の貸倒引当金を差額補充法により計上する。

6　決算整理前残高試算表の借入金はx19年1月1日に借り入れたものであり、期間5年、年利5％、利息は半年ごとに支払う（後払い）契約となっている。

7　営業費120千円は翌期に帰属する費用であるため、繰延処理を行う。

⇨ **解答：109ページ**

| 問題３　一般総合(3) | 制限時間　30分 |
|---|---|
| | 難易度　Ａ |

当社の当期（自ｘ20年４月１日　至ｘ21年３月31日）中のｘ21年２月末日現在の残高試算表は【資料１】のとおりである。【資料２】に示すｘ21年３月中の取引と【資料３】に示す修正及び決算整理事項に基づき、答案用紙の決算整理後残高試算表を完成させなさい。

（解答上の留意事項）

1　期間による計算が生ずる場合には月割計算によるものとする。

2　資料中の（　　）の金額については各自算定すること。

3　金額計算において、千円未満の端数が生じた場合は、千円未満の端数を切り捨てる。

4　勘定科目は残高試算表にある科目を使用し、それ以外の勘定科目は使用しない。

（問題の前提条件）

1　問題文に指示のない限り、企業会計基準等に示された原則的な会計処理による。

2　税効果会計については、適用する旨の記載がある項目についてのみ適用する。なお、法定実効税率は30％とする。また、繰延税金資産と繰延税金負債は相殺しない。

3　消費税及び地方消費税（以下「消費税等」という。）の会計処理は税抜方式を採用している。資料中（税込）と記載のある金額には消費税等10％が含まれている。それ以外の金額については消費税等を考慮しない。

4　法人税等及び法人税等調整額の合計額は、税引前当期純利益に法定実効税率（30％）を乗じて算出した金額とし、法人税等の金額は逆算で計算する。

【資料1】 x21年2月末日現在の残高試算表

(単位:千円)

| 勘定科目 | 金額 | 勘定科目 | 金額 |
|---|---|---|---|
| 現金預金 | 13,684 | 支払手形 | 6,600 |
| 受取手形 | 22,000 | 買掛金 | 12,100 |
| 売掛金 | 43,770 | 仮受消費税等 | 39,000 |
| 繰越商品 | 3,000 | 賞与引当金 | 6,000 |
| 仮払金 | 6,300 | 貸倒引当金 | 440 |
| 仮払消費税等 | 27,600 | 借入金 | 20,000 |
| 建物 | 10,000 | 減価償却累計額 | (　　　) |
| 車両 | 3,000 | 退職給付引当金 | (　　　) |
| 備品 | 1,200 | 資本金 | 50,000 |
| 土地 | (　　　) | 利益準備金 | 1,000 |
| 投資有価証券 | (　　　) | 繰越利益剰余金 | 7,671 |
| 繰延税金資産 | 4,500 | 売上 | 390,000 |
| 仕入 | 221,000 | | |
| その他人件費 | 103,000 | | |
| その他営業費 | 54,879 | | |
| 支払利息 | 200 | | |
| 手形売却損 | 60 | | |
| 合計 | (　　　) | 合計 | (　　　) |

【資料2】 x21年3月中の取引

1　商品の売上高は現金預金売上1,100千円(税込)、掛売上41,800千円(税込)、手形売上16,500千円(税込)であった。

2　商品の仕入高は現金預金仕入660千円(税込)、掛仕入26,400千円(税込)、手形仕入8,800千円(税込)であった。

3　売掛金の回収高は現金預金28,600千円、得意先振出の約束手形の受取11,000千円であった。また、前期に発生した売掛金220千円(税込)が貸倒れとなった。

4　買掛金の決済高は現金預金18,150千円、約束手形の振出5,500千円、為替手形の振出(得意先引受)2,200千円であった。

5　受取手形の期日取立高は19,800千円であった。また、2,200千円については期日前に割引し、割引料30千円控除後の金額を受け取った。

6　支払手形の期日決済高は11,000千円であった。

7　上記以外の支出額はその他人件費の支払5,000千円、その他営業費の支払6,820千円（税込）、借入金利息の支払200千円、退職一時金の支払1,800千円、企業年金掛金の支払（　　）千円であり、収入額は保有社債のクーポン利息の受取（　　）千円であった。

【資料３】修正及び決算整理事項

1　期末商品帳簿棚卸高は3,600千円であり、期末商品実地棚卸高は3,540千円である。期末商品実地棚卸高のうち200千円は長期滞留品であり、正味売却価額は120千円である。棚卸減耗費の40％及び商品評価損については売上原価に算入する。

2　期末売上債権残高の２％を貸倒引当金として差額補充法により計上する。

3　当社の保有している固定資産は以下のとおりである。なお、減価償却方法は定額法であり、残存価額はゼロである。

| | 取得価額 | 耐用年数 | 取得日 |
|---|---|---|---|
| 建　物 | 10,000千円 | 40年 | x１年４月１日 |
| 車　両 | 3,000千円 | ５年 | x18年８月１日 |
| 備　品 | 1,200千円 | ８年 | x16年12月１日 |
| 土　地 | （　　）千円 | － | x１年４月１日 |

4　当社は年２回賞与を支給しており、当期に支給した賞与はその他人件費に計上している。x21年６月に支給する賞与の見込額は9,300千円であり、支給対象期間はx20年12月１日～x21年５月31日である。なお、賞与引当金については税効果会計を適用する。

5　当社は退職給付制度として企業年金制度及び退職一時金制度を採用しており、当期に関する資料は以下のとおりである。x21年２月までに支出した金額について退職給付引当金を減額する処理を行っているのみであり、退職給付費用の計上は行っていない。なお、退職給付引当金については税効果会計を適用する。

(1)　期首退職給付債務：15,000千円（割引率２％）

(2)　年金資産時価：6,000千円（長期期待運用収益率１％）

(3)　勤務費用：4,360千円

(4)　企業年金拠出額：月額200千円（毎月末に支払）

(5)　企業年金給付額：1,200千円

(6)　退職一時金給付額：1,800千円

6　当社の保有している有価証券は以下のとおりである。

| | 保有目的区分 | 取得価額 | 当期末時価 |
|---|---|---|---|
| A株式 | その他有価証券 | 600千円 | 650千円 |
| B株式 | その他有価証券 | 300千円 | 280千円 |
| C社債 | 満期保有目的の債券 | 760千円 | 785千円 |

(1) その他有価証券の評価差額は全部純資産直入法により処理し、税効果会計を適用する。

(2) C社債はｘ19年４月１日に発行と同時に取得したものであり、債券金額は800千円、償還期限はｘ24年３月31日、クーポン利子率は年1.5%、利払日は毎年３月31日である。債券金額と取得価額との差額は金利調整差額と認められるため、定額法による償却原価法により処理する。

7　その他営業費330千円について見越計上する。

8　消費税等の中間納付額4,500千円及び法人税等の中間納付額1,800千円は仮払金に計上している。

⇨解答：113ページ

| # 問題 4　一般総合(4) | 制限時間　45分 |
|---|---|
| | 難易度　B |

当社の当期（自 x 20年4月1日　至 x 21年3月31日）に関する下記の資料に基づいて、決算整理後残高試算表を作成しなさい。なお、日数計算は月割りによることとし、千円未満の端数は四捨五入することとする。また、税効果会計については適用する旨の記載があるものについてのみ適用することとし、法定実効税率は30%とする。

【資料1】決算整理前残高試算表

決算整理前残高試算表　　　（単位：千円）

| 勘定科目 | 金額 | 勘定科目 | 金額 |
|---|---|---|---|
| 現金 | 1,645 | 支払手形 | 35,000 |
| 当座預金 | 126,276 | 買掛金 | 36,000 |
| 受取手形 | 40,000 | 賞与引当金 | 13,600 |
| 売掛金 | 79,730 | 貸倒引当金 | 300 |
| 繰越商品 | 5,300 | 借入金 | (　　　) |
| 仮払法人税等 | 9,000 | 退職給付引当金 | (　　　) |
| 建物 | (　　　) | 資本金 | 90,000 |
| 車両 | (　　　) | 資本準備金 | 20,000 |
| 備品 | (　　　) | 利益準備金 | 2,000 |
| 土地 | 80,000 | 繰越利益剰余金 | 56,122 |
| 投資有価証券 | 13,704 | 売上 | 950,000 |
| 繰延税金資産 | 24,906 | 受取利息配当金 | 580 |
| 仕入 | 550,000 | 為替差損益 | 330 |
| 給料 | 135,000 | | |
| 賞与手当 | 41,500 | | |
| 退職給付費用 | 18,000 | | |
| 修繕費 | 28,000 | | |
| その他営業費 | 67,891 | | |
| 支払利息 | (　　　) | | |
| 雑損失 | 20 | | |
| 合計 | (　　　) | 合計 | (　　　) |

【資料２】決算整理事項等

１　現金

(1) 決算日に金庫の中を実査したところ、次のものが保管されていた。

① 通貨（円）：240千円

② 通貨（ドル）：10千ドル（※１）

③ 配当金領収証：100千円（※２）

④ クーポン利息：120千円（※３）

⑤ 当社振出小切手：2,200千円（※４）

⑥ Ａ社振出小切手：3,300千円（※５）

（※１）帳簿価額は1,400千円であり、ｘ21年３月31日の直物レートは１ドル142円である。

（※２）M社株式について受け取ったものであるが、未処理である。

（※３）Ｌ社社債の利払日がｘ21年３月31日のものであるが、未処理である。

（※４）Ｘ社に対する買掛金の支払いのために振出したものである。

（※５）売掛金の回収として受け取ったものであるが、当座預金に入金したものとして処理している。

(2) 上記(1)以外の原因は不明であるため、雑損失又は雑収入に振り替える。

２　当座預金

決算日に銀行から取り寄せた当座預金残高証明書の金額は128,255千円であり、帳簿残高との差額について次の事項が判明した。

(1) 買掛金の支払いとして振出した小切手2,200千円及び売掛金3,300千円の回収として受け取ったＡ社振出小切手が金庫に保管されていた。

(2) Ｂ社から売掛金1,650千円について、振込手数料控除後の1,649千円が振り込まれていたが、未処理であった。

(3) その他営業費220千円が引き落とされていたが、未処理であった。

(4) 買掛金1,100千円の支払いとして振出した小切手が決済されていなかった。

(5) 買掛金の支払いとして振出した約束手形550千円の支払期日がｘ21年３月31日であったため、決済処理を行っていたが、決済されていなかった。

３　売掛金

得意先に売掛金残高について残高確認したところ、次の事項が判明した。

(1) Ａ社に対する売掛金残高は33,000千円であるが、Ａ社の買掛金残高は32,120千円であった。差額は、決算日直前に掛販売した商品の一部（原価550千円）についてＡ社が返品していたが、当社には未着であったため、当社では未処理であった。

(2) Ｂ社に対する売掛金残高は22,000千円であるが、Ｂ社の買掛金残高は20,350千円であった。差額は、Ｂ社が当社の当座預金に振込みを行ったものについて当社では未処理であった。

(3) Ｃ社に対する売掛金残高は2,200千円であるが、Ｃ社から破産手続きを開始したとの回答があった。よって、Ｃ社に対する売掛金を破産更生債権等とし振替処理を行うこととする。

(4) Ｅ社に対する売掛金残高14,400千円はドル建のもの100千ドルである。

4　貸倒引当金

(1) 当社は売上債権を一般債権、貸倒懸念債権及び破産更生債権等に区分して貸倒引当金を差額補充法により計上している。なお、繰入率は次のとおりであり、貸倒引当金繰入限度超過額について税効果会計を適用する。また、前期末において貸倒懸念債権及び破産更生債権等に区分される債権はなかった。

| 債権区分 | 会計上 | 税務上 |
| --- | --- | --- |
| 一　般　債　権 | 債権金額の１％ | 債権金額の１％ |
| 貸倒懸念債権 | 債権金額の50% | 債権金額の１％ |
| 破産更生債権等 | 債権金額の100% | 債権金額の50% |

(2) 得意先Ｄ社は資金繰りが悪化しており、債務の弁済に重大な問題が生じていると考えられるため、Ｄ社に対する債権（受取手形2,000千円及び売掛金3,000千円）を貸倒懸念債権に区分する。

5　商品

(1) 期末帳簿棚卸高は6,600千円であり、期末実地棚卸高は6,325千円であった。差額について調査したところ、期中に見本品として提供した商品220千円が未処理であった。

(2) 期末実地棚卸高のうち、330千円については陳腐化品であり、正味売却価額は200千円である。商品評価損については売上原価に算入することとする。

6　有価証券

(1) 当社の保有する有価証券は次のとおりであり、当期中に取得及び売却はしていない。債券については金利調整差額と認められるものとし、定額法により処理する。その他有価証券については全部純資産直入法により処理し、税効果会計を適用する。当期末時価が取得価額の50%以上下落している場合には回復の見込はないものとして減損処理を行う。なお、当期首の振戻処理は適正に行われており、前期末までに減損処理は行っていない。

|  | 保有目的区分 | 取得価額 | 当期末時価 |
| --- | --- | --- | --- |
| Ｌ社社債 | 満期保有目的の債券 | 5,840千円 | 5,940千円 |
| Ｍ社株式 | その他有価証券 | 3,000千円 | 3,300千円 |
| Ｎ社株式 | その他有価証券 | 2,800千円 | 2,700千円 |
| Ｏ社株式 | その他有価証券 | 2,000千円 | 900千円 |

(2) Ｌ社社債はｘ18年４月１日に発行と同時に取得したものであり、債券金額は6,000千円、償還期限はｘ23年３月31日である。クーポン利子率は年２％であり、利払日は毎年３月31日の

年１回である。

7　有形固定資産

(1)　当社が当期首に保有していた有形固定資産は以下のとおりである。なお、減価償却計算にあたり、残存価額は０円とする。

| | 取得価額 | 耐用年数 | 償却方法 | 償却率 | 使用開始日 |
|---|---|---|---|---|---|
| 建　物 | 100,000千円 | 40年 | 定額法 | 0.025 | ｘ５年４月１日 |
| 車両Ａ | 5,000千円 | ５年 | 定率法 | 0.400 | ｘ18年10月１日 |
| 車両Ｂ | 6,400千円 | ５年 | 定率法 | 0.400 | ｘ19年７月１日 |
| 備品Ａ | 3,000千円 | ８年 | 定額法 | 0.125 | ｘ14年４月１日 |
| 備品Ｂ | 2,200千円 | ８年 | 定額法 | 0.125 | ｘ18年４月１日 |
| 土地Ａ | 30,000千円 | － | － | － | ｘ１年４月１日 |
| 土地Ｂ | 50,000千円 | － | － | － | ｘ２年８月１日 |

(2)　建物については改修工事を行い、ｘ20年４月１日に完了した。改修費用として28,000千円支払ったが、全額修繕費に計上している。当該改修工事によって建物の耐用年数が10年延長したと考えられるため、延長年数に相当する金額を資本的支出として処理する。資本的支出後の減価償却計算は当初耐用年数により行うこととする。

(3)　ｘ20年12月１日に車両Ｃを取得し、使用を開始している。車両Ｃの取得に要した費用は次のとおりであり、全額車両に計上している。車両Ｃの耐用年数は５年、残存価額は０円、償却方法は定率法、償却率は0.400である。

①　車両本体価格：7,000千円

②　付属品価格：200千円

③　固定資産税：60千円

④　保険料（ｘ20年12月～ｘ21年11月分）：120千円

(4)　ｘ20年７月31日に備品Ａ（適正評価額は400千円）を500千円で下取りに出し、新たに備品Ｃ（定価3,400千円）を購入した。当社は差額代金を支払ったが、支払額を備品に計上したのみである。備品Ｃの耐用年数は８年、残存価額は０円、償却方法は定額法、償却率は0.125である。

(5)　土地Ａは遊休地であり、翌期に売却することを取締役会で決定した。当該土地の時価は22,000千円であり、同額で売却する予定である。なお、減損損失計上額について税効果会計を適用する。

8　賞与引当金

当社は年２回賞与をしており、当期に支給した賞与は全額賞与手当に計上している。決算整理前残高試算表の賞与引当金は前期末に計上したものである。ｘ21年７月に支給する予定の賞与は21,000千円であり、支給対象期間はｘ20年12月１日からｘ21年５月31日であるため、当期に帰属する金額を賞与引当金に計上する。賞与引当金について税効果会計を適用する。

9　退職給付引当金

当社は退職給付制度として退職一時金制度及び企業年金制度を併用しており、退職給付債務の算定は原則法により行っている。当期に関する資料は次のとおりであり、当期に支出した金額を退職給付費用に計上している。なお、数理計算上の差異は発生年度の翌年度から５年で定額法により償却しており、退職給付引当金について税効果会計を適用する。

(1) 当期首

①　退職給付債務（実際）：120,000千円

②　年金資産時価：50,000千円

③　未認識数理計算上の差異

ｘ16年３月期分：　200千円

ｘ17年３月期分：△　210千円※

ｘ18年３月期分：△　240千円※

ｘ19年３月期分：　380千円

ｘ20年３月期分：　450千円

※　△は未積立退職給付債務について見込額より実際額が少なかったため発生したものである。

(2) 当期の勤務費用は12,000千円、割引率は２％、長期期待運用収益率は1.8％である。

(3) 当期中の掛金拠出額は6,000千円、退職給付額は15,000千円であった。

(4) 当期末

①　退職給付債務（実際）：119,500千円

②　年金資産時価：53,600千円

10　借入金

借入金はｘ15年８月１日に元本80,000千円を借り入れたものであり、ｘ16年７月31日から毎年７月31日に元本10,000千円の返済及び利息（年2.4％）の支払いを行っている。決算整理前残高試算表の借入金及び支払利息はすべて当該借入金に係るものである。

11　法人税等

法人税等の年税額は法人税等に法人税等調整額を加減した金額が税引前当期純利益の30％となるように算定する。なお、決算整理前残高試算表の仮払法人税等は法人税等の中間納付額である。

⇨解答：119ページ

| 問題５ | 一般総合(5) | 制限時間　45分 |
|---|---|---|
| | | 難易度　A |

甲株式会社（以下、「当社」という。）は、商品の販売業を営んでいる。当社の当期（自ｘ10年４月１日　至ｘ11年３月31日）の決算整理前残高試算表は【資料１】のとおりである。【資料２】に示す修正及び決算整理事項に基づいて、答案用紙の決算整理後残高試算表を作成しなさい。

（解答上の留意事項）

1　商品売買については、三分法で会計処理を行っている。

2（　　　）は各自で推定することとし、資料から判明する事項以外は一切考慮する必要はない。

3　期間按分計算を行う場合は月割計算（１か月未満の端数切り上げ）で行うこと。

4　計算の結果、千円未満の端数が生じた場合には切り捨てること。

【資料１】決算整理前残高試算表

決算整理前残高試算表（ｘ11年３月31日）　（単位：千円）

| 借 | 方 | 貸 | 方 |
|---|---|---|---|
| 勘定科目 | 金額 | 勘定科目 | 金額 |
| 現金 | 540 | 支払手形 | 11,500 |
| 小口現金 | 100 | 買掛金 | 14,745 |
| 当座預金 | 26,765 | 未払金 | 500 |
| 受取手形 | 46,000 | 仮受金 | 15,600 |
| 売掛金 | 53,000 | 貸倒引当金 | 1,550 |
| 繰越商品 | 10,200 | 賞与引当金 | 3,000 |
| 仮払金 | 2,745 | 借入金 | 12,000 |
| 建物 | 153,550 | 資本金 | 80,000 |
| 車両 | 12,400 | 資本準備金 | 40,000 |
| 備品 | 8,096 | 利益準備金 | 13,000 |
| 土地 | 150,000 | 繰越利益剰余金 | 14,806 |
| 商標権 | 4,125 | 売上 | 1,309,000 |
| 仕入 | 765,000 | 受取利息 | 140 |
| 営業費 | 110,380 | 雑収入 | 95 |
| 給料手当 | 150,750 | | |
| 賞与手当 | 10,000 | | |
| 旅費交通費 | 5,700 | | |
| 支払保険料 | 800 | | |
| 支払利息 | 5,000 | | |
| 手形売却損 | 650 | | |
| 雑損失 | 135 | | |
| 合計 | 1,515,936 | 合計 | 1,515,936 |

【資料２】修正及び決算整理事項

1　現金に関する事項

期末において現金実査を行ったところ、金庫の中に次のものが保管されていた。原因不明による現金過不足が生じる場合には、雑損失勘定で処理する。

| 通貨285千円　他社振出小切手250千円※　当社振出小切手600千円 |
|---|

※　受取時に現金勘定で処理していたが、振出日はｘ11年４月２日であった。

2　小口現金に関する事項

当社は定額資金前渡制度を採用しており、毎月初に定額100千円になるように用度係に対して小切手を振り出し、毎月末に用度係から小口現金の支払報告を受けている。決算日に用度係から３月分の支払額として45千円の支払報告（営業費として処理する。）があったが、未処理である。

3　当座預金に関する事項

決算日に取引銀行から当座預金の残高証明書を取り寄せたところ、その金額は25,355千円であった。帳簿残高との不一致原因を調べたところ、次の(1)から(5)の事項が判明した。

(1)　決算日に現金200千円を預け入れたが、銀行では営業時間終了後であったため、翌日の入金として処理されていた。

(2)　決算日に手形代金1,250千円が引き落とされていたが、当社では何ら処理を行っていなかった。

(3)　３月28日に当座預金から引き落とされた営業費320千円を、当社では金額を230千円とし、さらに貸借反対に記帳していた。

(4)　仕入先に対する買掛金500千円及び営業費100千円の支払いのために振り出した小切手が、当社の金庫に保管されていた。

(5)　３月30日に受取手形8,000千円を銀行で割り引き、割引料を差し引かれた7,990千円が当座預金に入金されたが、当社では手形金額をもって入金処理していた。

4　商品に関する事項

期末帳簿棚卸高　11,500千円

期末実地棚卸高　11,000千円

上記棚卸高について調査したところ、次の事項が判明した。

(1)　得意先が期末日直前に返品した商品300千円（売価）が未着であったため、当社では未処理であった。なお、当該返品商品の原価は200千円である。

(2)　帳簿棚卸高と実地棚卸高の差額のうち220千円（原価）は期中に見本品として得意先に送付

したものが未処理であることが判明した。その他の差額は棚卸減耗であるが、うち30%は原価処理する。また、返品された商品は汚損品であったため、正味売却価額100千円で評価し、商品評価損は原価処理する。

5　有形固定資産に関する事項

（単位：千円）

| 種　類 | 取得年月日 | 取得価額 | 期首<br>帳簿価額 | 耐用<br>年数 | 残存<br>割合 | 償却<br>方法 | 償却率 | 備考 |
|---|---|---|---|---|---|---|---|---|
| 建物Ａ | ｘ１年４月１日 | 100,000 | 79,750 | 40年 | 10% | 定額法 | —— | 注１ |
| 建物Ｂ | ｘ２年４月１日 | 90,000 | 73,800 | 40年 | 10% | 定額法 | —— | —— |
| 車両Ａ | ｘ７年１月10日 | 20,000 | 7,000 | ５年 | ０% | 定額法 | —— | 注２ |
| 車両Ｂ | ｘ７年４月１日 | 13,500 | 5,400 | ５年 | ０% | 定額法 | —— | —— |
| 車両Ｃ | ｘ10年12月31日 | （　　　） | —— | ５年 | ０% | 定額法 | —— | 注２ |
| 備品Ａ | ｘ６年４月１日 | 10,000 | 4,096 | 10年 | ０% | 定率法 | 0.200 | 注３ |
| 備品Ｂ | ｘ８年４月１日 | 6,000 | 4,000 | ６年 | ０% | 定額法 | —— | 注４ |

（注１）当期の９月30日に火災により焼失したため、保険会社に保険金の請求をしたところ、後日保険金が支払われたが、当社ではこの一連の取引に関して、保険金の受取額15,600千円をもって仮受金勘定に計上したのみである。

（注２）当期の12月31日に車両Ａを下取りに出し車両Ｃに買換えたが、当社では、追加支払額をもって仮払金勘定に計上しているのみである。なお、車両Ａの適正評価額は2,825千円、下取価額は2,925千円であり、車両Ｃの定価は4,600千円であった。また、車両Ｃは買換えの翌月から使用を開始している。

（注３）当期より償却方法を定額法に変更する。

（注４）当期より耐用年数を４年に変更する。

6　無形固定資産に関する事項

（単位：千円）

| 種　類 | 取得年月日 | 取得価額 | 期首<br>帳簿価額 | 償却<br>期間 | 残存<br>割合 | 償却<br>方法 | 償却率 | 備考 |
|---|---|---|---|---|---|---|---|---|
| 商標権 | ｘ８年７月１日 | 5,000 | 4,125 | 10年 | ０% | 定額法 | —— | —— |

7　貸倒引当金に関する事項

(1) 売掛金900千円（内訳：前期発生分300千円、当期発生分600千円）が貸倒れたが、当社では何ら処理を行っていない。

(2) 当社は、受取手形及び売掛金を「一般債権」、「貸倒懸念債権」及び「破産更生債権等」に区分し、その区分ごとに貸倒見積高の算定を行い、その合計額をもって貸倒引当金を差額補充法により計上している。なお、決算整理前残高試算表の貸倒引当金はすべて一般債権に係るものである。

① 破産更生債権等については、債権額から担保処分見込額を控除した残額の全額を貸倒見積高とする。なお、当期中に得意先乙社が破産の申し立てを行い倒産したが、当社では何ら処理を行っていない。受取手形には乙社から受け取った手形2,000千円（乙社振出の約束手形1,500千円及び丙社振出で乙社から裏書譲渡を受けた約束手形500千円）が計上されており、売掛金には乙社に対するもの3,500千円が計上されている。また、このほか、当期中に乙社振出の約束手形1,000千円を銀行で割り引いたが、不渡りとなったため、銀行から買い戻し、仮払金勘定に計上している。これらの債権のうち、破産更生債権等に区分されるものについては、振替処理を行う。当該債権の担保処分見込額は2,500千円である。

② 貸倒懸念債権については、債権額から担保処分見込額を控除した残額に50％を乗じた額をもって貸倒見積高とする。なお、受取手形のうち2,000千円及び売掛金のうち1,050千円は貸倒懸念債権であり、当該債権の担保処分見込額は550千円である。

③ 一般債権については、期末債権残高に貸倒実績率２％を乗じた額を貸倒見積高とする。なお、受取手形及び売掛金の期末残高のうち、上記①及び②以外のものはすべて一般債権である。

8 従業員賞与に関する事項

(1) 当社は従業員賞与を６月10日と12月10日の年２回支給しており、支給対象期間はそれぞれ12月から５月、６月から11月である。当期の実際支給額は、６月10日が4,500千円、12月10日が5,500千円であった。なお、決算整理前残高試算表の賞与引当金3,000千円は前期末に計上したものであり、賞与支給時には支給額をもって賞与手当勘定に計上している。

(2) 翌期６月10日の従業員賞与の支給見込額は6,000千円であり、当期負担分を賞与引当金として計上する。

9　その他の事項

(1) 仮払金のうち、70千円は従業員に対して支払った出張費用の概算額である。決算日までに従業員が帰社し、下記に示す出張旅費精算書を受け取ったが、未処理であった。なお、不足額についてはｘ11年４月２日に従業員へ現金で支払った。

出張旅費精算書

出張日：ｘ11年３月25日～３月30日

| 出張費用： | 宿泊費 | 40千円 |
|---|---|---|
| | 交通費等 | 45千円 |
| | 計 | 85千円 |
| | 仮払額 | 70千円 |
| | 不足額 | 15千円 |

(2) 支払保険料について、当社は毎年８月１日と２月１日の年２回、半年分の保険料（毎回同額）を当座預金口座より前払いしている。よって、翌期負担分を繰延べる。

(3) 営業費200千円について見越計上する。

⇨解答：127ページ

## 問題６ 一般総合(6)

| 制限時間 | 45分 |
|---|---|
| 難易度 | A |

当社の当期（自 x 20年４月１日　至 x 21年３月31日）に関する下記の資料に基づいて、決算整理後残高試算表を作成しなさい。なお、利息及び減価償却の計算は月割りによることとし、千円未満の端数は四捨五入することとする。また、税効果会計については適用する旨の記載があるものについてのみ適用することとし、法定実効税率は30%とする。

【資料１】決算整理前残高試算表

（単位：千円）

| 勘定科目 | 金額 | 勘定科目 | 金額 |
|---|---|---|---|
| 現金預金 | 560,740 | 支払手形 | 33,000 |
| 受取手形 | 123,000 | 買掛金 | 81,300 |
| 売掛金 | 212,500 | 賞与引当金 | 15,200 |
| 繰越商品 | 15,000 | 貸倒引当金 | 2,000 |
| 仮払金 | 36,300 | 退職給付引当金 | 260,000 |
| 建物 | 29,750 | 社債 | 9,600 |
| 車両 | 6,240 | 資本金 | 500,000 |
| 備品 | 7,850 | 資本準備金 | 80,000 |
| 土地 | 300,000 | 利益準備金 | 12,000 |
| 投資有価証券 | 10,550 | 繰越利益剰余金 | 86,525 |
| 繰延税金資産 | 82,560 | 売上 | 2,500,000 |
| 仕入 | 1,497,600 | 有価証券利息 | 30 |
| その他人件費 | 525,500 | | |
| その他営業費 | 171,825 | | |
| 社債利息 | 240 | | |
| 合計 | 3,579,655 | 合計 | 3,579,655 |

【資料２】決算整理事項

1　現金預金

(1) 決算整理前残高試算表の現金預金勘定の内訳は現金380千円、当座預金225,360千円及び普通預金335,000千円である。

(2) 金庫を実査したところ、以下のものが保管されていた。なお、原因不明分の差額については雑損失に振り替えることとする。

①　通貨370千円

② 他人振出小切手500千円（※１）

③ 自己振出小切手1,000千円（※２）

④ 収入印紙・切手20千円（※３）

⑤ Ｄ社社債のクーポン利息（　　　）千円（※４）

（※１）売掛金の回収として受け取ったものであるが、未処理であった。

（※２）買掛金の支払いとして振り出したものである。

（※３）購入時にその他営業費勘定に計上している。

（※４）利払日がｘ21年３月31日のものであるが、未処理であった。

(3) 当座預金について、銀行から送付されてきた残高証明書の金額は227,290千円であった。不一致原因を調べた結果、下記の原因が判明した。

① 買掛金の支払いとして振り出した小切手1,000千円が金庫の中に保管されていた（上記(2)③参照）。

② 買掛金の支払いとして交付した小切手1,200千円が未決済であった。

③ その他営業費250千円を支払った際、金額を520千円とし、貸借反対に仕訳していた。

④ 企業年金制度に係る掛金1,500千円が引き落とされていたが、未処理であった。

⑤ 売掛金2,000千円が振り込まれていたが、未処理であった。

2　商品

(1) 期中に商品300千円を見本品として提供したが、未処理であった。

(2) 得意先から商品2,000千円（原価1,200千円）を返品する旨の連絡を受けたが、商品が未到着であったため、未処理であった。

(3) 期末帳簿棚卸高（上記(1)及び(2)修正前）は12,600千円であり、期末実地棚卸高は11,700千円であった。

(4) 返品された商品は品質低下品であり、正味売却価額は700千円である。棚卸減耗損の60%及び商品評価損については売上原価に含めることとする。

3　固定資産

(1) 固定資産の減価償却方法はすべて定額法であり、残存価額は建物のみ取得価額の10%とし、建物以外はゼロとする。

| | 取得原価 | 耐用年数 | 事業供用日 |
|---|---|---|---|
| 建　物 | 50,000千円 | 40年 | x２年４月１日 |
| 車両Ａ | 4,800千円 | ５年 | x16年10月１日 |
| 車両Ｂ | 6,000千円 | ５年 | x19年４月１日 |
| 車両Ｃ | (　　　)千円 | ５年 | x20年11月１日 |
| 備品Ａ | 2,400千円 | ８年 | x14年６月１日 |
| 備品Ｂ | 7,200千円 | ８年 | x21年２月１日 |
| 土　地 | 300,000千円 | ― | x１年４月１日 |

(2) x20年10月に車両Ａ（適正評価額500千円）を700千円で下取りに出し、新たに車両Ｃ（定価6,800千円）を取得し、差額代金を支払ったが、支払額を仮払金に計上したのみである。

(3) 備品Ａはx21年２月に除却し、除却費用200千円を支払ったが、支払額を仮払金に計上したのみである。備品Ａは翌期に処分する予定であり、見積処分価額は150千円である。

4　貸倒引当金

当社は受取手形及び売掛金に対して貸倒引当金を差額補充法により計上している。

(1) 受取手形2,000千円及び売掛金3,000千円については債務者が実質的に経営破綻に陥っているため、破産更生債権等に区分し、債権金額の100%相当額を貸倒引当金として計上する。なお、当該債権は破産更生債権等勘定への振替処理を行う。

(2) 受取手形1,000千円及び売掛金1,000千円については債務者の財政状態から弁済に重大な問題が生じる可能性が高い債権と考えられるため、貸倒懸念債権に区分し、債権金額の50%相当額を貸倒引当金として計上する。

(3) 上記(1)及び(2)以外の債権はすべて一般債権に区分し、債権金額の１%相当額を貸倒引当金として計上する。

(4) 税務上における貸倒引当金の繰入限度額は5,760千円であるため、繰入限度超過額について税効果会計を適用する。

5　有価証券

(1) 当社の保有している有価証券は以下のとおりであり、すべてその他有価証券に区分している。その他有価証券の評価差額については全部純資産直入法により処理し、税効果会計を適用する。なお、期末時価が50%以上下落している場合には回復の見込がないものとして減損処理を行う。

| | 取得価額 | 期末時価 |
|---|---|---|
| A社株式 | 2,000千円 | 2,400千円 |
| B社株式 | 2,500千円 | 1,200千円 |
| C社株式 | 3,200千円 | 3,100千円 |
| D社社債 | 2,850千円 | 2,900千円 |

(2) D社社債は債券金額3,000千円の債券であり、x20年4月1日に発行と同時に取得したものである。クーポン利子率は年2％であり、利払日は毎年9月30日と3月31日の年2回である。償還期限はx25年3月31日であり、債券金額と取得価額との差額は償却原価法（定額法）により処理する。

6　社債

当社はx18年4月1日に債券金額10,000千円の社債を9,400千円で発行している。クーポン利子率は年2.4%であり、利払日は毎年3月31日の年1回である。償還期限はx24年3月31日であり、債券金額と発行価額との差額は償却原価法（定額法）により処理する。

7　賞与引当金

当社は6月と12月の年2回賞与を支給している。支給対象期間は6月賞与が前年12月から5月、12月賞与が6月から11月である。翌期の6月賞与の支給見込額は24,000千円であるため、当期負担分を賞与引当金に計上する。なお、決算整理前残高試算表の賞与引当金は前期末残高であり、当期に支給した賞与は全額その他人件費勘定に計上している。また、賞与引当金について税効果会計を適用する。

8　退職給付引当金

当社は退職金制度について退職一時金制度及び企業年金制度を採用している。数理計算上の差異については発生年度の翌年度から5年間（定額法）で費用処理している。なお、決算整理前残高試算表の退職給付引当金は前期末残高であり、当期に支出した金額はその他人件費勘定に計上している。また、退職給付引当金について税効果会計を適用する。

(1) 期首退職給付債務の金額は500,000千円であり、期首年金資産の金額は220,000千円である。当期首における未認識数理計算上の差異は20,000千円（不利差異）であり、内訳は前々期発生分が8,000千円（不利差異）及び前期発生分が12,000千円（不利差異）である。

(2) 当期の勤務費用は55,000千円であり、割引率は年2％、長期期待運用収益率は年1.5%である。

(3) 掛金は毎月一定額（1,500千円）を拠出しており、当期の退職一時金支給額は30,000千円、当期の企業年金支給額は9,000千円であった。

9　法人税等

法人税等の年税額は法人税等に法人税等調整額を加減した金額が税引前当期純利益の30%となるように算定する。なお、法人税等の中間納付額30,000千円は仮払金に計上している。

⇨**解答：134ページ**

| 問題 7　一般総合(7) | 制限時間　45分 |
| --- | --- |
| | 難易度　B |

当社は、商品卸売業を営んでいる。当社の当期（自×17年４月１日　至×18年３月31日）の決算整理前残高試算表は【資料１】のとおりである。当社は、【資料２】修正事項及び決算整理事項を考慮して、決算整理後残高試算表を作成する。よって、これらの資料に基づいて当社の決算整理後残高試算表を作成しなさい。

(注意事項)

1　計算過程で千円未満の端数が生じたときは、その都度切り捨てる。

2　日数計算は便宜上、すべて月割りとし、１か月未満の端数は１か月として計算すること。

3　消費税等は考慮しないものとする。

4　期末日における直物為替相場は１ドル＝125円である。

5　当社は税効果会計を採用しており、法定実効税率は30%である。なお、繰延税金資産と繰延税金負債の相殺は行わないものとし、問題文中に「税効果会計を適用する」旨の指示がある場合のみ、税効果会計を適用する。

【資料１】　決算整理前残高試算表

（単位：千円）

| 借方 科目 | 借方 金額 | 貸方 科目 | 貸方 金額 |
|---|---|---|---|
| 現金預金 | 195,860 | 支払手形 | 84,505 |
| 受取手形 | 163,275 | 買掛金 | 191,100 |
| 売掛金 | 247,800 | 借入金 | 270,500 |
| 繰越商品 | 281,000 | 貸倒引当金 | 3,690 |
| 仮払金 | 19,100 | 退職給付引当金 | （　　） |
| 建物 | 120,000 | 建物減価償却累計額 | 27,000 |
| 構築物 | （　　） | 構築物減価償却累計額 | （　　） |
| 備品 | 51,200 | 備品減価償却累計額 | （　　） |
| 車両 | 33,000 | 車両減価償却累計額 | 12,400 |
| 建設仮勘定 | 2,535 | 資本金 | 300,000 |
| 土地 | 54,200 | 利益準備金 | 75,000 |
| 投資有価証券 | （　　） | 繰越利益剰余金 | 170,138 |
| 関係会社株式 | 54,000 | 売上 | 2,400,000 |
| 繰延税金資産 | （　　） | 受取利息配当金 | 8,520 |
| 仕入 | 1,920,000 | 為替差損益 | 4,123 |
| 販売管理費 | 279,900 | | |
| 支払利息 | 12,600 | | |
| 雑損失 | 166 | | |
| 合計 | （　　） | 合計 | （　　） |

【資料２】　修正事項及び決算整理事項

1　期末預金残高を調べたところ、当社の当座預金の帳簿残高は29,850千円であったが、取引銀行における当社の残高証明書の金額は30,548千円であった。この差異原因等を調査した結果、次の事実が判明した。

(1) 期末日に当座預金口座に現金100千円を預入れる予定であったが、担当者の手違いで預入が行われたのは翌日であった。当社では当座預金口座に預入れたものとして処理している。

(2) 水道光熱費210千円が当座預金口座から引落とされていたが、未処理であった。

(3) 期末日に買掛金支払のために振出した記帳済みの小切手420千円は、当日相手先が集金に来なかったため、当社で保管していた。

(4) 買掛金支払のために期末日までに振出して手渡した記帳済みの小切手588千円が、銀行に未呈示であった。

2　得意先に対する売掛金を調査したところ、当社の帳簿残高と得意先荒川社からの回答額に882千円の差額があったが、この差額は荒川社が期末日直前に返品したことによるものであった。この返品商品については期末日現在当社に未着であるが、決算整理において返品処理する。なお、返品商品の原価は620千円である。

3　期末商品有高を調査したところ、帳簿棚卸高は240,800千円、実地棚卸高は239,600千円であった。なお、両棚卸高には上記2の返品商品の金額は含まれていない。

帳簿棚卸高と実地棚卸高の差額のうち400千円は、得意先に見本品として提供したものであったが、未処理であった（販売管理費として処理する。）。また、残りの差額は減耗として処理する。

4　減価償却に関する事項は次のとおりである。

| 種　類 | 取得年月 | 取得価額 | 期首帳簿価額 | 耐用年数 | 償却方法 | 残存価額 |
|---|---|---|---|---|---|---|
| 建　物 | ×8年4月 | 120,000 千円 | 93,000 千円 | 40年 | 定額法 | ゼロ |
| 構築物 | ×7年4月 | (　　) 千円 | 10,000 千円 | 15年 | 定額法 | ゼロ |
| 備　品 | ×14年4月 | 51,200 千円 | (　　) 千円 | 10年 | (注1) | ゼロ |
| 車両A | ×13年4月 | 14,000 千円 | 2,800 千円 | 5年 | 定額法 | ゼロ |
| 車両B | ×16年4月 | 6,000 千円 | 4,800 千円 | 5年 | 定額法 | ゼロ |
| 車両C | ×17年12月 | 16,000 千円 | ―――― | 5年 | 定額法 | ゼロ |

（注1）備品の償却方法は前期まで定額法であったが、当期から定率法（償却率0.286）に変更する（過年度の処理は適正に行われている。）。

（注2）×17年12月15日に従来から使用していた車両Aを下取りに出し、車両Cを取得した。支払いは総額13,000千円を2回の分割払いとし、支払期日を×18年1月末日（手形額面7,000千円）及び×18年4月末日（同6,000千円）とする2枚の手形を振出した。

当社では購入時に、

（借）　車　　両　13,000千円　　　（貸）　支払手形　13,000千円

と仕訳しており、初回の決済の処理は行われている。なお、車両の購入契約書は次のとおりである。

| | |
|---|---|
| 車両価格 | 16,000千円 |
| 車両下取り価格 | △ 3,000千円 |
| 差引請求額 | 13,000千円 |

問題7

問題

5　翌期に建設を予定している建物の建設用地を取得し、購入代金を土地に計上しているが、次の支出については建設仮勘定としたのみである。なお、購入した土地には建物が建っていたが、取得後直ちに取壊している。

(1) 土地に建っていた建物を取壊すための取壊費用　1,000千円

(2) 土地の整地費用　800千円

(3) 建物の設計費用　735千円

6　有価証券の保有状況は次のとおりである。

| 銘　　柄 | 帳　簿　価　額 | 持　株　数 | 1株当たりの期末時価 | 保有目的区分 |
|---|---|---|---|---|
| 神田社株式 | 20,000 千円 | 10,000 株 | 2,500 円 | その他有価証券 |
| 上野社株式 | 40,000 千円 | 800 株 | 48,000 円 | その他有価証券 |
| 田町社株式 | 50,000 千円 | 20,000 株 | 750 円 | その他有価証券 |
| KK社株式 | (　　　) 千円 | 2,000 株 | 140ドル | その他有価証券 |
| 目白社株式 | 54,000 千円 | 360 株 | ―――― | 関係会社株式 |

(注1) その他有価証券については、減損処理されるものを除き、全部純資産直入法（税効果会計を適用）により処理する。

(注2) 田町社株式の期末時価は著しく下落しており、回復する見込みはないため、減損処理を行う。

(注3) KK社株式は当期に取得したものであり、その取得価額は1株当たり100ドル（取得日における直物為替相場は1ドル＝140円）であった。

(注4) 目白社は業績が低調であり、資産状況が著しく悪化しているので実質価額まで評価減する。なお、目白社の1株あたりの実質価額は22,500円である。

7　期末買掛金のうち2,880千円は24千ドルのドル建買掛金（掛仕入時における直物為替相場は1ドル＝120円）である。

8　期末借入金のうち13,500千円は100千ドルのドル建借入金（借入時における直物為替相場は1ドル＝135円）であり、×17年10月1日において借入期間を1年とし、利息（年利率6％）は1年分を一括後払いの約定で借入れたものである。当該借入金について為替変動リスクをヘッジするため、×18年2月1日に決済日を×18年9月末日として元利総額のドル買為替予約を行ったが、為替予約については未処理である。為替予約は振当処理によるものとし、為替予約日における直物為替相場と予約為替相場の差額は期間配分し、支払利息に加減するものとする。

なお、×18年2月1日における直物為替相場は1ドル＝130円、×18年2月1日における予約為替相場（決済日は×18年9月末日）は1ドル＝126円である。

9　当社は退職給付に関する会計処理について、期中の支払額を仮払金としたのみで、その他は未処理である。

(1) 期首における退職給付引当金に関する資料は次のとおりである。

| | |
|---|---|
| 退職給付債務 | 198,000千円 |
| 年金資産（公正な評価額） | 165,000千円 |
| 未認識数理計算上の差異 | 4,000千円（※） |

※　すべて前期において退職給付債務の予測値より実績値が上回ったため発生したものである。

(2) 当期における勤務費用は7,400千円であり、当期中の定年退職者に対し当社から600千円、年金基金（外部積立）から1,200千円が支給されている。

(3) 年金基金（外部積立）に当期中に支払った金額は、14,000千円である。

(4) 割引率は３％、長期期待運用収益率は４％である。数理計算上の差異は、発生した年度の翌年度より10年で定率法（償却率：20%）により費用処理するものとする。

(5) 退職給付引当金について税効果会計を適用する。なお、決算整理前残高試算表の繰延税金資産はすべて退職給付引当金から発生したものである。

10　当社は、受取手形及び売掛金を「一般債権」、「貸倒懸念債権」及び「破産更生債権等」に区分し、その区分ごとに貸倒見積額の算定を行い、その合計額で貸倒引当金を差額補充法により設定する。なお、決算整理前残高試算表の貸倒引当金はすべて一般債権に対するものである。

(1) 一般債権の貸倒見積額は、一般債権である営業債権（受取手形及び売掛金）に貸倒実績率１％を乗じることにより算定する。なお、当期中において一般債権の貸倒れはなかった。

(2) 貸倒懸念債権の貸倒見積額は、財務内容評価法により算定する。当期末における貸倒懸念債権は乙社に対する売掛金6,000千円のみであり、債権残高の60%を貸倒見積額とする。

(3) 破産更生債権等に区分される債権は、前期末及び当期末のいずれもなかった。

(4) 当期末における貸倒引当金繰入限度額は4,101千円であり、繰入限度超過額に対して税効果会計を適用する。

11　法人税等に関する事項は次のとおりである。

(1) 仮払金には、法人税等の中間申告納付額4,500千円が計上されている。

(2) 受取利息配当金については、源泉所得税1,500千円を差し引かれた後の手取額で計上されているので、総額に修正し、源泉所得税を仮払金に計上する。

(3) 法人税等の年税額は法人税等調整額を加減した金額が税引前当期純利益の30%となるように逆算で計算し、当該金額から中間申告納付額及び源泉所得税等を差し引いた金額を未払法人税等として計上する。

⇨解答：141ページ

| 問題 8　商的工業簿記(1) | 制限時間　45分 |
| --- | --- |
| | 難易度　B |

甲株式会社（以下、「甲社」という。）の当期（X21年４月１日～X22年３月31日）に関する下記の【資料１】及び【資料２】に基づき、【資料３】に示した決算整理後残高試算表及び製造原価報告書の空欄①～㊶に入る金額を答えなさい。

（解答上の留意事項等）

1　特に指示のない限り、会計基準等に示す原則的な処理方法を採用する。

2　決算整理前残高試算表の（　　　）は各自算定すること。

3　計算の結果、千円未満の端数が生じたときは、切り捨てること。

4　日数計算は月割りにより行うこと。

5　税効果会計は問題文中に「税効果会計を適用する。」と記載がある項目についてのみ適用することとし、法定実効税率は30％とする。なお、繰延税金資産と繰延税金負債は相殺せずに解答すること。

6　法人税等は法人税等調整額を加減した額が税引前当期純利益に法定実効税率（30％）を乗じた金額となるように計上する。また、法人税等の当期計上額から中間納付額を差し引いた額を未払法人税等として計上する。

【資料１】決算整理前残高試算表

決算整理前残高試算表 (単位：千円)

| 借方 科目 | 借方 金額 | 貸方 科目 | 貸方 金額 |
|---|---|---|---|
| 現金 | 585 | 支払手形 | 40,000 |
| 当座預金 | 129,706 | 買掛金 | 71,000 |
| 受取手形 | 60,000 | 賞与引当金 | 22,000 |
| 売掛金 | 122,000 | 貸倒引当金 | 700 |
| 有価証券 | 1,000 | 長期借入金 | 30,000 |
| 製品 | 51,000 | 社債 | 29,150 |
| 仕掛品 | 15,500 | 退職給付引当金 | 168,600 |
| 材料 | 1,800 | 資本金 | 85,000 |
| 仮払法人税等 | 18,000 | 資本準備金 | 20,000 |
| 建物 | 137,500 | 利益準備金 | 1,200 |
| 機械装置 | (　　　) | 繰越利益剰余金 | 86,831 |
| 車両 | 20,700 | 売上 | (　　　) |
| 器具備品 | 9,100 | 受取利息配当金 | 135 |
| 土地 | 70,000 | 有価証券運用損益 | 130 |
| 投資有価証券 | 25,800 | 有価証券利息 | 300 |
| 繰延税金資産 | 57,180 | | |
| 材料仕入 | 944,900 | | |
| 人件費 | 2,247,150 | | |
| 営業費 | 1,270,300 | | |
| 支払利息 | 450 | | |
| 社債利息 | 360 | | |
| 雑損失 | 15 | | |
| 合計 | (　　　) | 合計 | (　　　) |

【資料２】決算整理事項等

1　現金

(1) 期末日に金庫の中を実査したところ、以下のものが発見された。

① 通貨：580千円

② 配当金領収書（Ａ社株式）：20千円

③ クーポン利息（Ｂ社社債）：300千円

④ 甲社振出小切手：8,000千円

(2) 帳簿処理を確認したところ、上記(1)②及び③については未処理であり、(1)④については買掛金の支払いとして振り出した小切手が未渡しであることが判明した。これ以外の原因については不明であるため、雑損失又は雑収入に振り替えることとする。

2　当座預金

取引銀行から取り寄せた期末日現在の当座預金残高証明書の金額は138,256千円であった。帳簿残高との差額について、以下の事項が判明した。

(1) 期末日に現金500千円を預け入れたが、銀行の営業時間終了後であったため、翌日の入金として処理されていた。

(2) 得意先から売掛金12,000千円の振り込みがあったが、未処理であった。

(3) 買掛金の支払いとして振り出した小切手8,000千円（上記１(1)④参照）が未渡しであった。

(4) 企業年金掛金300千円が引き落とされていたが、未処理であった。

(5) 営業費750千円が引き落とされていたが、未処理であった。

(6) 支払手形6,300千円が決済された際、金額を3,600千円とし、貸借反対に仕訳していた。

3　材料

(1) 決算整理前残高試算表の材料は前期末残高であり、材料は工程の始点で投入している。

(2) 期末帳簿棚卸高は2,200千円であり、期末実地棚卸高は2,100千円である。材料棚卸減耗費の60％については原価性があるものとして製造原価に含めることとする。

4　仕掛品

(1) 決算整理前残高試算表の仕掛品は前期末残高であり、仕掛品は平均法により評価する。

(2) 期首仕掛品数量は1,000個（加工進捗度80％）、当期材料投入量118,000個、期末仕掛品数量は2,000個（加工進捗度60％）である。なお、仕掛品の前期末残高のうち7,500千円は材料費であり、8,000千円は加工費である。

5　製品

(1) 決算整理前残高試算表の製品は前期末残高であり、製品は平均法により評価する。

(2) 期首製品数量は3,000個であり、期末製品数量は4,000個である。製品は１個あたり40千円で販売している。

6　有形固定資産

有形固定資産に関する内容は以下のとおりである。減価償却方法はすべて定額法であり、残存価額は建物のみ取得価額の10%とし、建物以外はゼロとする。

(1) 建物はすべてＸ１年４月１日に取得したものであり、耐用年数は40年である。減価償却費の20%を製造原価とする。

(2) 機械装置はすべてＸ15年４月１日に30,000千円で取得したものであり、耐用年数は10年である。機械装置はすべて製造に使用しているものである。

(3) 車両の耐用年数は５年である。決算整理前残高試算表の車両のうち3,200千円はＸ17年８月１日に取得し、営業車として使用していたものであるが、Ｘ22年２月１日に新車両に買い換えた。旧車両の下取価額は800千円であり、甲社は新車両の購入価額13,500千円との差額を車両に計上している。これ以外の車両についてはＸ19年４月１日に取得したものであり、すべて製造に使用しているものである。

(4) 器具備品はすべてＸ19年10月１日に11,200千円で取得したものであり、耐用年数は８年である。減価償却費の40%を製造原価とする。

7　賞与引当金

翌期に支給する予定の賞与28,800千円（支給対象期間はＸ21年11月１日～Ｘ22年４月30日）のうち、当期に帰属する金額を賞与引当金に計上する。なお、決算整理前残高試算表の賞与引当金は前期末残高であり、当期に支出した賞与の金額は人件費に計上している。賞与引当金繰入額のうち40%は製造原価とする。また、賞与引当金については税効果会計を適用する。

8　退職給付引当金

甲社は退職一時金制度及び企業年金制度を採用しており、退職給付債務の算定は原則法により行っている。当期の退職給付引当金の算定に関する資料は以下のとおりであり、数理計算上の差異は発生年度から５年で定額法により償却することとする。なお、決算整理前残高試算表の退職給付引当金は前期末残高であり、当期に支出して金額は人件費に計上している。退職給付費用のうち40%は製造原価とする。また、退職給付引当金については税効果会計を適用する。

(1) 期首退職給付債務：250,000千円（割引率３%）

(2) 期首年金資産：80,000千円（長期期待運用収益率２%）

(3) 期首未認識数理計算上の差異

① X19年３月期発生分：600千円（不利差異）

② X21年３月期発生分：800千円（不利差異）

(4) 当期勤務費用：33,000千円

(5) 退職一時金支給額：24,000千円

(6) 掛金拠出額（上記２(4)を含む。）：3,600千円

(7) 退職年金支給額：8,400千円

(8) 期末退職給付債務：258,400千円

(9) 期末年金資産：76,600千円

9 人件費及び営業費

上記修正後の人件費のうち40%をその他の労務費、上記修正後の営業費のうち30%をその他の製造経費とする。

10 貸倒引当金

期末売上債権の２%を貸倒引当金として計上し、差額補充法に処理する。

11 社債

社債はX18年４月１日に発行したものであり、債券金額は50,000千円、償還期間は８年、クーポン利子率は年1.2%、利払日は毎年３月31日の年１回である。債券金額と発行価額との差額は償却原価法（定額法）により処理する。X21年９月30日に債券金額20,000千円について買入消却を行い、端数利息を含む19,600千円を支払ったが、社債から減額する処理をしていた。なお、利払日におけるクーポン利息の支払いは適正に処理されている。

12 有価証券

有価証券に関する内容は以下のとおりである。

(1) A社株式は売買目的有価証券として保有しているものであり、期末時価は1,030千円である。売買目的有価証券については切放法により処理し、損益は有価証券運用損益に計上する。

(2) B社社債は満期保有目的の債券として保有しているものであり、X21年４月１日に発行と同時に取得したものである。債券金額は20,000千円であり、取得価額19,800千円との差額は金利調整差額と認められるため、償却原価法（定額法）により処理する。償還期間は５年、クーポン利子率は年３%、利払日は毎年９月30日と３月31日の年２回である。

(3) C社株式はその他有価証券として保有しているものであり、取得価額は6,000千円、期末時価は6,400千円である。その他有価証券については全部純資産直入法により処理し、税効果会計を適用する。

【資料３】

1　決算整理後残高試算表

決算整理後残高試算表　　　　（単位：千円）

| 借方 科目 | 借方 金額 | 貸方 科目 | 貸方 金額 |
|---|---|---|---|
| 現金 | ① | 支払手形 | ㉕ |
| 当座預金 | ② | 買掛金 | ㉖ |
| 受取手形 | | 未払法人税等 | ㉗ |
| 売掛金 | ③ | 賞与引当金 | ㉘ |
| 有価証券 | | 貸倒引当金 | |
| 製品 | ④ | 長期借入金 | |
| 仕掛品 | ⑤ | 社債 | ㉙ |
| 材料 | ⑥ | 退職給付引当金 | ㉚ |
| 建物 | ⑦ | 繰延税金負債 | ㉛ |
| 機械装置 | ⑧ | 資本金 | |
| 車両 | ⑨ | 資本準備金 | |
| 器具備品 | ⑩ | 利益準備金 | |
| 土地 | | 繰越利益剰余金 | |
| 投資有価証券 | ⑪ | その他有価証券評価差額金 | ㉜ |
| 繰延税金資産 | ⑫ | 売上 | ㉝ |
| 売上原価 | ⑬ | 受取利息配当金 | |
| 人件費 | ⑭ | 有価証券運用損益 | ㉞ |
| 賞与引当金繰入額 | ⑮ | 有価証券利息 | ㉟ |
| 退職給付費用 | ⑯ | 社債買入消却損益 | ㊱ |
| 減価償却費 | ⑰ | 法人税等調整額 | ㊲ |
| 貸倒引当金繰入額 | ⑱ | | |
| 営業費 | ⑲ | | |
| 材料棚卸減耗費 | ⑳ | | |
| 支払利息 | | | |
| 社債利息 | ㉑ | | |
| 雑損失 | ㉒ | | |
| 車両売却損 | ㉓ | | |
| 法人税等 | ㉔ | | |
| 合計 | | 合計 | |

問題8

問題

2　製造原価報告書

製造原価報告書　（単位：千円）

| | | |
|---|---|---|
| Ⅰ　材料費 | | |
| 　材料期首たな卸高 | （　） | |
| 　当期材料仕入高 | （　） | |
| 　　合　計 | （　） | |
| 　材料期末たな卸高 | （　） | （　㊳　） |
| Ⅱ　労務費 | | |
| 　賞与引当金繰入額 | （　） | |
| 　退職給付費用 | （　） | |
| 　その他の労務費 | （　） | （　㊴　） |
| Ⅲ　製造経費 | | |
| 　減価償却費 | （　） | |
| 　材料棚卸減耗費 | （　） | |
| 　その他の製造経費 | （　） | （　㊵　） |
| Ⅳ　当期総製造費用 | | （　） |
| Ⅴ　仕掛品期首たな卸高 | | （　） |
| 　　合　計 | | （　） |
| Ⅵ　仕掛品期末たな卸高 | | （　） |
| Ⅶ　当期製品製造原価 | | （　㊶　） |

⇨解答：148ページ

| 問題 9 | 本支店会計 | 制限時間 30分 |
| --- | --- | --- |
| | | 難易度 A |

当社は本店及び支店を設け、商品売買業を営んでおり、支店を独立した会計単位として帳簿記帳している。当社の当期（X10年４月１日からX11年３月31日）に関する下記の資料に基づいて、【資料３】決算整理後残高試算表及び【資料４】本支店合併損益計算書の空欄①～㉝に入る金額を答案用紙の所定の解答欄に記入しなさい。

（留意事項）

1　計算の結果、千円未満の端数が生じたときは四捨五入すること。

2　日数計算は月割りとし、１か月未満の端数は１か月として計算する。

3　消費税等は考慮しない。

4　税効果会計は指示のある項目についてのみ法定実効税率を30%として適用する。なお、繰延税金資産と繰延税金負債は相殺しない。

5　資料から判明する事項以外は考慮する必要はない。

【資料１】決算整理前残高試算表

決算整理前残高試算表

X11年３月31日　　　　　　　　　　　　　　　　　　(単位：千円)

| 借方科目 | 本　店 | 支　店 | 貸方科目 | 本　店 | 支　店 |
|---|---|---|---|---|---|
| 現金預金 | 60,453 | 58,295 | 支払手形 | 18,000 | 9,000 |
| 受取手形 | 20,000 | 14,000 | 買掛金 | 38,000 | 16,000 |
| 売掛金 | 68,000 | 52,000 | 繰延内部利益 | (　　　) | — |
| 繰越商品 | (　　　) | (　　　) | 貸倒引当金 | 800 | 300 |
| 仮払法人税等 | 21,000 | — | 借入金 | 25,000 | — |
| 建物 | 100,000 | 51,000 | リース債務 | 3,863 | — |
| 備品 | 12,500 | 5,500 | 退職給付引当金 | 62,500 | — |
| リース資産 | (　　　) | — | 本店 | — | (　　　) |
| 土地 | 55,000 | — | 資本金 | 90,000 | — |
| 繰延税金資産 | 21,090 | — | 利益準備金 | 3,000 | — |
| 支店 | 91,567 | — | 繰越利益剰余金 | 82,388 | — |
| 仕入 | 657,600 | 490,000 | 売上 | 1,001,000 | 799,500 |
| 本店仕入 | — | 197,450 | 支店売上 | (　　　) | — |
| 支店仕入 | 147,588 | — | 本店売上 | — | (　　　) |
| 営業費 | 257,659 | 187,500 | | | |
| 支払利息 | 600 | — | | | |
| 合計 | (　　　) | (　　　) | 合計 | (　　　) | (　　　) |

【資料２】決算整理事項等

１　未達取引

(1) 本店は支店にＡ商品500千円（本店仕入原価）を送付したが、支店に未達である。なお、本店から支店に商品を送付する際には毎期仕入原価の10％を加算している。

(2) 支店は本店の仕入先からＡ商品2,400千円（原価）を直接掛けにより仕入れたが、本店に未達である。

(3) 支店は本店にＢ商品140千円（支店仕入原価）を送付したが、本店に未達である。なお、支店から本店に商品を送付する際には毎期仕入原価の５％を加算している。

(4) 本店は支店の買掛金5,000千円を支払ったが、支店に未達である。

(5) 本店は支店の営業費380千円を支払ったが、支店に未達である。

(6) 支店は期末日に本店の当座預金口座に1,500千円を振り込んだが、本店に未達である。

2　現金預金

本店の当座預金について、帳簿残高と取引銀行が発行した期末日現在の残高証明書の金額に差異があったため、調査したところ、以下の事項が確認された。

(1) 支店から1,500千円の振り込みがあったが、未記帳であった（上記１(6)参照）。

(2) 得意先から売掛金2,500千円の振り込みがあったが未記帳であった。

(3) 買掛金の支払いのために振出した小切手1,800千円が金庫に保管されていた。

(4) リース料1,350千円が引き落とされていたが、未記帳であった（下記５(2)参照）。

(5) 営業費310千円の引き落としがされた際、金額を130千円とし、貸借反対に仕訳していた。

3　商品

(1) 当社はＡ商品及びＢ商品を取り扱っており、Ａ商品は本店が仕入れ、Ｂ商品は支店が仕入れている。

(2) 本店及び支店の商品有高（未達取引考慮前）は以下のとおりである。

| | | 期首商品 | 期末商品 | |
|---|---|---|---|---|
| | | | 帳簿棚卸高 | 実地棚卸高 |
| 本　店 | Ａ商品 | 1,800千円 | 1,200千円 | 1,140千円 |
| | Ｂ商品 | 1,470千円 | 2,058千円 | 2,058千円 |
| 支　店 | Ａ商品 | 1,320千円 | 1,100千円 | 1,100千円 |
| | Ｂ商品 | 2,100千円 | 1,400千円 | 1,330千円 |

4　貸倒引当金

本店及び支店とも売上債権の２％を貸倒引当金として差額補充法により計上する。

5　固定資産

(1) 本店及び支店とも固定資産の減価償却方法は定額法であり、残存価額は０円とする。

| | | 取得価額 | 耐用年数 |
|---|---|---|---|
| 本　店 | 建　　物 | 150,000千円 | 30年 |
| | 備　　品 | 20,000千円 | ８年 |
| | リース資産 | 6,290千円 | ５年 |
| 支　店 | 建　　物 | 60,000千円 | 30年 |
| | 備　　品 | 8,000千円 | ８年 |

(2) 本店のリース資産はｘ８年４月１日に調達した車両であり、所有権移転外ファイナンス・リース取引に該当するものである。リース期間は５年、リース料は年額1,350千円であり、毎

年３月31日に支払うこととなっている。利子率は年2.4％である。

6　賞与引当金

(1) 本店において賞与引当金を計上する。Ｘ11年６月賞与の支給見込額は12,000千円であり、当該賞与の支給対象期間はＸ10年12月からＸ11年５月である。

(2) 賞与引当金繰入額のうち30％を支店の費用として振替処理する。

(3) 賞与引当金について税効果会計を適用する。決算整理前残高試算表の繰延税金資産のうち2,340千円は前期末の賞与引当金について計上されたものである。

7　退職給付引当金

(1) 本店において退職給付引当金を計上する。期首退職給付債務は125,000千円（割引率２％）、期首年金資産60,000千円（長期期待運用収益率１％）、期首未認識数理計算上の差異2,500千円（不利差異）である。数理計算上の差異は発生年度の翌年度から８年で定率法（償却率0.25）により償却する。

(2) 当期の勤務費用は10,975千円であり、当期に本店が支出した年金掛金は1,800千円、退職一時金は10,500千円であるが、いずれも本店の営業費に計上している。

(3) 退職給付費用のうち30％を支店の費用として振替処理する。

(4) 退職給付引当金について税効果会計を適用する。決算整理前残高試算表の繰延税金資産のうち18,750千円は前期末の退職給付引当金について計上されたものである。

8　営業費

翌期に支払う営業費のうち、当期に帰属する金額は本店が360千円、支店が150千円である。

9　法人税等

当期の年税額は54,420千円であり、本店で計上する。

【資料３】決算整理後残高試算表

決算整理後残高試算表

X11年３月31日　　　　　　　　（単位：千円）

| 借方科目 | 本店 | 支店 | 貸方科目 | 本店 | 支店 |
|---|---|---|---|---|---|
| 現金預金 | ① | | 支払手形 | | |
| 受取手形 | | | 買掛金 | ⑰ | |
| 売掛金 | ② | | 繰延内部利益 | ⑱ | − |
| 繰越商品 | ③ | | 未払法人税等 | ⑲ | − |
| 建物 | ④ | | 未払費用 | | |
| 備品 | ⑤ | | 賞与引当金 | | − |
| リース資産 | ⑥ | − | 貸倒引当金 | | |
| 土地 | | − | 借入金 | | − |
| 繰延税金資産 | ⑦ | − | リース債務 | ⑳ | − |
| 支店 | | − | 退職給付引当金 | ㉑ | − |
| 売上原価 | ⑧ | ⑪ | 本店 | − | ㉓ |
| 営業費 | | ⑫ | 資本金 | | − |
| 賞与引当金繰入 | | ⑬ | 利益準備金 | | − |
| 退職給付費用 | | ⑭ | 繰越利益剰余金 | | − |
| 減価償却費 | ⑨ | ⑮ | 売上 | | |
| 貸倒引当金繰入 | ⑩ | ⑯ | 支店売上 | ㉒ | − |
| 棚卸減耗費 | | | 本店売上 | − | ㉔ |
| 支払利息 | | − | 法人税等調整額 | | − |
| 法人税等 | | − | | | |
| 合計 | | | 合計 | | |

問題9

【資料４】本支店合併損益計算書

本支店合併損益計算書

X10年４月１日～X11年３月31日　　　(単位：千円)

| | | | |
|---|---|---|---|
| 商品期首たな卸高 | ( ㉕ ) | 売上高 | ( ㉛ ) |
| 当期商品仕入高 | ( ㉖ ) | 商品期末たな卸高 | ( ㉜ ) |
| 営業費 | ( ㉗ ) | 法人税等調整額 | ( ㉝ ) |
| 賞与引当金繰入 | (　) | | |
| 退職給付費用 | (　) | | |
| 減価償却費 | (　) | | |
| 貸倒引当金繰入 | (　) | | |
| 棚卸減耗費 | ( ㉘ ) | | |
| 支払利息 | ( ㉙ ) | | |
| 法人税等 | (　) | | |
| 当期純利益 | ( ㉚ ) | | |
| | (　) | | (　) |

⇨解答：157ページ

| 問 題 10 | 一般総合(8) | 制限時間　45分<br>難 易 度　B |
|---|---|---|

当社は、商品卸売業を営んでいる。当社の当期（自×25年４月１日　至×26年３月31日）の決算整理前残高試算表は【資料１】のとおりである。【資料２】修正事項及び決算整理事項に基づいて当社の決算整理後残高試算表を作成しなさい。

（注意事項）

1　計算過程で千円未満の端数が生じたときは、その都度四捨五入すること。

2　日数計算は便宜上、すべて月割とし、１か月未満の端数は１か月として計算すること。

3　消費税等は税抜方式により処理しており、「(税込)」と記載のあるものについてのみ税率を10%として考慮することとする。

4　期末日における直物為替相場は１ドル＝145円である。

5　当社は税効果会計を採用しており、法定実効税率は30%である。なお、繰延税金資産と繰延税金負債の相殺は行わないものとし、問題文中に「税効果会計を適用する」と記載のある場合のみ、税効果会計を適用する。また、繰延税金資産の回収可能性及び繰延税金負債の支払可能性に問題はない。

6　法人税等の金額は法人税等及び法人税等の合計額が税引前当期純利益に法定実効税率(30%)を乗じて算出した金額となるように逆算で算定する。

【資料１】決算整理前残高試算表

（単位：千円）

| 借方 | | 貸方 | |
|---|---|---|---|
| 科目 | 金額 | 科目 | 金額 |
| 現金預金 | 149,770 | 支払手形 | 33,000 |
| 受取手形 | 132,000 | 買掛金 | 94,800 |
| 売掛金 | 204,050 | 仮受消費税等 | 313,400 |
| 繰越商品 | 11,800 | 賞与引当金 | 5,200 |
| 仮払金 | 144,245 | 貸倒引当金 | 900 |
| 仮払消費税等 | 185,887 | 借入金 | 30,000 |
| 建物 | 300,000 | 退職給付引当金 | 39,500 |
| 車両 | 5,000 | 建物減価償却累計額 | 162,000 |
| 備品 | 2,800 | 車両減価償却累計額 | 2,500 |
| 土地 | 250,000 | 備品減価償却累計額 | 1,300 |
| 投資有価証券 | 11,409 | 資本金 | 110,000 |
| 関係会社株式 | 4,000 | 利益準備金 | 11,000 |
| 繰延税金資産 | 13,410 | 繰越利益剰余金 | 88,554 |
| 仕入 | 1,630,000 | 売上 | 3,155,000 |
| 販売管理費 | 1,001,752 | 受取利息配当金 | 330 |
| 支払利息 | 600 | | |
| 雑損失 | 11 | | |
| 為替差損益 | 750 | | |
| 合計 | 4,047,484 | 合計 | 4,047,484 |

【資料２】修正事項及び決算整理事項

1　決算整理前残高試算表の現金預金の内訳は現金300千円、当座預金138,250千円及び普通預金11,220千円である。

(1) 決算日に金庫に残っていたものは通貨100千円及びX社債券のクーポン利息（×26年３月31日利払日）60千円であった。決算において、以下の事項が判明した。原因不明分については雑損失又は雑収入に振り替える。

①　販売管理費220千円（税込）を現金で支払った際、22千円（税込）と記帳していた。

②　X社債券のクーポン利息（×26年３月31日利払日）60千円について未記帳であった。

(2) 取引銀行における当社の当座預金残高証明書の金額は136,950千円であった。決算において、以下の事項が判明した。

① 決算日に現金200千円を当座預金に入金したが、銀行では翌日付で処理されていた。

② 得意先Ａ社から売掛金の回収として2,200千円の振り込みがあったが、未記帳であった。

③ 仕入先Ｊ社に買掛金1,100千円の支払いとして小切手を振り出したが、取立てられていなかった。

④ 販売管理費550千円（税込）が引き落とされていたが、未記帳であった。

⑤ 取立依頼していた得意先Ｄ社振出約束手形3,850千円について記帳済であったが、不渡りとなり、入金されていなかった。

2　得意先に対して売掛金の残高確認を行ったところ、以下の事項が判明した。

(1) 得意先Ａ社に対する売掛金残高は90,200千円（税込）であるが、Ａ社からの回答額は86,900千円（税込）であった。この差額は上記１(2)②の振り込み及びＡ社が決算日直前に返品した甲商品20個が当社に未着であったためである。

(2) 得意先Ｂ社に対する売掛金残高は66,000千円（税込）であるが、Ｂ社からの回答額は62,700千円（税込）であった。この差額はＢ社から受注した甲商品60個について掛売上として処理していたが、まだ出荷されていなかったためである。

(3) 得意先Ｄ社に対する売掛金残高は2,750千円（税込）であるが、得意先Ｄ社からの回答はなかった。Ｄ社は破産手続きを行っていることが判明したため、Ｄ社に対する債権を破産更生債権等に区分し、振替処理を行うこととした。

3　決算整理前残高試算表の買掛金のうち42,000千円は外貨建買掛金300千ドルである。×26年３月１日に買掛金の決済日である×26年４月30日を決済日として300千ドルの買予約を行った。×26年３月１日の直物為替相場は１ドル＝142円であり、先物為替相場は１ドル＝141円である。為替予約の処理は振当処理により行うが、未記帳であった。

4　当社は甲商品と乙商品を取り扱っている。商品の期末評価は商品ごとに月別総平均法を採用している。商品ごとの資料（上記修正前）は以下のとおりである。

(1) 甲商品

① ３月の受払記録（３月１日は月初残高である。）

| 受　入 | | | 払　出 | |
|---|---|---|---|---|
| 日付 | 数量 | 金額 | 日付 | 数量 |
| 3／1 | 50個 | 1,400千円 | 3／15 | 460個 |
| 3／5 | 500個 | 15,500千円 | 3／20 | 220個 |
| 3／15 | 800個 | 29,000千円 | 3／30 | 600個 |

② 期末実地棚卸数量は125個であった。

問題1

問題

(2) 乙商品

① 3月の受払記録（3月1日は月初残高である。）

| 受入 | | | 払出 | |
|---|---|---|---|---|
| 日付 | 数量 | 金額 | 日付 | 数量 |
| 3/1 | 5個 | 2,100千円 | 3/12 | 20個 |
| 3/10 | 75個 | 32,400千円 | 3/18 | 50個 |
| 3/25 | 70個 | 29,400千円 | 3/27 | 55個 |

② 期末実地棚卸数量は25個であった。

5 固定資産に関する資料は以下のとおりである。

(1) 建物は×1年4月1日に取得したものであり、減価償却費は耐用年数40年、残存価額を取得原価の10%として定額法により算定している。

(2) 車両の減価償却費は耐用年数5年、残存価額をゼロとして定額法により算定している。決算整理前残高試算表の車両のうち2,000千円については×21年7月1日に取得したものであり、×25年9月30日に下取りに出し、新たに車両を購入した。下取価額は275千円（税込）であり、新車両の購入価額は3,520千円（税込）であった。当社は差額代金を支払ったが、仮払金に計上している。

(3) 備品の減価償却費は耐用年数8年、残存価額をゼロとして定額法により算定している。決算整理前残高試算表の備品のうち1,200千円は×23年4月1日に取得したものであるが、当期より耐用年数を6年に短縮することとした。

6 期末売上債権に対して貸倒引当金を差額補充法により計上する。なお、決算整理前残高試算表の貸倒引当金は一般債権に係るものである。

(1) 破産更生債権等に区分される得意先はD社のみであり、債権金額の100%を貸倒引当金に計上する。なお、税務上の繰入限度額は債権金額の50%であり、繰入限度超過額に対して税効果会計を適用する。

(2) D社以外の債権はすべて一般債権であり、債権金額の1%を貸倒引当金に計上する。

7 当社の保有する有価証券は以下のとおりである。その他有価証券については全部純資産直入法により処理し、税効果会計を適用する。

(1) X社債券は×25年4月1日に発行と同時に取得したものであり、満期保有目的の債券に区分している。債券金額は10,000千円であり、取得価額は9,809千円である。クーポン利子率は年1.2%、実効利子率は年1.6%であり、利払日は毎年9月30日と3月31日の年2回である。債券金額と取得価額との差額は金利調整差額と認められるため、償却原価法（利息法）により処理することとしているが、取得及び×25年9月30日のクーポン利息受取額についてのみ記帳している。

(2) Y社株式は×23年12月1日に取得したものであり、その他有価証券に区分している。取得価額は1,600千円であり、当期末の時価は2,200千円である。

(3) Ｚ社株式は×22年10月１日に取得したものであり、子会社株式及び関連会社株式に区分している。取得価額は4,000千円であり、当期末の時価は1,600千円である。取得価額の50%以上下落し、回復の見込もないと認められるため、減損処理を行う。

8　当社は毎年６月と12月の年２回賞与を支給している。×26年６月賞与（支給対象期間は×25年12月～×26年５月）の支給見込額は8,400千円であり、当期負担額を賞与引当金に計上する。当期に支給した賞与はすべて販売管理費に記帳している。なお、賞与引当金については税効果会計を適用する。

9　当社は退職給付について退職一時金制度及び企業年金制度を採用している。当期に支出した退職一時金及び企業年金掛金は販売管理費に記帳している。退職給付に関する資料は以下のとおりである。なお、退職給付引当金について税効果会計を適用する。また、数理計算上の差異は発生年度の翌年度から８年で定率法（償却率0.250）により償却している。

(1) 期首：退職給付債務60,000千円、年金資産20,000千円、未認識数理計算上の差異500千円

(2) 割引率：年２%、長期期待運用収益率：年１%

(3) 当期勤務費用：4,825千円

(4) 企業年金掛金拠出額：600千円

(5) 退職一時金支給額：4,500千円

(6) 退職年金支給額：1,200千円

10　消費税等の中間納付額66,000千円及び法人税等の中間納付額75,000千円は仮払金に記帳している。

⇨解答：165ページ

| 問題 11 | 一般総合(9) | 制限時間　30分 |
|---|---|---|
| | | 難易度　A |

当社の当期（当期は×20年４月１日から×21年３月31日）に関する下記の資料に基づき、決算整理後残高試算表を作成しなさい。

（解答上の留意事項）

1　資料から判明する事項以外は一切考慮する必要はない。

2　日数計算は便宜上月割りとし、１か月未満は１か月として計算すること。

3　計算の結果、千円未満の端数が生じた場合には四捨五入すること。

4　税効果会計は適用する旨の指示があるものについてのみ適用することとし、法定実効税率は30%として計算する。なお、繰延税金資産と繰延税金負債は相殺せずに解答すること。

【資料１】決算整理前残高試算表

決算整理前残高試算表　（単位：千円）

| 借方科目 | 金額 | 貸方科目 | 金額 |
|---|---|---|---|
| 現金預金 | 42,350 | 支払手形 | 3,500 |
| 受取手形 | 24,500 | 買掛金 | 10,450 |
| 売掛金 | 31,500 | 賞与引当金 | 22,000 |
| 繰越商品 | 25,200 | 貸倒引当金 | 330 |
| 仮払金 | 6,000 | 借入金 | 25,000 |
| 建物 | (　　　) | 退職給付引当金 | 75,000 |
| 車両 | (　　　) | 資本金 | 70,000 |
| 備品 | (　　　) | 資本準備金 | 15,000 |
| 土地 | 80,000 | 利益準備金 | 2,500 |
| 投資有価証券 | 24,520 | 繰越利益剰余金 | 16,380 |
| 繰延税金資産 | 29,100 | 売上 | 500,000 |
| 仕入 | 307,800 | 受取利息配当金 | 80 |
| 人件費 | 105,500 | | |
| 営業費 | 28,945 | | |
| 支払利息 | 1,000 | | |
| 合計 | 740,240 | 合計 | 740,240 |

【資料２】決算整理事項等

1　現金預金に関する事項

(1) 現金預金勘定の内訳は現金920千円、当座預金28,220千円、その他の預金13,210千円である。

(2) 決算日に金庫の中を確認したところ、以下のものが保管されていた。なお、原因不明分については雑損失に振替えることとする。

① 邦貨　300千円

② 外貨　５千ドル（※１）

③ 当社振出小切手　1,000千円（※２）

④ クーポン利息　100千円（※３）

（※１）受取日の直物為替レート１ドル120円で記帳されている。決算日の直物為替レートは１ドル122円である。

（※２）買掛金支払のために振出したものであるが、仕入先の担当者が回収に来なかったため、金庫に保管されていたものである。

（※３）×21年３月31日に利払日の到来したＧ社社債のクーポン利息であるが、未処理であった。

(3) 当座預金について、銀行から取り寄せた決算日現在の残高証明書の金額は33,020千円であった。不一致原因を調査したところ、以下の事項が判明した。

① 買掛金支払のために振出した小切手1,000千円が金庫に保管されていた。

② 買掛金支払のために振出した小切手800千円が決済されていなかった。

③ 売掛金3,000千円が振り込まれていたが、未処理であった。

2　商品売買等に関する事項

(1) 決算日直前に掛で販売した商品100個（売価@10千円、原価@６千円）について、全額売上に計上する処理を行ったが、このうち10個は返品されるものと見込まれるため、返金負債及び返品資産を計上する。

(2) 決算日直前に得意先に商品300千円を見本品（営業費で処理）として提供したが、未処理である。

(3) 期末帳簿棚卸高は33,000千円であり、期末実地棚卸高は32,500千円であった。実地棚卸高のうち、3,000千円は品質低下品であり、正味売却価額は1,800千円である。なお、商品評価損は原価処理すること。

3　貸倒引当金に関する事項

(1) 得意先Ｂ社が破産手続開始の申立てを行った。Ｂ社に対する債権（受取手形2,000千円及び売掛金3,000千円）を破産更生債権等に区分し、債権金額の100％相当額を貸倒引当金として計上する。なお、当該債権については破産更生債権等に振替えることとし、当該債権に対する税務上の貸倒引当金繰入限度額は債権金額の50%相当額であるため、貸倒引当金繰入限度超過額に対して税効果会計を適用する。

(2) 上記(1)以外の債権はすべて一般債権に区分されるものであり、債権金額の２%相当額の貸倒引当金を計上する。なお、決算整理前残高試算表に計上されている貸倒引当金の金額はすべて一般債権に対するものであり、差額補充法により処理する。

4　固定資産に関する事項

固定資産の減価償却方法はすべて定額法（直接控除法）であり、残存価額もすべてゼロとする。

| | 取得原価 | 耐用年数 | 取得年月日 |
|---|---|---|---|
| 建物 | 30,000千円 | 40年 | ×15年４月１日 |
| 車両 | 5,000千円 | ５年 | ×19年７月１日 |
| 備品 | 4,200千円 | ８年 | ×18年８月１日 |

5　有価証券に関する事項

その他有価証券（Ｅ社株式及びＦ社株式）については全部純資産直入法により処理し、税効果会計を適用する。満期保有目的の債券（Ｇ社社債）については償却原価法（定額法）により処理する。

| | 取得原価 | 当期末時価 | 備　考 |
|---|---|---|---|
| Ｅ社株式 | 10,000千円 | 12,000千円 | |
| Ｆ社株式 | 5,000千円 | 4,500千円 | |
| Ｇ社社債 | 9,400千円 | 9,600千円 | (注) |

(注) ×19年４月１日に取得したものであり、債券金額は10,000千円である。償還期限は×24年３月31日、クーポン利子率は年１%、利払日は毎年３月31日である。

6　賞与引当金に関する事項

(1) 当社は年２回（７月と12月）に賞与を支給しており、支給対象期間は７月賞与が毎年12月～５月、12月賞与が６月～11月である。決算整理前残高試算表に計上されている賞与引当金は前期末に計上したものであり、当期に支給した賞与の金額はすべて人件費に計上している。なお、賞与引当金に対して税効果会計を適用する。

(2) ×21年７月の賞与支給見込額は36,000千円であり、当期負担額を賞与引当金に計上する。

7　退職給付引当金に関する事項

(1) 当社は従業員の退職給付制度として退職一時金制度と企業年金制度を採用している。決算整理前残高試算表に計上されている退職給付引当金は前期末残高であり、当期に支出した金額はすべて人件費に計上している。なお、退職給付引当金に対して税効果会計を適用する。

(2) 当期首の退職給付債務の金額は200,000千円、当期首の年金資産の金額は120,000千円であり、退職給付引当金の前期末残高との差額はすべて未認識数理計算上の差異である。数理計算上の差異については発生年度の翌年度から10年の定率法(償却率0.2)により償却している。

(3) 当期の勤務費用の金額は15,000千円であり、当期の割引率は年２％、当期の長期期待運用収益率は年1.5％である。

(4) 当期に拠出した企業年金掛金の金額は3,000千円であり、当期に支給した退職一時金の金額は10,000千円、退職年金の金額は4,800千円であった。

8　法人税等に関する事項

(1) 決算整理前残高試算表に計上されている仮払金は法人税等の中間納付額である。

(2) 法人税等及び法人税等調整額の合計額は、税引前当期純利益に法定実効税率（30％）を乗じて算出した金額とし、法人税等の金額は逆算で計算する。未払法人税等の金額は中間納付額を控除して計上する。

⇨解答：172ページ

| 問題 12　一般総合(10) | 制限時間　45分 |
|---|---|
| | 難易度　B |

大阪株式会社（以下、「当社」という。）は、商品売買業を営む企業である。下記の【資料】に基づき、答案用紙に示した決算整理後残高試算表の空欄に適当な金額を記入しなさい。なお、当会計期間は×13年４月１日から×14年３月31日までである。

（注意事項）

1　当期末の為替レートは１ドル＝128円である。

2　計算過程で千円未満の端数が生じたときは、切り捨てること。

3　日数計算は月割りにより行うこと。

4　消費税等は考慮しない。

5　当社は税効果会計を採用しており、法定実効税率は30%である。なお、問題文中に「税効果会計を適用する。」旨の指示がある場合のみ、税効果会計を適用する。また、繰延税金資産と繰延税金負債の相殺は行わないこと。

6　法人税等は法人税等調整額を加減した額が税引前当期純利益の30%となるように計上する。また、法人税等の当期計上額から中間納付額等及び源泉所得税等を差し引いた額を未払法人税等として計上する。

7　勘定科目は、試算表にある科目を使用し、それ以外の勘定科目は使用しないものとする。

【資料１】　当期の決算整理前残高試算表

決算整理前残高試算表　　(単位：千円)

| 借方 科目 | 借方 金額 | 貸方 科目 | 貸方 金額 |
|---|---|---|---|
| 現金預金 | 86,440 | 支払手形 | 100,695 |
| 受取手形 | 142,400 | 買掛金 | 168,220 |
| 売掛金 | 210,450 | 賞与引当金 | 9,800 |
| 有価証券 | 24,210 | 貸倒引当金 | 2,988 |
| 繰越商品 | 87,200 | 借入金 | 40,000 |
| 仮払金 | 57,420 | 社債 | (　　　) |
| 建物 | 47,520 | 退職給付引当金 | (　　　) |
| 備品 | 31,750 | その他の負債 | 5,233 |
| 車両 | 2,994 | 資本金 | 120,000 |
| 土地 | 100,000 | 資本準備金 | 60,000 |
| 投資有価証券 | (　　　) | 利益準備金 | 5,000 |
| 関係会社株式 | (　　　) | 別途積立金 | 16,000 |
| その他の資産 | 4,657 | 繰越利益剰余金 | 33,783 |
| 繰延税金資産 | 24,930 | 売上 | 1,546,250 |
| 仕入 | 935,500 | 受取利息配当金 | 1,680 |
| 営業費 | 436,255 | | |
| 支払利息 | 1,120 | | |
| 社債利息 | (　　　) | | |
| 有価証券運用損益 | 230 | | |
| 為替差損益 | 500 | | |
| 雑損失 | 153 | | |
| 合計 | (　　　) | 合計 | (　　　) |

【資料２】　決算整理事項等

1　現金預金

決算整理前の現金預金勘定の内訳は次のとおりである。

| 内訳 | | |
|---|---|---|
| | 現金残高 | (　　　)千円 |
| | 甲銀行当座預金残高 | (　　　)千円 |
| | 甲銀行普通預金残高 | 12,000 千円 |
| | 甲銀行定期預金残高 | 48,000 千円 |
| | 合　　計 | 86,440 千円 |

(1) 現金有高を調査したところ、紙幣及び硬貨が1,105千円、他人振出小切手が1,500千円、配当金領収証が540千円（未記帳。なお、源泉所得税等135千円控除後であり、源泉所得税等控除前の総額をもって受取利息配当金勘定で処理する。当該源泉所得税等は、全額当期の法人税等の額から控除することができる。）が確認された。帳簿残高との差異について、営業費420千円の支払が未記帳であることが判明したが、その他は不明であるため雑損失として処理する。

(2) 甲銀行から期末日に取り寄せた当座預金残高証明書によれば、残高は24,130千円であった。帳簿残高との差異について調査したところ、次の事実が判明した。

①　営業部からの依頼により支払った営業費100千円の小切手が未取付であった。

②　買掛金840千円及び営業費210千円の支払として振出された小切手が、期末現在未渡しであった。

③　期末日に420千円を銀行に預入れたが、銀行では翌日付けで処理していた。

2　売掛金

(1) 売掛金有高の調査のため得意先乙社に残高確認を行ったところ、乙社からの回答額は21,000千円であり、当社の帳簿残高22,050千円と乖離していた。原因を調べたところ、乙社が期末日直前に返品した商品（原価600千円）が未着であったため当社では未記帳であることが判明した。

(2) 売掛金残高のうち、25,400千円はドル建売掛金であり、売上時の為替レート１ドル＝127円で換算された金額である。

3　商品

期末日における商品の帳簿棚卸高は92,100千円、実地棚卸高は89,800千円であった。なお、上記２の返品商品は両棚卸高に含まれていない。帳簿棚卸高と実地棚卸高の差額について調査したところ、うち800千円は期中に見本品（営業費勘定で処理する。）として得意先に送付したものが未記帳であることが判明した。その他の差額は棚卸減耗である。また、返品された商品は傷があったため、評価額を200千円として評価損を計上する。棚卸減耗費のうち30%及び商品評価損は売上原価に含めることとする。




4　有価証券

| 銘　柄 | 保有区分 | 取得原価 | 前期末時価 | 当期末時価 | 備　考 |
|---|---|---|---|---|---|
| A株式 | 売買目的 | 24,210千円 | —— | 24,400千円 | (注1) |
| B社債 | 満期保有 | 13,800千円 | 13,950千円 | 14,200千円 | (注2) |
| C株式 | 関係会社 | 50,000千円 | —— | —— | (注3) |
| D株式 | そ の 他 | 16,300千円 | 15,800千円 | 16,600千円 | (注4) |
| E株式 | そ の 他 | 12,300千円 | 6,000千円 | 5,800千円 | (注4) |

(注1) 売買目的有価証券の評価に係る会計処理については洗替方式を採用している。

(注2) B社債は、×12年10月1日に債券総額15,000千円、償還期間5年、クーポン利子率年2%（利払日は毎年3月31日と9月30日の年2回）のものを発行と同時に取得したものである。債券総額と取得原価との差額は金利調整差額と認められるため、償却原価法（定額法）を適用する。なお、期中におけるクーポン利息の受取額は、受取利息配当金勘定に記帳済である。

(注3) C株式は、C社発行済株式総数25,000株のうち20%相当を取得したものである。前期末におけるC株式の実質価額は1株当たり6千円、当期末における実質価額は1株当たり5千円であり、実質価額が取得価額の50%以上低下している場合には減損処理を行う。

(注4) その他有価証券の評価差額は全部純資産直入法（税効果会計を適用する。）により処理する。また、時価が取得原価の50%以上下落している場合には減損処理を行う。

5　有形固定資産

| | 取得原価 | 耐用年数 | 償却方法 | 償却率 | 残存割合 | 備考 |
|---|---|---|---|---|---|---|
| 建　物 | (　　) 千円 | 30年 | 定 額 法 | 0.034 | ゼロ | (注1) |
| 備　品 | 36,000 千円 | 8年 | 定 額 法 | 0.125 | ゼロ | (注2) |
| 車　両 | 6,000 千円 | 6年 | 定 額 法 | 0.167 | ゼロ | — |

(注1) 建物は取得後当期末までに11年経過している。

(注2) 備品のうち一部（取得原価12,000千円）は×13年12月に取得し、直ちに使用を開始したものである。

6　普通社債

(1) ×11年４月１日に次の条件で普通社債を発行した。債券総額と払込金額との差額については償却原価法（定額法）を適用する。

①　債券総額：100,000千円

②　払込金額：債権金額１口100円につき96円

③　償還期間：５年

④　クーポン利子率：年１％

⑤　利払日：毎年３月31日の年１回

(2) 当期の９月30日に債券金額40,000千円について買入消却を行ったが、当社では買入時の支出額（経過利息を含む。）38,920千円を仮払金としている。

7　賞与引当金

当社の賞与支給対象期間は毎年６月から11月と12月から５月であり、支給月は12月と６月である。翌期の６月に総額で15,000千円の賞与を支給する見込みであり、この金額のうち当期負担分を賞与引当金として計上する。当期中においては、賞与支給額の全額を営業費に計上している。なお、賞与引当金は税務上、全額否認されるため、税効果会計を適用する。

8　退職給付引当金

当社は退職一時金制度及び企業年金制度を採用しており、退職給付会計に基づいて処理している。割引率は４％、長期期待運用収益率は３％である。数理計算上の差異は発生年度より10年の定額法により費用処理している。当期中においては、支出額を営業費に計上しているのみであり、退職給付引当金の繰入処理は行っていない。なお、退職給付引当金は税務上、全額否認されるため、税効果会計を適用する。

(1) 当期首における状況

①　退職給付債務：300,000千円

②　年金資産時価：210,000千円

③　数理計算上の差異の未認識額：16,700千円

なお、未認識数理計算上の差異の内訳は、×12年３月発生額が6,800千円、×13年３月発生額が9,900千円であり、いずれも退職給付引当金の積立不足額として計上されたものである。

(2) 当期中における状況

①　当期における勤務費用は11,000千円である。

②　定年退職者に対し当社から2,000千円、年金基金から1,000千円が支給されている。

③　年金掛金の拠出額は3,000千円である。

(3) 当期末における状況

① 退職給付債務：318,000千円

② 年金資産時価：221,300千円



9 貸倒引当金

期末における売上債権（受取手形及び売掛金）はすべて一般債権に該当し、期末売上債権残高に貸倒実績率１％を乗じた額をもって差額補充法により貸倒引当金を計上する。

10 法人税等

仮払金には、法人税等の中間納付額18,500千円が含まれている。

⇨解答：177ページ

| 問題 13 | 財務諸表 | 制限時間　30分 |
|---|---|---|
| | | 難易度　A |

依田橋商事株式会社の下記の【資料１】から【資料３】を基に、【資料１】と【資料３】の（　A　）から（　S　）の金額を求めなさい。なお、財務諸表上、金額の前に△を付すものについては、解答の金額の前に△を記入しなさい。

【資料１】財務諸表

前期と当期の比較貸借対照表　（単位：千円）

| 借方 | 前期 | 当期 | 貸方 | 前期 | 当期 |
|---|---|---|---|---|---|
| 現金預金 | （　　） | （　　） | 支払手形 | 28,100 | 28,500 |
| 受取手形 | 32,600 | 33,800 | 買掛金 | （　B　） | 42,400 |
| 売掛金 | 56,400 | 57,200 | 未払法人税等 | 5,400 | 5,788 |
| 貸倒引当金 | △ 1,780 | △ 1,820 | 社債 | 9,820 | 9,880 |
| 有価証券 | 1,000 | 1,100 | 退職給付引当金 | 21,000 | （　C　） |
| 商品 | 35,200 | 34,600 | 資本金 | （　　） | （　　） |
| 前払費用 | 1,500 | 1,300 | その他資本剰余金 | 1,200 | 1,600 |
| 備品 | 40,000 | 34,000 | 利益準備金 | 8,000 | 9,000 |
| 減価償却累計額 | △13,500 | △13,950 | 任意積立金 | 6,000 | 6,500 |
| 投資有価証券 | 3,600 | （　A　） | 繰越利益剰余金 | （　D　） | 45,492 |
| 繰延税金資産 | 6,360 | 6,570 | 自己株式 | △ 5,400 | △ 3,600 |
| | | | その他有価証券評価差額金 | △　140 | △　210 |
| | | | 新株予約権 | 1,000 | 800 |
| 合計 | （　　） | （　　） | 合計 | （　　） | （　　） |

当期の損益計算書　（単位：千円）

| 借方 | 金額 | 貸方 | 金額 |
|---|---|---|---|
| 売上原価 | 383,900 | 売上高 | 517,400 |
| 給料手当 | 61,800 | 有価証券運用損益 | 700 |
| 退職給付費用 | 3,500 | 受取配当金 | 110 |
| 減価償却費 | 4,050 | 固定資産売却益 | （　G　） |
| 貸倒引当金繰入額 | 1,540 | 法人税等調整額 | （　H　） |
| その他の営業費 | 28,100 | | |
| 社債利息 | （　E　） | | |
| 法人税等 | （　F　） | | |
| 当期純利益 | 24,752 | | |
| 合計 | （　　） | 合計 | （　　） |

当期のキャッシュ・フロー計算書　　　　（単位：千円）

| | |
|---|---|
| Ⅰ　営業活動によるキャッシュ・フロー | |
| 営業収入 | （　I　） |
| 商品の仕入による支出 | △ 382,600 |
| 人件費の支出 | △ 64,700 |
| その他の営業支出 | （　J　） |
| 小　　計 | （　　） |
| 配当金の受取額 | 210 |
| 利息の支払額 | △ 200 |
| 法人税等の支払額 | △ 10,400 |
| 営業活動によるキャッシュ・フロー | （　　） |
| Ⅱ　投資活動によるキャッシュ・フロー | |
| 有価証券の取得による支出 | △ 2,500 |
| 有価証券の売却による収入 | （　K　） |
| 有形固定資産の売却による収入 | 2,700 |
| 投資活動によるキャッシュ・フロー | （　　） |
| Ⅲ　財務活動によるキャッシュ・フロー | |
| 自己株式の処分による収入 | （　L　） |
| 配当金の支払額 | △ 10,000 |
| 財務活動によるキャッシュ・フロー | （　　） |
| Ⅳ　現金及び現金同等物の増加額 | （　M　） |
| Ⅴ　現金及び現金同等物の期首残高 | （　　） |
| Ⅵ　現金及び現金同等物の期末残高 | （　　） |

【資料２】補足事項

1　現金及び現金同等物は貸借対照表の現金預金以外にはない。

2　貸借対照表の前払費用はすべてその他の営業費に関するものである。

3　新株予約権の権利行使により自己株式を処分している。

4　売買目的有価証券は切放法で処理をしている。

5　利息の支払額はすべて社債に関するものである。

6　保有株式のうちその他有価証券に区分される株式は甲社株式のみであり、全部純資産直入法（税効果会計を適用）で処理している。

7　前期と当期の法定実効税率は30%である。

【資料３】仮にキャッシュ・フロー計算書が間接法であった場合（単位：千円）

キャッシュ・フロー計算書

| Ⅰ　営業活動によるキャッシュ・フロー | |
|---|---|
| 税引前当期純利益 | （　　　） |
| 減価償却費 | （　N　） |
| 貸倒引当金の増加額 | （　　　） |
| 退職給付引当金の増加額 | （　　　） |
| 受取配当金 | （　O　） |
| 有価証券運用損益 | （　　　） |
| 社債利息 | （　　　） |
| 固定資産売却益 | （　　　） |
| 売上債権の増加額 | （　P　） |
| 棚卸資産の減少額 | （　Q　） |
| 前払費用の減少額 | （　R　） |
| 仕入債務の増加額 | （　S　） |
| 小　　計 | （　　　） |

⇨解答：185ページ

| 問題 14 | 帳簿組織 | 制限時間　30分<br>難易度　B |
|---|---|---|

当社の前期末（ｘ11年３月31日）及び当期（ｘ11年４月１日からｘ12年３月31日まで）に関する下記の資料に基づいて、【資料５】の①から⑱に入る金額を示しなさい。

留意事項

1．日数計算は便宜上、月割とすること。

2．千円未満の端数が生じた場合は切り捨てること。

3．[　　　] 内の金額は各自推定すること。

4．資料以外の事項は考慮しなくてよい。

【資料１】

前期末の残高に関する資料は次のとおりである。

1　前期末の残高勘定

残　高　（単位：千円）

| 借方 | 金額 | 貸方 | 金額 |
|---|---|---|---|
| 小口現金 | 30 | 支払手形 | 12,200 |
| 当座預金 | 19,920 | 買掛金 | 9,040 |
| 受取手形 | 13,000 | 前受金 | 1,400 |
| 売掛金 | 14,600 | 未払営業費 | 700 |
| 繰越商品 | 8,140 | 貸倒引当金 | 476 |
| 未収利息 | 280 | リース債務 | 1,956 |
| 建物 | [　　　] | 減価償却累計額 | 47,730 |
| リース資産 | 2,400 | 資本金 | 260,000 |
| 土地 | 218,000 | 資本準備金 | 40,000 |
| 貸付金 | 20,000 | 利益準備金 | 10,000 |
| | | 別途積立金 | [　　　] |
| | | 繰越利益剰余金 | 32,868 |
| | [　　　] | | [　　　] |

2　小口現金は定額資金前渡制度を採用しており、毎月末日に支払報告を受け、翌月１日に設定額の400千円になるように小切手を振出して補給している。

3　建物は取得後、前期末までに15年経過している。当該建物は耐用年数を40年、残存割合を10％とする定額法により減価償却を行っている。

4　リース資産はｘ10年４月１日に所有権移転外ファイナンス・リースとして取得したものである。リース内容等は次のとおりである。

問題14
問題

(1) リース期間：５年

(2) 年額リース料：540千円（毎年３月31日支払）

(3) 利息算定に使用する利子率：年４％

(4) 償却方法：定額法

5　貸付金はｘ10年12月１日に得意先に対して貸し付けたものであり、詳細は次のとおりである。

(1) 貸付額：20,000千円

(2) 貸付期間：ｘ13年11月30日まで

(3) 利息：毎年11月30日に貸付額の4.2%を１年分後受け

【資料２】

期中取引に関する特殊仕訳帳（当座預金出納帳、売上帳、仕入帳、受取手形記入帳及び支払手形記入帳を使用している。）の記入面は次のとおりである。

1　当座預金出納帳（預入）

売掛金：92,600千円　受取手形：203,280千円　前受金：11,800千円　売上：6,200千円

受取利息：840千円

2　当座預金出納帳（引出）

買掛金：158,240千円　支払手形：76,600千円　営業費：50,400千円　小口現金：4,498千円

繰越利益剰余金：16,000千円　諸口：540千円（支払利息、リース債務）

3　売上帳

当座預金：6,200千円　売掛金：255,400千円　受取手形：40,000千円　前受金：12,400千円

4　仕入帳

買掛金：240,000千円

5　受取手形記入帳

売掛金：163,200千円　売上：40,000千円

6　支払手形記入帳

買掛金：82,000千円

【資料３】

期中取引の補足事項は次のとおりである。

1　小口現金の支払報告として当期に受けた営業費の合計は4,492千円であった。

2　前期に計上した売掛金のうち100千円が回収不能となった。

3　得意先振出の約束手形500千円を取引銀行で割引き、割引料20千円を差引かれ、手取金は当座預金に入金した。当該取引は一部当座取引に該当し、取引の全体を普通仕訳帳に記帳する方法を採っている。

4　繰越利益剰余金を原資とする配当金16,000千円を当座預金より支払った。また、当該配当に伴って利益準備金の積立てを行った。

【資料４】

決算整理事項は次のとおりである。（他の資料から判明するものを除く。）

1　期末帳簿棚卸高　10,000千円

期末実地棚卸高　9,840千円（※）

※　このうち商品の一部については品質低下が認められるため、収益性の低下492千円を計上する。なお、評価損は売上原価に算入する。

2　貸倒引当金は期末売上債権及び貸付金残高の１％を差額補充法により繰り入れる。

【資料５】

当期の決算整理後残高試算表は次のとおりである。

決算整理後残高試算表　(単位：千円)

| 借方科目 | 金額 | 貸方科目 | 金額 |
|---|---|---|---|
| 小口現金 | ① | 支払手形 | ⑩ |
| 当座預金 | ② | 買掛金 | ⑪ |
| 受取手形 | ③ | 前受金 | ⑫ |
| 売掛金 | ④ | 未払営業費 | 760 |
| 繰越商品 | ⑤ | 貸倒引当金 | |
| 未収利息 | | リース債務 | ⑬ |
| 建物 | ⑥ | 減価償却累計額 | ⑭ |
| リース資産 | 2,400 | 資本金 | 260,000 |
| 土地 | 218,000 | 資本準備金 | 40,000 |
| 貸付金 | 20,000 | 利益準備金 | ⑮ |
| 仕入 | ⑦ | 別途積立金 | |
| 営業費 | ⑧ | 繰越利益剰余金 | ⑯ |
| 貸倒引当金繰入 | ⑨ | 売上 | ⑰ |
| 減価償却費 | | 受取利息 | ⑱ |
| 商品減耗損 | | | |
| 支払利息 | | | |
| 手形売却損 | | | |
| | | | |

⇨解答：193ページ

| 問 題 15　一般総合(11) | 制限時間　60分 |
| --- | --- |
| | 難 易 度　B |

当社は卸売業を営んでいる会社である。当期（自×10年４月１日　至×11年３月31日）の決算整理については、既に完了しているが、経理担当者が不慣れであったため、誤った決算整理後残高試算表を作成してしまっている。そこで、以下の【資料】に基づき、必要となる訂正を加え、答案用紙に示した修正後の決算整理後残高試算表を作成しなさい。

（解答上の留意事項）

1　解答金額については、問題文の決算整理後残高試算表の金額欄の数値のように３桁ごとにカンマで区切りなさい。この方法によっていない場合には正解としないので注意すること。また、解答にあたり、金額がマイナスとなる場合には、金額の前に△を付すこと。

2　金額の計算の結果、千円未満の端数が生じた場合は、千円未満を四捨五入する。

3　期間按分の計算が生じる場合には月割り（１か月未満の端数切上げ）により計算する。

（問題上の前提条件）

1　売上の認識時点は出荷日、仕入の認識時点は入荷日としている。

2　棚卸資産の評価については「棚卸資産の評価に関する会計基準」を適用し、通常の販売目的で保有する棚卸資産については収益性の低下による評価損は売上原価に含めるものとし、棚卸減耗損については売上原価に含めない。

3　貸倒引当金については売上債権を「一般債権」、「貸倒懸念債権」及び「破産更生債権等」に区分し、その区分ごとに貸倒見積高の算定を行い、それらの合計額を貸倒引当金として設定し、繰入処理は差額補充法により行う。

(1)　一般債権については期末債権残高に１％を乗じて算定した金額を貸倒見積高とする。

(2)　貸倒懸念債権については債権金額から担保処分見込額を控除した残額の50％相当額を貸倒見積高とする。

(3)　破産更生債権等については債権金額から担保処分見込額を控除した残額の100％相当額を貸倒見積高とする。

4　投資有価証券の期末評価は、「金融商品に関する会計基準」及び「金融商品会計に関する実務指針」等に基づき処理を行い、その他有価証券に係る評価差額は全部純資産直入法により処理する。

5　当期末の直物レートは１ドル＝108円である。

6　税効果会計については、適用する旨の記載のある項目についてのみ適用し、記載のない項目については考慮する必要はない。なお、その適用に当たっては、回収可能性に問題はないものとし、法定実効税率は30%として計算する。

7　勘定科目は【資料】及び答案用紙にある科目を使用し、それ以外の勘定科目は使用しないものとする。

8　前期以前の会計処理は適正に実行されている。

【資料１】修正前の決算整理後残高試算表

修正前の決算整理後残高試算表　（単位：千円）

| 借方 | | 貸方 | |
|---|---|---|---|
| 勘定科目 | 金額 | 勘定科目 | 金額 |
| 現金預金 | 16,302 | 支払手形 | 87,500 |
| 受取手形 | 98,000 | 買掛金 | 42,330 |
| 売掛金 | 50,000 | 未払金 | 315 |
| 商品 | 25,920 | 未払費用 | 5,625 |
| 貯蔵品 | 100 | 未払法人税等 | 3,500 |
| 有価証券 | 30,000 | 貸倒引当金 | 1,480 |
| 建物 | 232,500 | 賞与引当金 | 18,000 |
| 車両 | 4,500 | 社債 | 18,800 |
| 備品 | 1,600 | 退職給付引当金 | 39,000 |
| 土地 | 100,000 | 資本金 | 165,000 |
| 投資有価証券 | 42,000 | 資本準備金 | 48,750 |
| 繰延税金資産 | 11,700 | 繰越利益剰余金 | 161,322 |
| 売上原価 | 455,000 | 売上高 | 799,475 |
| 棚卸減耗損 | 1,200 | 受取利息配当金 | 650 |
| 営業費 | 69,823 | 有価証券利息 | 150 |
| 減価償却費 | 8,650 | 雑収入 | 267 |
| 貸倒引当金繰入 | 296 | | |
| 人件費 | 230,719 | | |
| 手形売却損 | 464 | | |
| 社債利息 | 600 | | |
| 為替差損益 | 390 | | |
| 雑損失 | 3,000 | | |
| 投資有価証券評価損益 | 400 | | |
| 法人税等 | 9,000 | | |
| 合計 | 1,392,164 | 合計 | 1,392,164 |

【資料２】勘定内訳（一部）

| 勘定科目 | 内　　訳　　等 |
| --- | --- |
| 現金預金 | 内訳は以下のとおりである。<br>現金：800千円（国内通貨580千円及び外国通貨2,000ドル）<br>当座預金：14,802千円（銀行残高）<br>普通預金：700千円 |
| 売掛金 | 内訳は以下のとおりである。<br>Ａ社：9,360千円<br>Ｂ社：7,776千円<br>Ｃ社：1,500千円<br>その他：31,364千円 |
| 貯蔵品 | 内訳は以下のとおりである。<br>前期末に未使用であった収入印紙及び郵便切手：70千円<br>当期末に未使用であった収入印紙及び郵便切手：30千円 |
| 有価証券 | Ｚ社債の当期末時価であり、評価前の帳簿価額は29,400千円である。 |
| 繰延税金資産 | 前期末残高であり、内訳は以下のとおりである。<br>賞与引当金：2,520千円<br>退職給付引当金：9,180千円 |
| 投資有価証券 | 当期末時価であり、内訳は以下のとおりである。<br>Ｘ株式：16,000千円（評価前帳簿価額19,000千円）<br>Ｙ株式：26,000千円（評価前帳簿価額24,000千円） |
| 未払費用 | 翌期のリース料支払額のうち当期分を見越計上したものである。 |
| 賞与引当金 | 内訳は以下のとおりである。<br>前期計上額：8,400千円<br>当期計上額：9,600千円 |
| 退職給付引当金 | 当期の退職給付費用計上後の金額である。 |
| 営業費 | 内訳は以下のとおりである。<br>リース料支払額の見越額：5,625千円<br>当期購入した収入印紙及び切手代：1,350千円<br>自社利用目的のソフトウェア購入代価及び諸経費：825千円<br>その他の営業費：62,023千円 |

| 勘定科目 | 内　　訳　　等 |
|---|---|
| 減価償却費 | すべて一年分を計上しており、内訳は以下のとおりである。<br>建物：6,750千円<br>車両：1,500千円<br>備品：400千円 |
| 人件費 | 内訳は以下のとおりである。<br>賞与支払総額：26,250千円<br>給与支払総額：169,969千円<br>企業年金拠出額：4,500千円<br>賞与引当金繰入額：9,600千円<br>退職一時金支払額：12,000千円<br>退職給付費用：8,400千円 |
| 社債利息 | クーポン利息の支払により計上したものである。 |
| 雑損失 | Ｂ社の売掛金残高に合わせたことにより生じたものである。 |
| 投資有価証券評価損益 | 内訳は以下のとおりである。<br>Ｘ株式：3,000千円（評価損）<br>Ｙ株式：2,000千円（評価益）<br>Ｚ社債：600千円（評価益） |
| 有価証券利息 | Ｚ社債に係るクーポン利息であり、内訳は以下のとおりである。<br>期首再振替：△150千円<br>クーポン利息受取：300千円 |
| 雑収入 | 当座預金勘定残高の調整により生じたものである。 |

【資料３】決算整理事項等

1　現金預金に関する事項

(1) 現金として処理するものは【資料２】勘定内訳（一部）に記載されているものですべてである。なお、保有している外国通貨は取得時の直物レートで換算されている。

(2) ×11年３月20日時点においては、当座預金出納帳と当座勘定照合表の残高は一致していた。期末日直近の記載内容は以下のとおりである。

（当座預金出納帳）　（単位：千円）

| 日　付 | 借　方 | 貸　方 | 残　高 | 小切手・手形No. | 摘　　要 |
|---|---|---|---|---|---|
| ３月20日 | | 1,500 | 15,500 | 手形No.2110 | 支払手形決済 |
| 23日 | 600 | | 16,100 | 手形No. 555 | 手形割引入金 |
| 25日 | | 1,100 | 15,000 | 小切手No.300 | 買掛金支払 |
| 30日 | | 465 | 14,535 | 小切手No.301 | 買掛金支払※１ |
| 31日 | 267 | | 14,802 | | ※２ |

※１　当社の金庫の中に保管されている。

※２　銀行残高に合わせるために雑収入勘定で処理している。

（当座勘定照合表）　（単位：千円）

| 日　付 | 出　金 | 入　金 | 残　高 | 小切手・手形No. | 摘　　要 |
|---|---|---|---|---|---|
| ３月20日 | 1,500 | | 15,500 | 手形No.2110 | |
| 23日 | | 585 | 16,085 | 手形No. 555 | ※ |
| 25日 | 1,100 | | 14,985 | 小切手No.300 | |
| 31日 | 183 | | 14,802 | | 電話料金 |

※　割引料が控除されている。

2　売上に関する事項

(1) 得意先Ａ社に対して計上していた掛売上400千円について、期末日直前に返品する旨の連絡を受けたが、当社の手許に商品が未着であったため未処理となっている。なお、返品されてくる商品の数量は100個（１個あたりの原価2,400円）である。

(2) 得意先Ｂ社に対する売掛金残高とＢ社からの回答額が一致していなかった。経理担当者はＢ社の回答額に合わせるために、差額を雑損失勘定に計上している。この不一致の原因はＢ社が検収基準により仕入の計上を行っているためであり、期末日直近のＢ社との取引内容は以下のとおりである。

（当社）

| 倉庫出荷日 | 販売高 | 単　価 | 個　数 |
|---|---|---|---|
| ×11年３月10日 | 5,040千円 | 2,520円 | 2,000個 |
| 20日 | 4,016千円 | 2,510円 | 1,600個 |
| 30日 | 3,000千円 | 2,500円 | 1,200個 |

（B社）

| 到着日 | 仕入高 | 単　価 | 個　数 | 検収日 |
|---|---|---|---|---|
| ×11年３月11日 | 5,040千円 | 2,520円 | 2,000個 | ３月12日 |
| 21日 | 4,016千円 | 2,510円 | 1,600個 | ３月22日 |
| 31日 | 3,000千円 | 2,500円 | 1,200個 | ４月１日 |

3　商品に関する事項

以下のデータを基に売上原価を計算しており、上記２(1)の商品が考慮されていない。

帳簿棚卸高：11,300個（１個あたり2,400円）

実地棚卸高：10,800個（１個あたり2,400円）

実地棚卸数量のうち200個については収益性の低下が生じているが評価損の計上が未処理である。当該商品の１個あたりの正味売却価額は2,300円である。

4　貸倒引当金に関する事項

(1) 修正前の決算整理後残高試算表の貸倒引当金は、経理担当者が下記(2)を含む債権残高をすべて一般債権として計上したものであるが、誤りがあることが判明した。なお、期末債権残高の中に貸倒懸念債権に該当するものはない。

(2) 得意先Ｃ社が民事再生法による再生手続開始の申立てを行っていたため、Ｃ社に対する売掛金を破産更生債権等勘定に振替えることとしたが、その処理が行われていなかった。なお、得意先Ｃ社に対する担保処分見込額は500千円である。

5　有形固定資産に関する事項　（単位：千円）

| 種類 | 取得価額 | 耐用年数 | 残存割合 | 償却方法 | 事業供用日 |
|---|---|---|---|---|---|
| 建物 | 300,000 | 40年 | 10% | 定額法 | ×１年４月１日 |
| 車両 | 9,000 | ６年 | ０% | 定額法 | ×８年４月１日 |
| 備品 | 2,000 | ５年 | ０% | 定額法 | ×10年７月１日 |

6　リース取引に関する事項

×10年10月1日に下記の所有権移転外ファイナンス・リース取引契約により物件を調達しているが、賃貸借処理を適用して翌期に支払うべきリース料のうち当期に属する金額を営業費として見越計上している。

| リース料総額 | リース料年額 | リース期間 | 経済的耐用年数 |
|---|---|---|---|
| 56,250千円 | 11,250千円 | 5年 | 6年 |

(1) リース料の支払いは1年ごとの後払い（均等払い）である。

(2) 減価償却については残存価額をゼロとする定額法により行う。

(3) リース料総額の現在価値の算定のために用いる借手の追加借入利子率は年利5.0%であり、期間5年の年金現価係数は4.32とする。

(4) リース物件の見積現金購入価額は49,200千円である。

7　ソフトウェアに関する事項

×10年12月1日に下記の内容でソフトウェアを購入しているが、支出額の全額を営業費勘定に計上している。なお、当該ソフトウェアは将来の費用削減が確実と認められるものであるため、その取得に要した金額をソフトウェア勘定に計上し、残存価額をゼロ、見込利用可能期間を5年とする定額法により減価償却を行う。

(1) 目的：自社利用

(2) 購入代価：500千円

(3) 諸経費：325千円※

※　諸経費の内訳は設定作業代金100千円及びデータの移替作業代金225千円である。

8　有価証券に関する事項

(1) 保有するX株式及びY株式はその他有価証券に区分しており、Z社債は満期保有目的債券に区分している。経理担当者はすべての有価証券について時価評価を行い、評価差額のすべてを投資有価証券評価損益勘定に計上している。

(2) Z社債は×7年10月1日に発行と同時に取得したものである。額面金額は30,000千円であり、取得価額との差額は金利の調整と認められるため、定額法による償却原価法を採用しているが、当期は未処理である。利払日は毎年9月30日（年利1.0%）、償還期日は×11年9月30日である。

経理担当者は上記(1)の時価評価後において、償還期日が翌期であるため有価証券勘定に振替えている。

9　社債に関する事項

×10年４月１日に下記の条件で社債を発行している。額面総額と払込金額との差額は金利調整差額と認められるため、利息法により償却することとしているが、当社では利息の支払時（利払日は毎年３月31日の年１回）に支払額をもって社債利息勘定に計上しているのみである。また、当該社債以外に発行した社債はない。

(1) 額面総額：20,000千円

(2) 払込金額：18,800千円

(3) 償還期限：×16年３月31日（一括償還）

(4) 実効利子率：年4.15％

10　賞与引当金に関する事項

| 支給対象期間 | 支給見込額 | 実際支給額 |
|---|---|---|
| ×９年12月１日から×10年５月31日 | 12,600千円 | 12,700千円 |
| ×10年６月１日から×10年11月30日 | 13,350千円 | 13,550千円 |
| ×10年12月１日から×11年５月31日 | 14,400千円 | —— |

11　退職給付引当金に関する事項

当社は退職給付引当金については原則法により計算している。×11年３月31日付で退職した従業員に対して×11年４月３日に退職金1,000千円を支払ったが未処理である。

12　税効果会計に関する事項

以下の内容について税効果会計を適用するが、未処理である。

(1) その他有価証券評価差額金

(2) 貸倒引当金（破産更生債権等）

税務上は債権金額から担保処分見込額を控除した残額の50％相当額の損金算入が認められる。

(3) 賞与引当金

税務上はその全額について損金算入が認められない。

(4) 退職給付引当金

税務上はその全額について損金算入が認められない。

13　法人税等に関する事項

修正前の決算整理後残高試算表の法人税等は修正前の税引前当期純利益に法定実効税率（30％）を乗じて算定した金額であり、未払法人税等は修正前の法人税等から中間納付額を控除して算定した金額である。修正後の法人税等の年税額は14, 925千円と算定された。

⇨解答：198ページ

| 問題 16　一般総合(12) | 制限時間　60分 |
| --- | --- |
| | 難易度　B |

当社は高級漆器の販売会社であり、首都圏南部を中心として営業活動を展開しており、近年においては海外への輸出取引も行っている。なお、当社の会計期間は４月１日から３月31日である。当社の当期末における修正前及び決算整理前の残高試算表は【資料１】、これに関する修正事項及び決算整理事項等は【資料２】のとおりである。これらの資料に基づいて、【資料３】当社の修正後及び決算整理後の残高試算表の①～㉝に入る金額を答案用紙の所定の解答欄に記入しなさい。

留意事項

a　計算の結果、円未満の端数が生じたときは、特に指示がない限り、切り捨てること。

b　日数計算は、特に指示がない限り、月割りとし、１か月未満の端数は１か月として計算する。

c　消費税等は考慮しない。

d　当社は税効果会計を採用しており、法定実効税率は30％である。税務上の処理との差額は一時差異に該当し、繰延税金資産の回収可能性に問題はないものとする。なお、問題文中に「税効果会計を適用する」旨の指示がある場合のみ、税効果会計を適用する。また、繰延税金資産と繰延税金負債との相殺は行わないものとする。

e　勘定科目は試算表で使用されているものの中から選択すること。

f　資料から判明する事項以外は考慮する必要はない。

【資料１】　修正前及び決算整理前の残高試算表

（単位：円）

| 借方 | | 貸方 | |
|---|---|---|---|
| 科目 | 金額 | 科目 | 金額 |
| 現金預金 | 16,364,000 | 支払手形 | 29,170,000 |
| 受取手形 | 42,100,000 | 買掛金 | 50,600,000 |
| 売掛金 | 103,301,100 | 前受金 | 3,265,000 |
| 有価証券 | 2,000,000 | 短期借入金 | 6,500,000 |
| 繰越商品 | 18,000,000 | 貸倒引当金 | 1,540,000 |
| その他流動資産 | 15,004,000 | その他流動負債 | 2,348,800 |
| 建物 | 40,000,000 | 長期借入金 | 12,000,000 |
| 建物附属設備 | 13,500,000 | 退職給付引当金 | 21,000,000 |
| 器具備品 | 17,000,000 | 建物減価償却累計額 | 28,800,000 |
| 土地 | 各自推定 | 建物附属設備減価償却累計額 | 2,700,000 |
| 投資有価証券 | 35,550,000 | 器具備品減価償却累計額 | 各自推定 |
| 破産更生債権等 | 1,500,000 | 資本金 | 80,000,000 |
| 繰延税金資産 | 7,125,000 | 資本準備金 | 20,000,000 |
| 仕入 | 306,000,000 | 利益準備金 | 20,000,000 |
| 販売費一般管理費 | 67,401,892 | 別途積立金 | 10,500,000 |
| 修繕費 | 2,600,000 | 繰越利益剰余金 | 6,864,360 |
| 貸倒損失 | 340,000 | 売上 | 432,000,000 |
| 支払利息 | 420,000 | 有価証券運用損益 | 220,000 |
| 雑損失 | 136,068 | 受取利息配当金 | 180,000 |
| | | 為替差損益 | 71,000 |
| | | 雑収入 | 2,457,900 |
| 合計 | 各自推定 | 合計 | 各自推定 |

【資料２】　修正事項及び決算整理事項等

1　３月31日における当座預金出納帳の期末残高は43,380円の借方残高であったが、当座預金残高証明書の金額は140,000円のマイナスであった。この差額について原因を調査したところ、次の事項が判明した。なお、取引銀行とは当座借越契約を締結しており、当座預金が貸方残高となる場合には、短期借入金に振り替える。

(1)　得意先から売掛代金93,620円（振込手数料880円差引き後）の振込みがあったが、当社では未記帳であった。

(2) 期末日の銀行閉店時間後に90,000円の入金処理を行ったが、銀行では翌日の入金として取り扱われていた。

(3) 買掛代金の支払のために振り出した記帳済みの小切手66,000円は、期末日までに相手先が集金に来なかったため、当社が保管していた。

(4) 期末日に得意先から売掛代金253,000円を振込む旨の連絡を受けたため、記帳済みであったが、実際に銀行への振込がなされたのは翌日であった。

2 国内の取引先に対する金銭債権の残高確認を実施するとともに、その内容を精査したところ、上記1及び下記7以外に次のことが判明した。

(1) Ａ社に対する売掛金帳簿残高は2,463,300円であったが、同社の残高確認金額（回答額）は1,178,100円であり、この差額1,285,200円は同社が期末日直前に返品を行ったことによるものであった。なお、返品された商品については、期末日現在当社に未着であるが、決算整理で返品処理を行う。

(2) Ｂ社に対する売掛金帳簿残高は4,515,000円であったが、同社の残高確認金額（回答額）は2,625,000円であり、この差額1,890,000円は当期の３月31日に掛売上を計上した商品が、実際の出荷日は翌期の４月２日であったことによるものであった。

(3) 売掛金のうち50,400円は、得意先Ｃ社に対するものであるが、同社への債権を全額放棄し、決算において貸倒処理を行うこととした。なお、当該売掛金は一般債権に区分されていたものであり、貸倒処理に際しては貸倒引当金の充当を行う。また、修正前及び決算整理前の残高試算表における貸倒引当金のうち一般債権に対するものは40,000円であり、残額は破産更生債権等に係るものである。

(4) 破産更生債権等のうち300,000円は、清算手続きに入っていた得意先Ｄ社に対する売掛金であり、1,200,000円は前期において更生手続開始の申し立てを行ったＥ社に対する売掛金である。当期末においてＤ社の清算が完了したため、回収額200,000円（その他流動負債で処理している。）を控除した残額の貸倒処理を行う。また、Ｅ社に対する債権については、当期において債権者集会が開催され、債権金額の80％を切り捨て、残り20％については翌々期の８月１日を第１回とし、毎年８月１日を返済日として10年間で均等返済されることとなったが、会計処理を失念している。なお、いずれの債権についてもその全額に貸倒引当金を設定しているため、貸倒処理に際しても貸倒引当金を充当する。

3 修正前及び決算整理前における商品帳簿棚卸高は16,350,000円であるが、商品の棚卸調査を行ったところ、実地棚卸高は17,280,000円であることが判明した。この差額930,000円については次の原因が判明したが、これ以外の原因は不明であり棚卸減耗損として計上する。

(1) 当期の３月２日における商品（１個あたりの原価5,000円）の掛仕入時において、入荷数量合計を340個とすべきところ430個として処理を行っていた。

(2) 上記２(1)における返品商品（170個、１個あたりの原価6,000円）は両棚卸高に含まれていない。

(3) 上記２(2)における未出荷商品（370個、１個あたりの原価4,000円）は帳簿棚卸高には含まれていないが、実地棚卸高には含まれている。

4　当社の保有する有価証券は、次のような内容からなっており、売買目的有価証券に係る損益は有価証券運用損益勘定で処理し、その他有価証券の評価差額については全部純資産直入法（税効果会計を適用）により処理している。

（単位：円）

| 銘　　柄 | 保　有　区　分 | 帳　簿　価　額 | 期　末　時　価 | 補足事項 |
|---|---|---|---|---|
| Ｆ社株式 | 売買目的有価証券 | 2,000,000 | 1,810,000 | （注１） |
| Ｇ社社債 | 満期保有目的の債券 | 3,150,000 | 3,130,000 | （注２） |
| Ｈ社株式 | その他有価証券 | 8,700,000 | 7,700,000 | （注３） |
| Ｉ社株式 | その他有価証券 | 4,200,000 | 4,350,000 | — |
| Ｊ社株式 | その他有価証券 | 19,500,000 | 17,800,000 | — |

（注１）当期においてＦ社から利益配当を受けているが、源泉所得税4,000円控除後の手取額16,000円を雑収入に計上しているため、総額をもって適正な科目に計上するとともに、源泉所得税をその他流動資産として計上する。

（注２）当期の12月１日において、券面総額3,000,000円を券面100円につき105円で購入したものであり、取得日から償還日までの期間は60月である。券面額と取得価額の差額はすべて金利調整差額であり、定額法による償却原価法で処理することとしているが未処理である。なお、利払日は毎年11月末日の年１回であり、クーポン利率は年３％である。

（注３）当期においてＨ社から利益配当を受けているが、源泉所得税20,000円控除後の手取額80,000円を雑収入に計上しているため、総額をもって適正な科目に計上するとともに、源泉所得税をその他流動資産として計上する。

5　決算整理前残高試算表の資産及び負債のうち外貨建によるものは次のとおりである。なお、期末日の直物為替レートは１ドル当たり129円である。

(1) 前受金には外貨建のもの1,995,000円（15,000ドル）が含まれているが、そのうち当期の２月18日（同日の直物為替レートは１ドル当たり130円）に受領した6,000ドルは、当期の３月11日付けで船荷証券が発行された輸出商品に関するものであった。当該輸出商品の売上計上時（同日の直物為替レートは１ドル当たり127円）には、販売代金30,000ドルの全額を売掛金として計上していることが判明したため必要な修正を行う。

(2) 短期借入金のうち3,125,000円（25,000ドル）は、当期の８月１日（同日の直物為替レートは１ドル当たり125円）に、年利率３％、元本及び利息の返済期日を翌期の７月31日とする条件で調達した短期インパクトローンであり、このうち元本相当額については、当期の３月１日（同日の直物為替レートは１ドル当たり126円）において為替予約済み（予約レートは１ドル当たり127円）であったが、借入日のレートで計上したままである。なお、借入日の為替相場による円換算額と為替予約による円換算額との差額のうち、予約時までに生じている為替相場の変動による額は予約日の属する期の損益として処理し、残額は予約日の属する期から決済日の属する期に配分し、借入金に係る支払利息に含めて計上する。

6　当社の有形固定資産の減価償却等の計算に必要な資料は次のとおりである。なお、建物１の残存価額は取得価額の10％とし、それ以外はゼロとする。

（単位：円）

| 種　　　類 | 取得価額 | 期首簿価 | 耐用年数 | 償却方法 | 補足事項 |
|---|---|---|---|---|---|
| 建　物　1 | 30,000,000 | 7,500,000 | 30年 | 定額法 | ――― |
| 建　物　2 | 10,000,000 | 3,700,000 | 20年 | 定額法 | （注１） |
| 建物附属設備 | 13,500,000 | 10,800,000 | 15年 | 定額法 | （注２） |
| 器具備品 1 | 8,000,000 | 3,375,000 | ８年 | 定率法 | （注３・５） |
| 器具備品 2 | 9,000,000 | ――― | ５年 | 定率法 | （注４・５） |

（注１）建物２は、当期の12月25日に火災により焼失した。当該建物については火災保険を付していたため、保険会社に保険金の請求をしたところ、保険会社より保険金3,500,000円が確定したと報告を受けたが、未処理であった。

（注２）毎年４月において定期的なメンテナンス作業を実施しているが、当期のメンテナンス作業により、設備の一部が老朽化により機能低下をきたしていることが発見されたため、該当部分の取り替えを行っている。なお、この一連の作業によりメンテナンス業者から交付された作業明細は次のとおりであり、当社は作業代金を修繕費に計上している。また、代金は小切手により支払済みである。

（作業明細）　1　定期メンテナンス作業　400,000円
　　　　　　　2　老朽化部分取り替え作業　2,200,000円
　　　　　　　　　合　　　計　2,600,000円

なお、上記老朽化部分の取り替え作業に通常要する額は1,600,000円である。取り替え作業の実際額のうち通常要する額を超過する額は、設備の高性能化を図るため特に高品

質のものに取り替えたことにより生じたものであるため、資本的支出として取り扱う。また、当該取り替え作業による耐用年数の延長はなく、減価償却費は当初耐用年数により計算すること。

（注３）当期の11月22日において売却を行っているが、売却価額2,205,000円から売却諸費用86,100円を差し引いた手取額2,118,900円を雑収入として計上している。

（注４）当期の９月10日に取得したものである。

（注５）定率法償却率は次のとおりである。

５年：0.400　　８年：0.250

7　当社は、売上債権（受取手形及び売掛金）を「一般債権」、「貸倒懸念債権」及び「破産更生債権等」に区分し、その区分ごとに貸倒見積額の算定を行い、その合計額で貸倒引当金を設定している。なお、繰入は差額補充法により処理することとする。

(1) 一般債権の貸倒見積額の算定は、一般債権である売上債権に対し、過去の貸倒実績率を乗じて求める。なお、当期に適用する貸倒実績率は、下記に示した過去３期間の貸倒実績率の平均値を用いるものとする（上記２(4)については考慮されており、各期間の貸倒実績率及びそれらの平均値に端数が生じた場合は、小数第５位を四捨五入すること。）。

（単位：千円）

| | 前々々期 | 前々期 | 前期 | 当期 |
|---|---|---|---|---|
| 前々々期発生債権の期末残高<br>（貸倒損失発生額） | 138,000,000 | 0<br>（966,000） | | |
| 前々期発生債権の期末残高<br>（貸倒損失発生額） | | 125,000,000 | 0<br>（750,000） | |
| 前期発生債権の期末残高<br>（貸倒損失発生額） | | | 133,500,000 | 0<br>（1,468,500） |

（注）一般債権の平均回収期間は３か月である。

(2) 取引先Ｋ社は、経営破綻の状態には至っていないが、債務の弁済が一年以上滞っており、同社に対する売掛金500,000円の回収には重大な問題が生ずる可能性が高いと予想されるため、取引開始時に徴収した営業保証金220,000円を差し引き、その残額の60%相当について貸倒見積額を計上する。

(3) 破産更生債権等については、その全額につき貸倒見積額を計上する。

(4) 当期における税務上の貸倒引当金繰入限度額は1,256,960円であり、繰入限度超過額について税効果会計を適用する。なお、決算整理前残高試算表の繰延税金資産のうち225,000円は前期末の貸倒引当金繰入限度超過額に対して計上されたものである。

8　当社は翌期に支給する予定である賞与の支給見込額について、当期負担額を賞与引当金に計上することとしている。翌期に支給する予定である賞与の支給見込額は3,360,000円（支給対象期間は12月から５月）である。賞与引当金は税務上全額否認されるため、税効果会計を適用する。なお、決算整理前残高試算表の繰延税金資産のうち600,000円は前期末の賞与引当金に対して計上されたものである。

9　当社は退職給付会計を適用している。

(1)　決算整理前残高試算表の退職給付引当金は前期末残高であり、当期の繰入処理は行われておらず、当期の支出額はその他流動資産として処理している。また、期首未積立退職給付債務との差額はすべて前々期に発生した未認識数理計算上の差異の金額であり、数理計算上の差異は発生年度より５年間で定額法により費用処理を行っている。

(2)　当期の退職給付引当金の算定に必要な資料は次のとおりである。退職給付引当金は税務上全額否認されるため、税効果会計を適用する。なお、決算整理前残高試算表の繰延税金資産のうち、6,300,000円は退職給付引当金に対して計上されたものである。

| | |
|---|---|
| 期首退職給付債務 | 50,000,000円 |
| 期首年金資産時価 | 26,000,000円 |
| 割引率 | ２　% |
| 長期期待運用収益率 | 1.5　% |
| 勤務費用 | 3,400,000円 |
| 企業年金拠出額 | 1,800,000円 |
| 企業年金支給額 | 1,250,000円 |
| 退職一時金支給額 | 5,000,000円 |
| 期末退職給付債務 | 48,800,000円 |
| 期末年金資産時価 | 26,800,000円 |

10　その他流動資産には、法人税等の中間納付額4,500,000円が含まれている。

法人税等は、法人税等調整額を加減した額が税引前当期純利益の30%となるように計上し、法人税等の当期計上額から中間納付額及び源泉所得税を差し引いた額を「未払法人税等」として計上する。

【資料３】　修正後及び決算整理後の残高試算表

（単位：円）

| 借 | 方 | 貸 | 方 |
|---|---|---|---|
| 科　　目 | 金　額 | 科　　目 | 金　額 |
| 現金預金 | ① | 支払手形 | |
| 受取手形 | | 買掛金 | ⑲ |
| 売掛金 | ② | 前受金 | ⑳ |
| 有価証券 | | 未払費用 | ㉑ |
| 繰越商品 | ③ | 未払法人税等 | |
| 未収収益 | | 短期借入金 | ㉒ |
| 前払費用 | | 賞与引当金 | ㉓ |
| 未収金 | | 貸倒引当金 | |
| その他流動資産 | ④ | その他流動負債 | |
| 建物 | | 長期借入金 | |
| 建物附属設備 | | 退職給付引当金 | ㉔ |
| 器具備品 | | 繰延税金負債 | |
| 土地 | | 建物減価償却累計額 | ㉕ |
| 投資有価証券 | ⑤ | 建物附属設備減価償却累計額 | ㉖ |
| 破産更生債権等 | ⑥ | 器具備品減価償却累計額 | ㉗ |
| 繰延税金資産 | ⑦ | 資本金 | |
| その他有価証券評価差額金 | ⑧ | 資本準備金 | |
| 仕入 | ⑨ | 利益準備金 | |
| 販売費一般管理費 | ⑩ | 別途積立金 | |
| 減価償却費 | ⑪ | 繰越利益剰余金 | |
| 賞与引当金繰入 | | 売上 | ㉘ |
| 貸倒引当金繰入 | ⑫ | 有価証券運用損益 | ㉙ |
| 退職給付費用 | ⑬ | 受取利息配当金 | ㉚ |
| 棚卸減耗費 | | 為替差損益 | ㉛ |
| 貸倒損失 | | 雑収入 | ㉜ |
| 修繕費 | ⑭ | 保険差益 | ㉝ |
| 支払利息 | ⑮ | | |
| 雑損失 | | | |
| 固定資産売却損 | ⑯ | | |
| 法人税等 | ⑰ | | |
| 法人税等調整額 | ⑱ | | |
| 合　計 | | 合　計 | |

⇨解答：205ページ

| 問題 17　一般総合(13) | 制限時間　60分 |
| --- | --- |
| | 難 易 度　　B |

水道橋株式会社（以下「当社」という。）は、商品販売業を営んでいる。当社の当期（自×27年４月１日　至×28年３月31日）の決算整理前残高試算表は【資料１】のとおりである。【資料２】に示す修正及び決算整理事項等に基づいて答案用紙に示した決算整理後残高試算表の空欄に適当な金額を埋めなさい。

（留意事項）

1　税効果会計は、特に記述のない項目には適用しない。また、その適用に当たっては実効税率を30％とする。税務上の処理との差額は一時差異に該当し、繰延税金資産の回収可能性に問題はないものとする。

2　期間による計算が生ずる場合には月割り計算（１か月未満の端数は切上げ）によること。

3　計算の途中で円未満の端数が出た場合には、切り捨てること。

【資料１】決算整理前残高試算表

決 算 整 理 前 残 高 試 算 表　(単位：円)

| 借方 勘定科目 | 借方 金額 | 貸方 勘定科目 | 貸方 金額 |
|---|---|---|---|
| 現金 | 240,250 | 支払手形 | 22,312,000 |
| 当座預金 | (　　) | 買掛金 | 31,256,000 |
| 普通預金 | 32,518,665 | 未払金 | 3,150,000 |
| 受取手形 | 52,550,000 | 貸倒引当金 | 1,200,000 |
| 売掛金 | 48,050,000 | 賞与引当金 | 20,000,000 |
| 貯蔵品 | 26,000 | 借入金 | 50,000,000 |
| 繰越商品 | 8,252,000 | 社債 | (　　) |
| 仮払金 | 14,610,000 | 建物減価償却累計額 | 54,000,000 |
| 建物 | 150,000,000 | 車両減価償却累計額 | 1,800,000 |
| 車両 | 4,500,000 | 備品減価償却累計額 | 6,375,000 |
| 備品 | 20,500,000 | 資本金 | 100,000,000 |
| 土地 | 180,000,000 | 利益準備金 | 25,000,000 |
| 建設仮勘定 | 56,000,000 | 別途積立金 | 22,700,000 |
| 投資有価証券 | 18,800,000 | 繰越利益剰余金 | 128,909,215 |
| 繰延税金資産 | 6,000,000 | 売上 | 595,540,000 |
| 仕入 | 342,689,000 | 受取利息配当金 | 240,000 |
| 人件費 | 101,315,000 | | |
| 法定福利費 | 5,253,000 | | |
| 租税公課 | 3,462,000 | | |
| 支払手数料 | 625,800 | | |
| その他営業費 | 7,999,550 | | |
| 支払利息 | 1,500,000 | | |
| 社債利息 | (　　) | | |
| 合計 | (　　) | 合計 | (　　) |

【資料２】修正及び決算整理事項等

1　現金及び預金について確認したところ、以下の事項が判明した。

(1) 現金はすべて小口現金であり、すべてその他営業費の支払として利用している。毎月末に用度係からその一月に出金したその他営業費の報告がなされ、翌月月初に使用した金額が補充されることになっているが、３月分の出金額195,000円の記帳漏れが判明した。

(2) 取引銀行から送られてきた当社の当座預金残高証明書の金額は19,539,950円であり、当社の当座預金出納帳残高と一致していなかった。不一致原因を調べた結果、以下の事項が判明した。

①　得意先Ａ社から売掛金5,000,000円について振込があり、当社では全額当座回収として処理していたが、実際に入金された金額は振込手数料控除後の4,999,000円であった。

②　仕入先Ｙ社に対する買掛金の支払いとして振出した小切手750,000円が未取付となっていた。

③　３月31日にその他営業費300,000円が引落されていたが、当社では未記帳となっていた。

④　仕入先Ｗ社に対する買掛金の支払いとして振出した小切手550,000円について、Ｗ社が取りに来なかったため当社に保管されていた。

(3) 上記(2)の不一致原因を調べた結果、以下の事項についても判明した。

①　仕入先Ｘ社に対する買掛金800,000円について、当座振込により支払った際、振込手数料800円を加算して支払っているが、全額買掛金の支払いとして処理していた。

②　３月25日に３月分の給与等を支払ったが、支給額をもって人件費に計上しているのみであった。３月分の給与等の内訳は次のとおりであり、社会保険料については給与から天引きした個人負担分に同額の会社負担分を加えた金額を翌月末までに納付している。よって、決算において３月分の社会保険料（会社負担分）を見越計上する。

| | | |
|---|---|---|
| 給与等総額 | 4,150,000円 | |
| 源泉所得税等 | 450,400円 | |
| 社会保険料従業員負担分 | 425,000円 | （３月分） |
| 差引支給額 | 3,274,600円 | |

2　得意先に対して売掛金の残高を確認したところ、以下の事項が判明した。

得意先Ｂ社に対する売掛金の残高は6,510,000円であるが、Ｂ社からの回答は6,150,000円であった。この差額について調査したところ、当社が売上計上時に金額を誤って記帳していたことが判明した。

3　商品に関して次の事項が判明した。

(1) 当社は棚卸資産の収益性の低下による簿価切下額について、洗替法を採用しているが、前期末に計上した商品評価損益38,000円についての振戻処理が行われていないことが判明した。なお、商品評価損益は売上原価とは別にして処理することとし、期末商品棚卸高への影響は考慮しなくてよい。

(2) 期末商品帳簿棚卸高は9,853,000円（上記【資料２】２による修正分は含まれていない。）であり、期末商品実地棚卸高は9,503,000円（上記【資料２】２による修正分は含まれていない。）である。この差額のうち、300,000円は得意先に見本品として提供した商品について未処理であることが判明した。この他の差額は棚卸減耗費であり、その40%相当は原価性があると認められる。

(3) 当期末において、評価損42,000円を計上する。

4　社債の発行に関する事項

下記の社債を発行し、入金額を社債として計上している。なお、発行価額と社債金額との差額は償却原価法（定額法）により償却する。

社債発行日：×27年６月１日

発行価額：１口社債金額100,000円につき92,500円

発行口数：120口

償還期限：×32年５月31日（一括償還）

利息：年2.5%（毎年５月末日・11月末日の年２回払）

5　有形固定資産の減価償却の方法等は次のとおりである。

| 種　類 | 取　得　原　価 | 期首帳簿価額 | 耐用年数 | 償 却 率 | 償却方法 | 残存割合 | 取得年月 |
|---|---|---|---|---|---|---|---|
| 建　物 | 150,000,000 円 | 96,000,000 円 | 50年 | ―― | 定 額 法 | 10% | ×７年４月 |
| 車両１ | 4,500,000 円 | 2,700,000 円 | ５年 | ―― | 定 額 法 | ０% | ×25年４月 |
| 車両２ | (各 自 推 定) 円 | ―――― 円 | ５年 | ―― | 定 額 法 | ０% | ×27年８月 |
| 備品１ | 12,000,000 円 | 5,625,000 円 | 10年 | 0.250 | 定 率 法 | ０% | ×24年８月 |
| 備品２ | 8,500,000 円 | ―――― 円 | ５年 | 0.500 | 定 率 法 | ０% | ×27年４月 |

(1) 建物について大規模な改修を行い×27年４月１日に改修工事が完了し工事代金56,000,000円を支出したが、その支出額をもって建設仮勘定として処理を行っているのみである。なお、この改修により耐用年数が10年延長したため、耐用年数延長に相当する支出額を資本的支出として処理することとした。また、減価償却は当初耐用年数によるものとし、資本的支出の残存割合は０%とする。

(2) 車両１については×27年７月31日に2,290,000円で下取りしてもらい、車両２を定価4,800,000円で購入し下取価額との差額を支払っているが、支出額をもって仮払金に計上していた。

6　投資有価証券の内訳は次のとおりである。その他有価証券については全部純資産直入法（税効果会計を適用する。）により処理する。なお、当期末時価が取得原価の50％以上下落しているときは取得原価まで回復する見込みがあるとは認められないので、減損処理を行う（減損処理については税効果会計を適用しない。）。

| 銘　柄 | 取得原価 | 前期末時価 | 当期末時価 | 保有目的 |
|---|---|---|---|---|
| Ｓ株式 | 3,000,000 円 | 1,800,000 円 | 1,200,000 円 | その他有価証券 |
| Ｔ株式 | 10,500,000 円 | 11,000,000 円 | 10,200,000 円 | その他有価証券 |
| Ｕ株式 | 5,300,000 円 | 5,500,000 円 | 6,000,000 円 | その他有価証券 |

7　当社は売掛金及び受取手形を「一般債権」、「貸倒懸念債権」及び「破産更生債権等」に区分して貸倒見積高の算定を行い、これらの合計額を貸倒引当金として計上している。なお、繰入は差額補充法により処理している。また、前期末においては「破産更生債権等」及び「貸倒懸念債権」は存在せず、貸倒引当金は「一般債権」に対して設定されたものである。

(1)　一般債権に区分していた期首の売掛金400,000円が貸倒れ、貸倒引当金を取崩すこととしたが、当社では未処理であった。

(2)　得意先Ｇ社は経営破綻の状態には陥っていないが、債務の弁済に重大な問題が生じていると考えられる。Ｇ社に対する債権は、売掛金及び受取手形5,250,000円（合計）であり、担保処分見込額3,000,000円を控除した残額に対して50％相当額を貸倒見積高とする。なお、税務上の貸倒引当金繰入限度額は債権残高（担保処分見込額は控除しない。）の２％であるため、貸倒引当金繰入限度超過額に対して税効果会計を適用する。

(3)　得意先Ｈ社は×27年６月に民事再生法の規定により再生手続きの開始の申し立てを行った。Ｈ社に対する債権は売掛金4,515,000円及び受取手形3,465,000円であり、その全額を貸倒見積高とする。なお、当該債権は回収に長期を要すると考えられるため、「破産更生債権等」として振替処理を行う。また、税務上の貸倒引当金繰入限度額は債権残高の50％であるため、貸倒引当金繰入限度超過額に対して税効果会計を適用する。

(4)　上記以外の売掛金及び受取手形はすべて「一般債権」であり、その債権残高に対して貸倒実績率２％を乗じて貸倒見積高を算定する。

8　当社は夏季賞与（支給対象期間は12月～５月）を６月に支給し、冬季賞与（支給対象期間は６月～11月）を12月に支給している。×28年６月に支給予定である夏季賞与の見込額は31,875,000円であり、このうち当期負担分を賞与引当金として計上する。なお、当期中に支給した賞与については、その全額を人件費に計上している。また、税務上、賞与は支給時に損金算入されるため賞与引当金繰入額に対して税効果会計を適用する。前期末に計上した繰延税金資産6,000,000円は賞与引当金に係るものである。

9　租税公課には収入印紙代200,000円が含まれているが、このうち32,000円については期末現在未使用である。また、貯蔵品は前期末において未使用であった収入印紙について計上したものである。

10　仮払金には法人税等の中間納付額12,100,000円が含まれている。決算整理前残高試算表の受取利息は源泉所得税等60,000円（全額法人税等の前払いという性質を有している。）控除後の金額であるため総額に修正する。なお、当期の収益総額は（各自推定）円、費用総額は528,600,000円であり、法人税等に法人税等調整額を加減した額が税引前当期純利益の30%となるように「法人税等」を計上するとともに「法人税等」から中間納付額及び源泉所得税等の金額を差し引いた額を「未払法人税等」として計上する。

⇨解答：216ページ

| 問 題 18 | 商的工業簿記(2) | 制限時間　60分 |
|---|---|---|
| | | 難 易 度　　B |

当社は、単一製品を単一工程で製造し、当該製品を販売するとともに、当該製品と異なる商品の仕入・販売も行っている。

当社の×10年度（×10年４月１日から×11年３月31日まで）における【資料１】決算整理前残高試算表、【資料２】決算整理前残高試算表の科目内訳書、並びに【資料３】修正事項及び決算整理事項等に基づき、答案用紙に示した貸借対照表、損益計算書及び製造原価報告書の(1)から(46)の金額を求めなさい。

（解答上の留意事項）

1　（各自推定）とある項目に入るべき金額は、各自それぞれ推定すること。

2　解答金額については、問題文の決算整理前残高試算表の金額欄の数値と同様に３桁ごとにカンマで区切り、解答金額がマイナスとなる場合には、金額の前に「△」を付すこと。この方法によっていない場合には正解としないので注意すること。

3　金額計算において、千円未満の端数が生じた場合は千円未満の端数を切り捨てること。

4　解答の勘定科目は、答案用紙にある科目を使用し、それ以外の勘定科目は使用しないものとする。

（問題の前提条件）

1　問題文に特に指示のない限り、会計基準に示す原則的な会計処理に従う。

2　当社は原価計算制度を採用しておらず、期末において当期製品製造原価を一括算出する方法を採っている。

3　税効果会計は、適用する旨の記載がある項目についてのみ適用し、繰延税金資産の回収可能性及び繰延税金負債の支払可能性に問題はなく、法定実効税率は30%とする。

　なお、繰延税金資産と繰延税金負債は相殺せずに解答すること。

4　法人税等及び法人税等調整額の合計額は、税引前当期純利益に法定実効税率（30%）を乗じて算出した金額とし、法人税等の金額は逆算で計算する。なお、未払法人税等は予定納税額を控除して計上する。

5　×11年３月31日の直物為替相場は１ドル＝120円である。

6　日数の計算は、すべて月割計算によって行うものとする。

【資料１】決算整理前残高試算表

（単位：千円）

| 借方 | | 貸方 | |
|---|---|---|---|
| 勘定科目 | 金額 | 勘定科目 | 金額 |
| 現金 | （各自推定） | 支払手形 | 16,842 |
| 当座預金 | 36,483 | 買掛金 | 37,836 |
| 受取手形 | 37,300 | 短期借入金 | 11,600 |
| 売掛金 | 54,400 | 仮受金 | 100 |
| 商品 | 21,700 | 前受金 | 650 |
| 製品 | 10,885 | 預り営業保証金 | 2,400 |
| 材料 | 3,848 | 貸倒引当金 | 1,700 |
| 仕掛品 | 7,710 | 退職給付引当金 | （各自推定） |
| 仮払金 | 4,000 | 資本金 | 100,000 |
| 建物 | （各自推定） | 資本準備金 | 20,000 |
| 機械装置 | 8,400 | 繰越利益剰余金 | 146,859 |
| 車両運搬具 | （各自推定） | 商品売上高 | 399,847 |
| 器具備品 | 4,500 | 製品売上高 | 157,872 |
| 土地 | 82,400 | 受取配当金 | 38 |
| 投資有価証券 | 10,950 | | |
| 繰延税金資産 | （各自推定） | | |
| 仕入 | 316,000 | | |
| 材料仕入 | 38,056 | | |
| 人件費 | 77,530 | | |
| 支払手数料 | 5,300 | | |
| その他営業費用 | 57,429 | | |
| 製造経費 | 8,922 | | |
| 為替差損 | 469 | | |
| 合計 | （各自推定） | 合計 | （各自推定） |

【資料２】決算整理前残高試算表の科目内訳書

（単位：千円）

| 科　　目 | 内　　　　容 | 金　額 |
|---|---|---|
| 売掛金 | Ｂ社に対するもの | 1,500 |
| | Ｄ社に対するもの（前期末残高で「貸倒懸念債権」に区分） | 2,800 |
| | Ｅ社に対するもの | 1,500 |
| | 上記以外に対するもの | 48,600 |
| 材料 | 前期末残高 | 3,848 |
| 仕掛品 | 前期末残高（材料費は3,930、加工費は3,780） | 7,710 |
| 仮払金 | 法人税等予定納税額 | 4,000 |
| 繰延税金資産 | 前期末の貸倒引当金に対する税効果会計適用額 | 375 |
| | 前期末の賞与引当金に対する税効果会計適用額 | 2,184 |
| | 前期末の退職給付引当金に対する税効果会計適用額 | （各自推定） |
| 買掛金 | Ｎ社に対するもの（外貨建のもの87,800ドル） | 10,360 |
| | 上記以外に対するもの | 27,476 |
| 仮受金 | 車両運搬具の売却代金 | 100 |
| 預り営業保証金 | Ｂ社に対するもの | 300 |
| | Ｃ社に対するもの | 300 |
| | Ｄ社に対するもの | 300 |
| | 上記以外に対するもの | 1,500 |
| 貸倒引当金 | 貸倒懸念債権（Ｄ社）に対するもの | 1,250 |
| | 一般債権に対するもの | 450 |
| 退職給付引当金 | 前期末残高 | （各自推定） |
| 人件費 | 賃金給料 | 63,450 |
| | 賞与 | 8,070 |
| | 退職一時金 | 6,010 |

【資料３】修正事項及び決算整理事項等

1　現金に関する事項

(1) ×11年３月１日から決算整理前までの現金出納帳の記録の要約は次のとおりである。

（単位：千円）

| 摘　　要 | 収　入 | 支　出 | 残　高 |
|---|---|---|---|
| 前月繰越 | | | 1,176 |
| 現金売上 | 1,404 | | 2,580 |
| 売掛金小切手回収 | 2,160 | | 4,740 |
| その他営業費用の支払い | | 630 | 4,110 |
| 製造経費の支払い | | 129 | 3,981 |
| 当座預金口座への預入 | | 2,617 | 1,364 |

（注）その他営業費用の支払いには、×11年３月25日に記帳した42千円が含まれているが、受け取った領収書を確認したところ、金額は24千円であった。

(2) ×11年３月31日に金庫を実地調査したところ、次のものが保管されていた。なお、現金の帳簿残高と現金の実際有高との差額のうち原因が不明なものについては雑損失に計上する。

通貨：418千円

Ａ社振出小切手：945千円

×11年３月に受け取ったＶ社株式に関する配当金領収書：30千円

2　当座預金に関する事項

決算日に銀行から取り寄せた当座預金残高証明書の金額と当座預金の帳簿残高が一致していなかったため、原因を調査したところ、次のことが判明した。

(1) ×11年３月25日に取引銀行に取立を依頼した次の手形について、額面金額にて入金記帳を行っていた。

Ａ社振出約束手形：2,700千円（手形期日：×11年４月２日）

Ｂ社振出約束手形：500千円（手形期日：×11年３月31日）

なお、Ｂ社振出約束手形については、×11年３月31日に銀行から不渡りとなった旨の連絡を受けたため、不渡手形に振替えるとともに、Ｂ社に対する債権は「貸倒懸念債権」に区分することとした。

(2) その他営業費用85千円の支払いとして振り出した小切手について記帳済みであったが、未取付となっていた。

(3) ２月末で取引が終了したＣ社に対する売掛金1,620千円の回収日が×11年３月31日であったため、全額を入金記帳としたが、Ｃ社からは営業保証金を控除した残額で入金がされていた。

(4) その他営業費用95千円が×11年３月31日に引き落とされていたが、未記帳であった。

3　売掛金に関する事項

(1) Ｄ社は×11年１月に破産法の規定により破産手続の開始の申立を行ったが、当社では会計処理を失念していた。Ｄ社に対する債権は「破産更生債権等」に区分する。

(2) Ｅ社に残高確認書を送付したところ、Ｅ社からの回答額は1,400千円であった。回答額とＥ社に対する売掛金の決算整理前残高との差額の原因は、1,500千円で商品を販売した際にＥ社から受け取った前受金を考慮せずに販売額をもって売掛金に計上したためである。

4　棚卸資産に関する事項

(1) 商品の評価方法は年間総平均法である。当期における商品の増減に関する状況は次のとおりである。

期首棚卸数量：2,000個

当期仕入数量：32,000個

当期販売数量：31,800個

期末帳簿棚卸数量：2,200個

期末実地棚卸数量：2,160個

なお、その他営業費用のうち2,300千円は、商品の引取りに関する運送費である。

(2) 材料の評価方法は先入先出法であり、材料は工程の始点ですべて投入している。当期末材料の状況は次のとおりである。

期末帳簿棚卸高：3,834千円

期末実地棚卸高：3,724千円

なお、減耗のうち70%は原価性があるものとして処理する。

(3) 仕掛品の評価方法は平均法である。当期における製品の製造に関する状況は次のとおりである。なお、減損発生数量は正常の範囲のものであり、正常減損費は完成品と期末仕掛品の両者に負担させる。

期首棚卸数量：750個（加工進捗度70%）

当期材料投入量：6,780個

当期完成数量：6,700個

減損発生数量：30個（加工進捗度40%の時点で発生）

期末実地棚卸数量：800個（加工進捗度60%）

(4) 製品の評価方法は先入先出法である。当期における製品の増減に関する状況は次のとおりである。

期首棚卸数量：875個

当期完成数量：6,700個

当期販売数量：6,675個

期末帳簿棚卸数量：900個

期末実地棚卸数量：900個

5　有形固定資産に関する事項

(1) 有形固定資産の各勘定科目の内訳は次のとおりである。

（単位：千円）

| 勘定科目 | 用途 | 取得原価 | 期首帳簿価額 | 耐用年数 | 償却方法 | 供用開始年月日 |
|---|---|---|---|---|---|---|
| 建物 | 本社 | 100,000 | （各自推定） | 40年 | 定額法 | ×１年４月１日 |
| | 工場 | 120,000 | （各自推定） | 30年 | 定額法 | ×２年４月１日 |
| 機械装置 | 製造 | 12,000 | 8,400 | 10年 | 定額法 | ×７年４月１日 |
| 車両運搬具 | 営業 | 1,600 | （各自推定） | ６年 | 定額法 | ×４年６月１日 |
| 器具備品 | 営業 | （各自推定） | 2,400 | ８年 | 定率法 | ×８年４月１日 |
| | 製造 | （各自推定） | 2,100 | ８年 | 定率法 | ×８年10月１日 |

(2) 有形固定資産の残存価額は、×５年３月31日以前に供用を開始したものは取得原価の10%、×５年４月１日以降に供用を開始したものはゼロとする。なお、耐用年数８年の定率法償却率は0.250である。

(3) 車両運搬具は×10年４月20日にすべて売却したが、売却代金を仮受金に計上したのみである。

6　リース取引に関する事項

本社で使用する車両運搬具をファイナンス・リースにより調達し、×10年４月１日より供用を開始している。×11年３月31日に支払ったリース料はその他営業費用に計上している。なお、リース契約の内容等は次のとおりである。

(1) 所有権移転条項が付されている。

(2) リース料総額は2,000千円である。

(3) リース料は年額400千円であり、毎年３月31日に１年分を支払う。

(4) 見積現金購入価額は1,780千円である。

(5) リース料総額の現在価値は1,730千円である。

(6) 計算利子率は５％である。

(7) 解約不能のリース期間は５年である。

(8) リース物件の経済的耐用年数は６年、残存価額はゼロである。

(9) リース物件の償却方法は定額法である。

7　有価証券に関する事項

(1) 決算整理前残高試算表の投資有価証券の内訳は次のとおりである。

（単位：千円）

| 銘　柄 | 保有目的 | 取得原価 | 前期末時価 | 当期末時価 |
|---|---|---|---|---|
| V社株式 | その他有価証券 | 9,500 | 9,560 | 9,150 |
| W社株式 | その他有価証券 | 3,200 | 1,450 | 1,500 |

(2) その他有価証券の評価差額は税効果会計を適用して全部純資産直入法で処理する。

(3) W社株式は前期末に減損処理を行っている。

8　短期借入金に関する事項

短期借入金は、すべて×10年12月１日に次の条件で借り入れたものであり、借入日の直物為替相場で換算し、計上したのみである。

借入金額：100,000ドル

返済日：×11年７月31日

利率：年３％（元利一括払い）

当該短期借入金の元利の支払いに関して×11年３月１日（直物為替相場：１ドル＝118円）に為替予約（先物為替相場：１ドル＝119円）を行った。なお、予約日の直物為替相場と先物為替相場との差額は月割で期間按分する方法により処理する。

9　貸倒引当金に関する事項

当社は、貸倒引当金については売上債権を「一般債権」、「貸倒懸念債権」及び「破産更生債権等」に区分し、その区分ごとに貸倒見積高の算定を行い、それらの合計額を貸倒引当金として設定し、繰入処理は差額補充法により行う。

(1) 一般債権については受取手形及び売掛金の合計金額に２％を乗じて算定した金額を貸倒見積高とする。

(2) 貸倒懸念債権については債権金額から営業保証金を控除した残額の50％相当額を貸倒見積高とする。

(3) 破産更生債権等については債権金額から営業保証金を控除した残額の100％相当額を貸倒見積高とする。

(4) 税法上の貸倒引当金設定限度額は次のとおりである（前期も同様）。なお、限度超過額については税効果会計を適用する。

① 破産更生債権等に関する貸倒引当金設定限度額は、債権金額から営業保証金を控除した額の50％である。

② 貸倒懸念債権に関する貸倒引当金設定限度額は、債権金額の２％である。

10 賃金給料及び賞与に関する事項

(1) ×11年７月に×10年12月から×11年５月を支給対象期間とする賞与16,335千円を支給する見込みであるため、当期に帰属する金額を人件費及び賞与引当金に計上する。

(2) 人件費のうち賃金給料、賞与及び賞与引当金繰入額に関する配賦割合は営業部門が60%、製造部門が40%である。

(3) 上記(1)に係る賞与引当金については税効果会計を適用する。

11 退職給付引当金に関する事項

(1) 当社は退職金制度として退職一時金制度のみを採用している。当社は従業員が300人未満であるため、退職給付に関する会計基準における簡便法を適用している。

(2) 当期の退職給付の状況は次のとおりである。退職給付費用のうち営業部門に関するものは人件費に計上する。なお、当期に支給した退職一時金は人件費に計上している。

（単位：千円）

| | 営業部門 | 製造部門 |
|---|---|---|
| 前期末自己都合要支給額 | 56,490 | 37,240 |
| 退職時支給額 | 3,910 | 2,100 |
| 当期末自己都合要支給額 | 57,890 | 38,640 |

(3) 退職給付引当金については税効果会計を適用する。

⇨解答：225ページ

TAX ACCOUNTANT

# 解答編

# 問題 1　一般総合(1)　解答

※　□で囲まれた数字は配点を示す。

損　益　(単位：千円)

| 借方 | 配点 | 金額 | 貸方 | 配点 | 金額 |
|---|---|---|---|---|---|
| 仕入 | 2 | 800,150 | 売上 | 2 | 1,065,000 |
| 営業費 | 2 | 204,660 | 受取配当金 | 2 | 200 |
| 減価償却費 | 2 | 10,480 | | | |
| 貸倒引当金繰入額 | 2 | 4,140 | | | |
| 棚卸減耗損 | 2 | 350 | | | |
| 支払利息 | 2 | 300 | | | |
| 手形売却損 | 2 | 120 | | | |
| 法人税等 | 2 | 13,500 | | | |
| 繰越利益剰余金 | 2 | 31,500 | | | |
| | | 1,065,200 | | | 1,065,200 |

残　高　(単位：千円)

| 借方 | 配点 | 金額 | 貸方 | 配点 | 金額 |
|---|---|---|---|---|---|
| 現金預金 | 2 | 23,160 | 支払手形 | 2 | 40,000 |
| 受取手形 | 1 | 138,000 | 買掛金 | 2 | 19,000 |
| 売掛金 | 1 | 94,000 | 未払利息 | 2 | 50 |
| 繰越商品 | 1 | 11,500 | 未払法人税等 | 2 | 9,000 |
| 前払営業費 | 1 | 110 | 貸倒引当金 | 2 | 4,640 |
| 建物 | | 200,000 | 借入金 | | 10,000 |
| 車両 | 1 | 26,000 | 減価償却累計額 | 2 | 113,280 |
| 備品 | | 12,000 | 繰延税金負債 | 2 | 90 |
| 土地 | | 350,000 | 資本金 | | 500,000 |
| 投資有価証券 | 1 | 3,800 | 利益準備金 | 2 | 50,100 |
| | | | 繰越利益剰余金 | 2 | 112,200 |
| | | | その他有価証券評価差額金 | 2 | 210 |
| | | 858,570 | | | 858,570 |

【配　点】　1×６カ所　2×22カ所　　合計50点

**解答への道**

**I　本問のポイント**

簿記一巡型の総合問題である。簿記一巡の手続は簿記原理を理解する上で必要な知識となるため、きちんと習得することが必要である。

**II　具体的解説**（単位：千円）

1　期首

(1) 開始仕訳

| 借方科目 | 金額 | 貸方科目 | 金額 |
|---|---|---|---|
| (現金預金) | 117,150 | (支払手形) | 35,000 |
| (受取手形) | 63,000 | (買掛金) | 104,000 |
| (売掛金) | 112,000 | (未払利息) | 50 |
| (繰越商品) | 14,000 | (未払法人税等) | 4,500 |
| (建物) | 200,000 | (貸倒引当金) | 3,500 |
| (車両) | 20,000 | (借入金) | 10,000 |
| (備品) | 12,000 | (減価償却累計額) | 102,800 |
| (土地) | 350,000 | (繰延税金負債) | 60 |
| (投資有価証券) | 3,700 | (資本金) | 500,000 |
| | | (利益準備金) | 50,000 |
| | | (繰越利益剰余金) | 81,800 |
| | | (その他有価証券評価差額金) | 140 |

(2) 再振替仕訳

| 借方科目 | 金額 | 貸方科目 | 金額 |
|---|---|---|---|
| (未払利息) | 50 | (支払利息) | 50 |

(3) 投資有価証券（その他有価証券）の振戻処理

| 借方科目 | 金額 | 貸方科目 | 金額 |
|---|---|---|---|
| (繰延税金負債) | 60 | (投資有価証券) | 200 |
| (その他有価証券評価差額金) | 140 | | |

2　期中

(1) 売上

| 借方科目 | 金額 | 貸方科目 | 金額 |
|---|---|---|---|
| (現金預金) | 20,000 | (売上) | 1,065,000 |
| (売掛金) | 825,000 | | |
| (受取手形) | 220,000 | | |

(2) 仕入

| 借方科目 | 金額 | 貸方科目 | 金額 |
|---|---|---|---|
| (仕　　　　　入) | 798,000 | (現　金　預　金) ※ | 33,000 |
| | | (買　　掛　　金) | 585,000 |
| | | (支　払　手　形) | 150,000 |
| | | (受　取　手　形) | 30,000 |

※　現金8,000＋小切手振出25,000＝33,000

(3) 売掛金の回収等

①　回収

| 借方科目 | 金額 | 貸方科目 | 金額 |
|---|---|---|---|
| (現　金　預　金) ※ | 520,000 | (売　　掛　　金) | 820,000 |
| (受　取　手　形) | 300,000 | | |

※　現金35,000＋預金振込485,000＝520,000

②　貸倒れ

| 借方科目 | 金額 | 貸方科目 | 金額 |
|---|---|---|---|
| (貸 倒 引 当 金) | 3,000 | (売　　掛　　金) | 3,000 |

(4) 買掛金の決済等

| 借方科目 | 金額 | 貸方科目 | 金額 |
|---|---|---|---|
| (買　　掛　　金) | 670,000 | (現　金　預　金) | 450,000 |
| | | (支　払　手　形) | 200,000 |
| | | (売　　掛　　金) | 20,000 |

(5) 受取手形の決済等

①　期日取立

| 借方科目 | 金額 | 貸方科目 | 金額 |
|---|---|---|---|
| (現　金　預　金) | 385,000 | (受　取　手　形) | 385,000 |

②　割引

| 借方科目 | 金額 | 貸方科目 | 金額 |
|---|---|---|---|
| (現　金　預　金) | 29,880 | (受　取　手　形) | 30,000 |
| (手 形 売 却 損) | 120 | | |

(6) 支払手形の決済

| 借方科目 | 金額 | 貸方科目 | 金額 |
|---|---|---|---|
| (支　払　手　形) | 345,000 | (現　金　預　金) | 345,000 |

(7) その他の事項

①　営業費の現金支払

| 借方科目 | 金額 | 貸方科目 | 金額 |
|---|---|---|---|
| (営　　業　　費) | 204,770 | (現　金　預　金) | 204,770 |

②　借入金利息の支払

| 借方科目 | 金額 | 貸方科目 | 金額 |
|---|---|---|---|
| (支　払　利　息) | 300 | (現　金　預　金) | 300 |

③　法人税等（二勘定制により示す。）

| | | | |
|---|---|---|---|
| （未払法人税等）※1 | 4,500 | （現金預金） | 9,000 |
| （仮払法人税等）※2 | 4,500 | | |

※1　前期末の残高勘定より

※2　差額

④　配当金の支払

| | | | |
|---|---|---|---|
| （繰越利益剰余金） | 1,000 | （現金預金） | 1,000 |
| （繰越利益剰余金） | 100 | （利益準備金）※ | 100 |

※(a)　$500,000 \times \frac{1}{4} - 50,000 = 75,000$

(b)　$1,000 \times \frac{1}{10} = 100$

(c)　(a)＞(b)　∴　100

⑤　配当金の受取

| | | | |
|---|---|---|---|
| （現金預金） | 200 | （受取配当金） | 200 |

⑥　車両の現金購入

| | | | |
|---|---|---|---|
| （車両） | 6,000 | （現金預金） | 6,000 |

3　期末

(1)　決算整理前残高試算表

決算整理前残高試算表

| | | | |
|---|---|---|---|
| 現金預金 | 23,160 | 支払手形 | 40,000 |
| 受取手形 | 138,000 | 買掛金 | 19,000 |
| 売掛金 | 94,000 | 貸倒引当金 | 500 |
| 繰越商品 | 14,000 | 借入金 | 10,000 |
| 仮払法人税等 | 4,500 | 減価償却累計額 | 102,800 |
| 建物 | 200,000 | 資本金 | 500,000 |
| 車両 | 26,000 | 利益準備金 | 50,100 |
| 備品 | 12,000 | 繰越利益剰余金 | 80,700 |
| 土地 | 350,000 | 売上 | 1,065,000 |
| 投資有価証券 | 3,500 | 受取配当金 | 200 |
| 仕入 | 798,000 | | |
| 営業費 | 204,770 | | |
| 支払利息 | 250 | | |
| 手形売却損 | 120 | | |
| | 1,868,300 | | 1,868,300 |

(2) 決算整理

① 商品（売上原価の算定等）

| | | | |
|---|---|---|---|
| （仕　　　　入） | 14,000 | （繰　越　商　品） | 14,000 |
| （繰　越　商　品） | 12,000 | （仕　　　　入） | 12,000 |
| （仕　　　　入）※2 | 150 | （繰　越　商　品）※1 | 500 |
| （棚 卸 減 耗 損）※3 | 350 | | |

※1　帳簿12,000－実地11,500＝500

※2　500×30％＝150

※3　差額

② 固定資産

(a) 建物

| | | | |
|---|---|---|---|
| （減 価 償 却 費）※ | 4,500 | （減価償却累計額） | 4,500 |

※　200,000×0.9×0.025＝4,500

(b) 車両

| | | | |
|---|---|---|---|
| （減 価 償 却 費）※ | 4,480 | （減価償却累計額） | 4,480 |

※　イ　前期末保有分

期首減価償却累計額：20,000－20,000×（1－0.400）$^{2年}$＝12,800

当期減価償却費：(20,000－12,800)×0.400＝2,880

ロ　当期取得分：6,000×0.400×$\frac{8月}{12月}$＝1,600

ハ　イ＋ロ＝4,480

(c) 備品

| | | | |
|---|---|---|---|
| （減 価 償 却 費）※ | 1,500 | （減価償却累計額） | 1,500 |

※　12,000×0.125＝1,500

③ 貸倒引当金

| | | | |
|---|---|---|---|
| （貸倒引当金繰入額）※ | 4,140 | （貸　倒　引　当　金） | 4,140 |

※　(受手138,000＋売掛94,000)×２％－前T/B貸引500＝4,140

④ 投資有価証券

| | | | |
|---|---|---|---|
| （投 資 有 価 証 券）※1 | 300 | （繰 延 税 金 負 債）※2 | 90 |
| | | （その他有価証券評価差額金）※3 | 210 |

※1　期末時価3,800－取得価額(前T/B投資有価証券)3,500＝300

※2　300×30％＝90

※3　差額

⑤ その他の事項

(a) 支払利息の見越計上

| | | | |
|---|---|---|---|
| (支払利息) | 50 | (未払利息) | 50 |

(b) 営業費の繰延

| | | | |
|---|---|---|---|
| (前払営業費) | 110 | (営業費) | 110 |

(c) 法人税等

| | | | |
|---|---|---|---|
| (法人税等) | 13,500 | (仮払法人税等) | 4,500 |
| | | (未払法人税等) ※ | 9,000 |

※ 差額

(3) 決算整理後残高試算表

決算整理後残高試算表

| | | | |
|---|---|---|---|
| 現金預金 | 23,160 | 支払手形 | 40,000 |
| 受取手形 | 138,000 | 買掛金 | 19,000 |
| 売掛金 | 94,000 | 未払利息 | 50 |
| 繰越商品 | 11,500 | 未払法人税等 | 9,000 |
| 前払営業費 | 110 | 貸倒引当金 | 4,640 |
| 建物 | 200,000 | 借入金 | 10,000 |
| 車両 | 26,000 | 減価償却累計額 | 113,280 |
| 備品 | 12,000 | 繰延税金負債 | 90 |
| 土地 | 350,000 | 資本金 | 500,000 |
| 投資有価証券 | 3,800 | 利益準備金 | 50,100 |
| 仕入 | 800,150 | 繰越利益剰余金 | 80,700 |
| 営業費 | 204,660 | その他有価証券評価差額金 | 210 |
| 減価償却費 | 10,480 | 売上 | 1,065,000 |
| 貸倒引当金繰入額 | 4,140 | 受取配当金 | 200 |
| 棚卸減耗損 | 350 | | |
| 支払利息 | 300 | | |
| 手形売却損 | 120 | | |
| 法人税等 | 13,500 | | |
| | 1,892,270 | | 1,892,270 |

(4) 決算振替

① 収益及び費用等の損益勘定への振替

| | | | |
|---|---|---|---|
| (売　　　上) | 1,065,000 | (損　　　益) | 1,065,200 |
| (受取配当金) | 200 | | |
| (損　　　益) | 1,033,700 | (仕　　　入) | 800,150 |
| | | (営　業　費) | 204,660 |
| | | (減価償却費) | 10,480 |
| | | (貸倒引当金繰入額) | 4,140 |
| | | (棚卸減耗損) | 350 |
| | | (支払利息) | 300 |
| | | (手形売却損) | 120 |
| | | (法人税等) | 13,500 |

② 当期純利益の振替

| | | | |
|---|---|---|---|
| (損　　　益) | 31,500 | (繰越利益剰余金) ※ | 31,500 |

※ 収益1,065,200－費用等1,033,700＝31,500

③　資産・負債及び純資産の期末残高の残高勘定への振替

| | | | |
|---|---|---|---|
| （残　　　　　高） | 858,570 | （現　金　預　金） | 23,160 |
| | | （受　取　手　形） | 138,000 |
| | | （売　　掛　　金） | 94,000 |
| | | （繰　越　商　品） | 11,500 |
| | | （前 払 営 業 費） | 110 |
| | | （建　　　　　物） | 200,000 |
| | | （車　　　　　両） | 26,000 |
| | | （備　　　　　品） | 12,000 |
| | | （土　　　　　地） | 350,000 |
| | | （投資有価証券） | 3,800 |
| （支　払　手　形） | 40,000 | （残　　　　　高） | 858,570 |
| （買　　掛　　金） | 19,000 | | |
| （未　払　利　息） | 50 | | |
| （未払法人税等） | 9,000 | | |
| （貸 倒 引 当 金） | 4,640 | | |
| （借　　入　　金） | 10,000 | | |
| （減価償却累計額） | 113,280 | | |
| （繰延税金負債） | 90 | | |
| （資　　本　　金） | 500,000 | | |
| （利 益 準 備 金） | 50,100 | | |
| （繰越利益剰余金）※ | 112,200 | | |
| （その他有価証券評価差額金） | 210 | | |

※　後T/B 80,700＋純利益31,500＝112,200

## 問題 2　一般総合(2)　解答

※　□で囲まれた数字は配点を示す。

繰越試算表　(単位：千円)

| 借方科目 | 金額 | 貸方科目 | 金額 |
|---|---|---|---|
| 現金 | [2] 980 | 支払手形 | 12,600 |
| 当座預金 | [2] 23,035 | 買掛金 | [3] 19,100 |
| 受取手形 | 28,000 | 未払金 | [3] 5,000 |
| 売掛金 | [2] 53,600 | 未払費用 | [3] 500 |
| 繰越商品 | [2] 75,430 | 貸倒引当金 | [3] 1,632 |
| 前払費用 | [2] 120 | 借入金 | 40,000 |
| 建物 | [2] 377,600 | 建物減価償却累計額 | [2] 101,940 |
| 備品 | 80,600 | 備品減価償却累計額 | [2] 47,292 |
| | | 資本金 | 300,000 |
| | | 繰越利益剰余金 | [2] 111,301 |
| | 639,365 | | 639,365 |

損益　(単位：千円)

| 借方科目 | 金額 | 貸方科目 | 金額 |
|---|---|---|---|
| 仕入 | [2] 684,000 | 売上 | 900,000 |
| 営業費 | [2] 89,755 | | |
| 見本品費 | [2] 380 | | |
| 減価償却費 | [2] 15,992 | | |
| 貸倒引当金繰入 | [2] 1,032 | | |
| 棚卸減耗費 | [2] 190 | | |
| 支払利息 | [2] 2,000 | | |
| 雑損失 | [2] 20 | | |
| 固定資産取壊損 | [2] 14,100 | | |
| 繰越利益剰余金 | [2] 92,531 | | |
| | 900,000 | | 900,000 |

【配　点】　[2]×19カ所　[3]×４カ所　　合計50点

## 解答への道

### Ⅰ　本問のポイント

決算整理型の総合問題である。現金過不足、銀行勘定調整、商品の期末評価、固定資産、貸倒引当金、見越・繰延を出題したが、どれも決算整理型の問題ではよく出題される論点であるため、しっかりと確認していただきたい。

### Ⅱ　具体的解説（単位：千円）

1　現金

(1) 営業費の未記帳

| 借方 | 金額 | 貸方 | 金額 |
|---|---|---|---|
| （営　業　費） | 250 | （現　金） | 250 |

(2) 現金過不足

| 借方 | 金額 | 貸方 | 金額 |
|---|---|---|---|
| （雑　損　失） | 20 | （現　金）※ | 20 |

※　帳簿残高（前T/B 1,250－250）－実際有高980＝20

2　当座預金

(1) 時間外預入 ⇨ 仕訳不要（銀行側加算）

(2) 売掛金の回収の誤記帳

①　適正な仕訳

| 借方 | 金額 | 貸方 | 金額 |
|---|---|---|---|
| （当　座　預　金） | 230 | （売　掛　金） | 230 |

②　当社が行った仕訳

| 借方 | 金額 | 貸方 | 金額 |
|---|---|---|---|
| （当　座　預　金） | 320 | （売　掛　金） | 320 |

③　修正仕訳（①－②）

| 借方 | 金額 | 貸方 | 金額 |
|---|---|---|---|
| （売　掛　金） | 90 | （当　座　預　金） | 90 |

(3) 未渡小切手

| 借方 | 金額 | 貸方 | 金額 |
|---|---|---|---|
| （当　座　預　金） | 300 | （買　掛　金） | 300 |

(4) 未取付小切手 ⇨ 仕訳不要（銀行側減算）

(5) 引落未記帳

| 借方 | 金額 | 貸方 | 金額 |
|---|---|---|---|
| （営　業　費） | 125 | （当　座　預　金） | 125 |

3　商品

(1) 見本品

| 借方 | 金額 | 貸方 | 金額 |
|---|---|---|---|
| （見　本　品　費） | 380 | （仕　入） | 380 |

(2) 売上原価の算定

| 借方 | 金額 | 貸方 | 金額 |
|---|---|---|---|
| （仕　入） | 38,000 | （繰　越　商　品） | 38,000 |
| （繰　越　商　品）※ | 75,620 | （仕　入） | 75,620 |

※　76,000－見本品380＝75,620

(3) 棚卸減耗

| | | | |
|---|---|---|---|
| (棚 卸 減 耗 費) ※ | 190 | (繰 越 商 品) | 190 |

※ 75,620(上記3(2))－実地棚卸高75,430＝190

4 固定資産

(1) 建物

① 旧倉庫の取壊し及び新倉庫の建設

| | | | |
|---|---|---|---|
| (建物減価償却累計額) | 27,000 | (建 物) | 40,000 |
| (減 価 償 却 費) ※1 | 300 | (建 設 仮 勘 定) | 54,000 |
| (固定資産取壊損) ※2 | 14,100 | (未 払 金) ※3 | 5,000 |
| (建 物) | 57,600 | | |

※1 40,000×0.9×0.025× $\frac{4月}{12月}$ ＝300

※2 簿価(40,000－27,000－300)＋取壊費用1,400＝14,100

※3 取壊費用1,400＋建設費用57,600－建設仮勘定54,000＝5,000

② 減価償却

| | | | |
|---|---|---|---|
| (減 価 償 却 費) ※ | 7,440 | (建物減価償却累計額) | 7,440 |

※(a) (360,000－40,000)×0.9×0.025＝7,200

(b) 57,600×0.025× $\frac{2月}{12月}$ ＝240

(c) (a)＋(b)＝7,440

(2) 備品

| | | | |
|---|---|---|---|
| (減 価 償 却 費) ※ | 8,252 | (備品減価償却累計額) | 8,252 |

※① {(80,600－600)－39,040}×0.200＝8,192

② 600×0.200× $\frac{6月}{12月}$ ＝60

③ ①＋②＝8,252

5 貸倒引当金

| | | | |
|---|---|---|---|
| (貸 倒 引 当 金 繰 入) ※ | 1,032 | (貸 倒 引 当 金) | 1,032 |

※ {受手28,000＋売掛(53,510＋90)}×2％－前T/B貸引600＝1,032

6 支払利息の見越計上

| | | | |
|---|---|---|---|
| (支 払 利 息) ※ | 500 | (未 払 費 用) | 500 |

※ 40,000×5％× $\frac{3月}{12月}$ ＝500

7 営業費の繰延処理

| | | | |
|---|---|---|---|
| (前 払 費 用) | 120 | (営 業 費) | 120 |

問題2 解答

8　当期純利益の振替

| (損　　　　　益) | 92,531 | (繰越利益剰余金)※ | 92,531 |
| --- | --- | --- | --- |

※　損益勘定（差額）より

# 問題 3　一般総合(3)　解　答

※　□で囲まれた数字は配点を示す。

決算整理後残高試算表　（単位：千円）

| 借方科目 | 金額 | 貸方科目 | 金額 |
|---|---|---|---|
| 現金預金 | [2] 21,536 | 支払手形 | [2] 9,900 |
| 受取手形 | [2] 27,500 | 買掛金 | [2] 12,650 |
| 売掛金 | [2] 43,550 | 未払営業費 | [2] 330 |
| 繰越商品 | [2] 3,460 | 未払消費税等 | [2] 8,400 |
| 建物 | 10,000 | 未払法人税等 | [2] 2,580 |
| 車両 | 3,000 | 賞与引当金 | [2] 6,200 |
| 備品 | 1,200 | 貸倒引当金 | [2] 1,421 |
| 土地 | [2] 30,000 | 借入金 | 20,000 |
| 投資有価証券 | [2] 1,706 | 減価償却累計額 | [2] 7,250 |
| 繰延税金資産 | [2] 4,686 | 退職給付引当金 | [2] 9,400 |
| 仕入 | [2] 253,104 | 繰延税金負債 | [2] 15 |
| 減価償却費 | [1] 1,000 | 資本金 | 50,000 |
| 賞与引当金繰入 | [1] 6,200 | 利益準備金 | 1,000 |
| 退職給付費用 | [1] 4,600 | 繰越利益剰余金 | 7,671 |
| その他人件費 | [1] 102,000 | その他有価証券評価差額金 | [1] 21 |
| 貸倒引当金繰入 | [1] 1,181 | 売上 | [1] 444,000 |
| その他営業費 | [1] 61,409 | 有価証券利息 | [1] 20 |
| 棚卸減耗費 | [1] 36 | 法人税等調整額 | [1] 180 |
| 支払利息 | [1] 400 | | |
| 手形売却損 | [1] 90 | | |
| 法人税等 | [1] 4,380 | | |
| 合計 | 581,038 | 合計 | 581,038 |

【配　点】　[1]×14カ所　[2]×18カ所　　合計50点

## 解答への道

### I　本問のポイント

２月末日の残高試算表をスタートに３月取引の処理と決算整理を行う総合問題である。処理や集計の量は多いが、難易度は高くないため、スピーディーに処理していくことが必要である。

### II　具体的解説（単位：千円）

1　３月中の取引

(1) 売上

| 借方 | 金額 | 貸方 | 金額 |
|---|---|---|---|
| （現金預金） | 1,100 | （売上）※1 | 54,000 |
| （売掛金） | 41,800 | （仮受消費税等）※2 | 5,400 |
| （受取手形） | 16,500 | | |

※1　$(1,100+41,800+16,500)\times\frac{1}{1.1}=54,000$

※2　$(1,100+41,800+16,500)\times\frac{0.1}{1.1}=5,400$

(2) 仕入

| 借方 | 金額 | 貸方 | 金額 |
|---|---|---|---|
| （仕入）※1 | 32,600 | （現金預金） | 660 |
| （仮払消費税等）※2 | 3,260 | （買掛金） | 26,400 |
| | | （支払手形） | 8,800 |

※1　$(660+26,400+8,800)\times\frac{1}{1.1}=32,600$

※2　$(660+26,400+8,800)\times\frac{0.1}{1.1}=3,260$

(3) 売掛金の回収

| 借方 | 金額 | 貸方 | 金額 |
|---|---|---|---|
| （現金預金） | 28,600 | （売掛金） | 39,600 |
| （受取手形） | 11,000 | | |

(4) 期首売掛金の貸倒れ

| 借方 | 金額 | 貸方 | 金額 |
|---|---|---|---|
| （仮受消費税等）※1 | 20 | （売掛金） | 220 |
| （貸倒引当金）※2 | 200 | | |

※1　$220\times\frac{0.1}{1.1}=20$

※2　差額

(5) 買掛金の決済

| 借方 | 金額 | 貸方 | 金額 |
|---|---|---|---|
| （買掛金） | 25,850 | （現金預金） | 18,150 |
| | | （支払手形） | 5,500 |
| | | （売掛金） | 2,200 |

(6) 受取手形の期日取立

| | | | |
|---|---|---|---|
| (現金預金) | 19,800 | (受取手形) | 19,800 |

(7) 手形の割引

| | | | |
|---|---|---|---|
| (現金預金) ※ | 2,170 | (受取手形) | 2,200 |
| (手形売却損) | 30 | | |

※ 差額

(8) 支払手形の期日決済

| | | | |
|---|---|---|---|
| (支払手形) | 11,000 | (現金預金) | 11,000 |

(9) その他人件費の支払

| | | | |
|---|---|---|---|
| (その他人件費) | 5,000 | (現金預金) | 5,000 |

(10) その他営業費の支払

| | | | |
|---|---|---|---|
| (その他営業費) ※1 | 6,200 | (現金預金) | 6,820 |
| (仮払消費税等) ※2 | 620 | | |

※1 $6,820 \times \frac{1}{1.1} = 6,200$

※2 $6,820 \times \frac{0.1}{1.1} = 620$

(11) 借入金利息の支払

| | | | |
|---|---|---|---|
| (支払利息) | 200 | (現金預金) | 200 |

(12) 退職一時金の支払

| | | | |
|---|---|---|---|
| (退職給付引当金) | 1,800 | (現金預金) | 1,800 |

(13) 企業年金掛金の支払

| | | | |
|---|---|---|---|
| (退職給付引当金) | 200 | (現金預金) | 200 |

(14) 保有社債のクーポン利息の受取

| | | | |
|---|---|---|---|
| (現金預金) | 12 | (有価証券利息) ※ | 12 |

※ 800×1.5%＝12

2 決算整理

(1) 売上原価の算定等

| | | | |
|---|---|---|---|
| (仕入) | 3,000 | (繰越商品) | 3,000 |
| (繰越商品) | 3,600 | (仕入) | 3,600 |
| (仕入) ※2 | 24 | (繰越商品) ※1 | 60 |
| (棚卸減耗費) ※3 | 36 | | |
| (仕入) | 80 | (繰越商品) ※4 | 80 |

※1 帳簿3,600－実地3,540＝60

※2 60×40%＝24

※３　差額

※４　原価200－正味売却価額120＝80

(2) 貸倒引当金

| | | | |
|---|---|---|---|
| (貸倒引当金繰入)※ | 1,181 | (貸倒引当金) | 1,181 |

※　受取手形：２月末22,000＋３月(16,500＋11,000－19,800－2,200)＝27,500

売掛金：２月末43,770＋３月(41,800－39,600－220－2,200)＝43,550

(受手27,500＋売掛43,550)×２％－貸引(440－200)＝1,181

(3) 固定資産

①　２月末T/Bの減価償却累計額

(a) 建物：$10,000 \times \frac{19年}{40年} = 4,750$

(b) 車両：$3,000 \times \frac{20月}{60月} = 1,000$

(c) 備品：$1,200 \times \frac{40月}{96月} = 500$

(d) ２月末T/B減価償却累計額：(a)＋(b)＋(c)＝6,250

②　建物の減価償却

| | | | |
|---|---|---|---|
| (減価償却費)※ | 250 | (減価償却累計額) | 250 |

※　$10,000 \times \frac{1年}{40年} = 250$

③　車両の減価償却

| | | | |
|---|---|---|---|
| (減価償却費)※ | 600 | (減価償却累計額) | 600 |

※　$3,000 \times \frac{1年}{5年} = 600$

④　備品の減価償却

| | | | |
|---|---|---|---|
| (減価償却費)※ | 150 | (減価償却累計額) | 150 |

※　$1,200 \times \frac{1年}{8年} = 150$

(4) 賞与引当金

①　当期支給時の修正

| | | | |
|---|---|---|---|
| (賞与引当金) | 6,000 | (その他人件費) | 6,000 |

②　賞与引当金の計上

| | | | |
|---|---|---|---|
| (賞与引当金繰入)※ | 6,200 | (賞与引当金) | 6,200 |

※　$9,300 \times \frac{4月}{6月} = 6,200$

③　税効果会計

| | | | |
|---|---|---|---|
| (繰延税金資産)※ | 60 | (法人税等調整額) | 60 |

※　6,200×30％－6,000×30％＝60

(5) 退職給付引当金

① ２月末T/B残高

期首残高：退職給付債務15,000－年金資産6,000＝9,000

企業年金掛金拠出額：月額200×11月＝2,200

２月末T/B退職給付引当金：9,000－2,200＝6,800

② 退職給付費用の計上

| (退職給付費用) ※ | 4,600 | (退職給付引当金) | 4,600 |
|---|---|---|---|

※　勤務費用：4,360

利息費用：15,000×２％＝300

期待運用収益：6,000×１％＝60

退職給付費用：4,360＋300－60＝4,600

③ 税効果会計

| (繰延税金資産) ※ | 120 | (法人税等調整額) | 120 |
|---|---|---|---|

※　期末退職給付引当金：２月末6,800－３月(一時金1,800＋掛金200)＋退職給付費用4,600＝9,400

9,400×30％－9,000×30％＝120

(6) 有価証券

① Ａ株式

| (投資有価証券) ※1 | 50 | (繰延税金負債) ※2 | 15 |
|---|---|---|---|
| | | (その他有価証券評価差額金) ※3 | 35 |

※1　時価650－取得価額600＝50

※2　50×30％＝15

※3　差額

② Ｂ株式

| (繰延税金資産) ※2 | 6 | (投資有価証券) ※1 | 20 |
|---|---|---|---|
| (その他有価証券評価差額金) ※3 | 14 | | |

※1　時価280－取得価額300＝△20

※2　20×30％＝6

※3　差額

③ Ｃ社債

(a) 期首(２月末T/B)残高：$760+(800-760)\times\frac{12\text{月}}{60\text{月}}=768$

∴　２月末T/B投資有価証券：Ａ株式600＋Ｂ株式300＋Ｃ社債768＝1,668

２月末T/B土地：30,000（貸借差額）

(b) 償却原価法

| | | | |
|---|---|---|---|
| （投資有価証券）※ | 8 | （有価証券利息） | 8 |

※　$(800-760) \times \frac{12月}{60月} = 8$

(7) その他営業費の見越計上

| | | | |
|---|---|---|---|
| （その他営業費） | 330 | （未払営業費） | 330 |

(8) 消費税等

| | | | |
|---|---|---|---|
| （仮受消費税等）※１ | 44,380 | （仮払消費税等）※２ | 31,480 |
| | | （仮払金） | 4,500 |
| | | （未払消費税等）※３ | 8,400 |

※１　２月末T/B 39,000＋３月(5,400－20)＝44,380

※２　２月末T/B 27,600＋３月(3,260＋620)＝31,480

※３　差額

(9) 法人税等

| | | | |
|---|---|---|---|
| （法人税等）※１ | 4,380 | （仮払金） | 1,800 |
| | | （未払法人税等）※２ | 2,580 |

※１　税引前当期純利益：収益444,020－費用430,020＝14,000

年税額：税引前14,000×30％＋法調180＝4,380

※２　差額

| 問題４ | 一般総合(4) | 解答 |
|---|---|---|

※　□で囲まれた数字は配点を示す。

決算整理後残高試算表　(単位：千円)

| 勘定科目 | 金額 | 勘定科目 | 金額 |
|---|---|---|---|
| 現金 | [2] 5,180 | 支払手形 | [2] 35,550 |
| 当座預金 | [2] 127,155 | 買掛金 | [2] 38,200 |
| 受取手形 | 40,000 | 未払利息 | [2] 480 |
| 売掛金 | [2] 74,800 | 未払法人税等 | [2] 23,295 |
| 繰越商品 | [1] 6,745 | 賞与引当金 | [1] 14,000 |
| 前払保険料 | [1] 80 | 貸倒引当金 | [1] 5,798 |
| 建物 | [1] 67,800 | 借入金 | [1] 30,000 |
| 車両 | [1] 10,368 | 退職給付引当金 | [1] 65,120 |
| 備品 | [1] 4,400 | 繰延税金負債 | [1] 90 |
| 土地 | [1] 72,000 | 資本金 | 90,000 |
| 破産更生債権等 | [1] 2,200 | 資本準備金 | 20,000 |
| 投資有価証券 | [1] 12,836 | 利益準備金 | 2,000 |
| 繰延税金資産 | [1] 27,231 | 繰越利益剰余金 | 56,122 |
| 仕入 | [1] 548,280 | その他有価証券評価差額金 | [1] 140 |
| 見本品費 | [1] 220 | 売上 | [1] 949,120 |
| 給料 | 135,000 | 受取利息配当金 | [1] 832 |
| 賞与手当 | [1] 27,900 | 為替差損益 | [1] 150 |
| 賞与引当金繰入額 | [1] 14,000 | 法人税等調整額 | [1] 2,295 |
| 退職給付費用 | [1] 13,700 | | |
| 減価償却費 | [1] 7,087 | | |
| 修繕費 | [1] 20,000 | | |
| 支払保険料 | [1] 40 | | |
| 貸倒引当金繰入額 | [1] 5,498 | | |
| その他営業費 | [1] 68,172 | | |
| 棚卸減耗費 | [1] 55 | | |
| 支払利息 | [1] 800 | | |
| 雑損失 | [1] 25 | | |
| 備品売却損 | [1] 225 | | |
| 投資有価証券評価損 | [1] 1,100 | | |
| 減損損失 | [1] 8,000 | | |
| 法人税等 | [1] 32,295 | | |
| 合計 | 1,333,192 | 合計 | 1,333,192 |

【配　点】　[1]×36カ所　[2]×７カ所　　合計50点

問題4 解答

## 解答への道

### Ⅰ　本問のポイント

決算整理型の総合問題である。現金預金、商品、固定資産、有価証券など総合問題での頻出論点が多く出題されているため、個々の処理を正確に行えるようにする必要がある。

### Ⅱ　具体的解説（単位：千円）

1　現金

(1) 換算替

| | | | |
|---|---|---|---|
| (現　　　　金) ※ | 20 | (為 替 差 損 益) | 20 |

※　10千ドル×ＣＲ142円－帳簿価額1,400＝20

(2) 配当金領収証

| | | | |
|---|---|---|---|
| (現　　　　金) | 100 | (受取利息配当金) | 100 |

(3) クーポン利息

| | | | |
|---|---|---|---|
| (現　　　　金) | 120 | (受取利息配当金) | 120 |

(4) Ａ社振出小切手

| | | | |
|---|---|---|---|
| (現　　　　金) | 3,300 | (当　座　預　金) | 3,300 |

(5) 原因不明分

| | | | |
|---|---|---|---|
| (雑　　損　　失) | 5 | (現　　　　金) ※ | 5 |

※　①　実際有高：円通貨240＋外貨1,420＋配当100＋クーポン120＋Ａ社振出小切手3,300＝5,180

②　帳簿残高：前T/B 1,645＋20＋100＋120＋3,300＝5,185

③　①－②＝△5

2　当座預金

(1) 未渡小切手

| | | | |
|---|---|---|---|
| (当　座　預　金) | 2,200 | (買　　掛　　金) | 2,200 |

(2) 売掛金の振込未記帳

| | | | |
|---|---|---|---|
| (当　座　預　金) | 1,649 | (売　　掛　　金) | 1,650 |
| (そ の 他 営 業 費) ※ | 1 | | |

※　差額

(3) その他営業費の引落未記帳

| | | | |
|---|---|---|---|
| (そ の 他 営 業 費) | 220 | (当　座　預　金) | 220 |

(4) 未取付小切手 ⇨ 仕訳不要

(5) 支払手形の未決済

| | | | |
|---|---|---|---|
| (当　座　預　金) | 550 | (支　払　手　形) | 550 |

3　売掛金

(1) 返品

| | | | |
|---|---|---|---|
| (売　　　上) | 880 | (売　掛　金) ※ | 880 |

※　33,000－32,120＝880

(2) 破産更生債権等への振替処理

| | | | |
|---|---|---|---|
| (破産更生債権等) | 2,200 | (売　掛　金) | 2,200 |

(3) 換算替

| | | | |
|---|---|---|---|
| (為替差損益) | 200 | (売　掛　金) ※ | 200 |

※　100千ドル×ＣＲ142円－帳簿価額14,400＝△200

4　貸倒引当金

(1) 破産更生債権等

①　貸倒引当金の計上

| | | | |
|---|---|---|---|
| (貸倒引当金繰入額) | 2,200 | (貸倒引当金) ※ | 2,200 |

※　2,200×100％＝2,200

②　税効果会計

| | | | |
|---|---|---|---|
| (繰延税金資産) ※ | 330 | (法人税等調整額) | 330 |

※　(2,200－2,200×50％)×30％＝330

(2) 貸倒懸念債権

①　貸倒引当金の計上

| | | | |
|---|---|---|---|
| (貸倒引当金繰入額) | 2,500 | (貸倒引当金) ※ | 2,500 |

※　(受手2,000＋売掛3,000)×50％＝2,500

②　税効果会計

| | | | |
|---|---|---|---|
| (繰延税金資産) ※ | 735 | (法人税等調整額) | 735 |

※　{2,500－(2,000＋3,000)×１％}×30％＝735

(3) 一般債権

| | | | |
|---|---|---|---|
| (貸倒引当金繰入額) | 798 | (貸倒引当金) ※ | 798 |

※　{受手40,000＋売掛(前T/B 79,730－1,650－880－2,200－200)－懸念5,000}×１％
　　－前T/B貸引300＝798

5　商品

(1) 見本品の未処理

| | | | |
|---|---|---|---|
| (見本品費) | 220 | (仕　　　入) | 220 |

(2) 売上原価の算定等

| | | | |
|---|---|---|---|
| (仕　　　入) | 5,300 | (繰越商品) | 5,300 |
| (繰越商品) ※ | 6,930 | (仕　　　入) | 6,930 |

※　6,600＋返品550－見本220＝6,930

(3) 期末評価

| | | | |
|---|---|---|---|
| (棚卸減耗費) | 55 | (繰越商品) ※1 | 55 |
| (仕入) | 130 | (繰越商品) ※2 | 130 |

※1　帳簿6,930－実地(6,325＋返品550)＝55

※2　原価330－正味売却価額200＝130

6　有価証券

(1) L社社債

| | | | |
|---|---|---|---|
| (投資有価証券) ※ | 32 | (受取利息配当金) | 32 |

※　$(6,000-5,840)\times\frac{12\text{月}}{60\text{月}}=32$

(2) M社株式

| | | | |
|---|---|---|---|
| (投資有価証券) ※1 | 300 | (繰延税金負債) ※2 | 90 |
| | | (その他有価証券評価差額金) ※3 | 210 |

※1　当期末時価3,300－取得価額3,000＝300

※2　300×30％＝90

※3　差額

(3) N社株式

| | | | |
|---|---|---|---|
| (繰延税金資産) ※2 | 30 | (投資有価証券) ※1 | 100 |
| (その他有価証券評価差額金) ※3 | 70 | | |

※1　当期末時価2,700－取得価額2,800＝△100

※2　100×30％＝30

※3　差額

(4) O社株式

| | | | |
|---|---|---|---|
| (投資有価証券評価損) | 1,100 | (投資有価証券) ※ | 1,100 |

※　当期末時価900－取得価額2,000＝△1,100　50％以上下落しているため、減損処理を行う。

7　有形固定資産

(1) 建物

①　前T/B残高：100,000－100,000×0.025×15年＝62,500

②　改修

| | | | |
|---|---|---|---|
| (建物) ※ | 8,000 | (修繕費) | 8,000 |

※　$28,000\times\frac{\text{延長}10\text{年}}{\text{残存}35\text{年（＊）}}=8,000$

＊　当初耐用年数40年－経過年数15年＋延長年数10年＝残存耐用年数35年

③　減価償却

|（減価償却費）※|2,700|（建　物）|2,700|
|---|---|---|---|

※　(既存分100,000＋資本的支出8,000)×0.025＝2,700

(2)　車両

①　前T/B残高

(a)　車両A

$$１年目：5,000\times0.400\times\frac{6月}{12月}=1,000$$

２年目：(5,000－1,000)×0.400＝1,600

期首帳簿価額(前T/B残高)：5,000－(1,000＋1,600)＝2,400

(b)　車両B：$6,400-6,400\times0.400\times\frac{9月}{12月}=4,480$

(c)　車両C(取得に要した費用)：本体7,000＋付属品200＋固定資産税60＋保険料120
＝7,380

(d)　(a)＋(b)＋(c)＝14,260

②　車両C取得時の修正

|（その他営業費）※1|60|（車　両）|180|
|---|---|---|---|
|（支払保険料）※2|120| | |

※1　固定資産税

※2　保険料

③　支払保険料の繰延処理

|（前払保険料）※|80|（支払保険料）|80|
|---|---|---|---|

※　$120\times\frac{8月}{12月}=80$

④　減価償却

|（減価償却費）※|3,712|（車　両）|3,712|
|---|---|---|---|

※　(a)　車両A：2,400×0.400＝960

(b)　車両B：4,480×0.400＝1,792

(c)　車両C：$(7,380-180)\times0.400\times\frac{4月}{12月}=960$

(d)　(a)＋(b)＋(c)＝3,712

(3)　備品

①　前T/B残高

(a)　備品A：3,000－3,000×0.125×６年＝750

(b)　備品B：2,200－2,200×0.125×２年＝1,650

(c)　買換代金（差額代金）：定価3,400－下取500＝2,900

問題4 解答

(d) (a)＋(b)＋(c)＝5, 300

② 買換時の修正

(a) 適正な仕訳

| | | | |
|---|---|---|---|
| (減価償却費)※1 | 125 | (備品) | 750 |
| (備品売却損)※2 | 225 | (当座預金) | 2, 900 |
| (備品)※3 | 3, 300 | | |

※1 $3,000 \times 0.125 \times \frac{4月}{12月}$ ＝125

※2 適正評価額400－帳簿価額(750－125)＝△225

※3 定価3, 400－値引(下取500－適正評価額400)＝3, 300

(b) 当社が行った仕訳

| | | | |
|---|---|---|---|
| (備品) | 2, 900 | (当座預金) | 2, 900 |

(c) 修正仕訳（(a)－(b)）

| | | | |
|---|---|---|---|
| (減価償却費) | 125 | (備品) | 350 |
| (備品売却損) | 225 | | |

③ 減価償却

| | | | |
|---|---|---|---|
| (減価償却費)※ | 550 | (備品) | 550 |

※ (a) 備品B：2, 200×0. 125＝275

(b) 備品C：$3,300 \times 0.125 \times \frac{8月}{12月}$ ＝275

(c) (a)＋(b)＝550

(4) 土地A

① 減損会計

| | | | |
|---|---|---|---|
| (減損損失)※ | 8, 000 | (土地) | 8, 000 |

※ 時価22, 000－帳簿価額30, 000＝△8, 000

② 税効果会計

| | | | |
|---|---|---|---|
| (繰延税金資産)※ | 2, 400 | (法人税等調整額) | 2, 400 |

※ 8, 000×30%＝2, 400

8 賞与引当金

(1) 賞与支給時の修正

| | | | |
|---|---|---|---|
| (賞与引当金) | 13, 600 | (賞与手当) | 13, 600 |

(2) 賞与引当金の計上

| | | | |
|---|---|---|---|
| (賞与引当金繰入額) | 14, 000 | (賞与引当金) | 14, 000 |

※ $21,000 \times \frac{4月}{6月}$ ＝14, 000

(3) 税効果会計

(繰延税金資産) ※ 120 (法人税等調整額) 120

※ 14,000×30%－13,600×30%＝120

9 退職給付引当金

(1) 期首(前T/B)退職給付引当金残高：退職給付債務120,000－年金資産50,000－未認識580(※)＝69,420

※ x16年200－x17年210－x18年240＋x19年380＋x20年450＝580（損失）

(注)「△は未積立退職給付債務について見込額より実際額が少なかった」とあるため、利得となる。

よって、期首未認識数理計算上の差異は損失となる。

(2) 退職給付費用の計上

(退職給付費用) ※ 13,700 (退職給付引当金) 13,700

※ ① 勤務費用：12,000

② 利息費用：120,000×２％＝2,400

③ 期待運用収益：50,000×1.8％＝900

④ 数理計算上の差異の償却

(a) x16年３月期分：$200\times\frac{1年}{5年-4年}$ ＝200

(b) x17年３月期分：$210\times\frac{1年}{5年-3年}$ ＝105

(c) x18年３月期分：$240\times\frac{1年}{5年-2年}$ ＝80

(d) x19年３月期分：$380\times\frac{1年}{5年-1年}$ ＝95

(e) x20年３月期分：$450\times\frac{1年}{5年}$ ＝90

(f) (a)－(b)－(c)＋(d)＋(e)＝200

⑤ ①＋②－③＋④＝13,700

(3) 当期支出額（掛金及び一時金）の修正

(退職給付引当金) 18,000 (退職給付費用) 18,000

(4) 税効果会計

(法人税等調整額) 1,290 (繰延税金資産) ※ 1,290

※ ① 期末退引：期首69,420＋費用13,700－支出18,000＝65,120

② 65,120×30%－69,420×30%＝△1,290

問題4 解答

10　借入金

(1) 前T/B残高

①　借入金：80,000－10,000×５回＝30,000

②　支払利息：40,000×2.4％×$\frac{4\text{月}}{12\text{月}}$＝320

(2) 支払利息の見越計上

| | | | |
|---|---|---|---|
| （支　払　利　息） | 480 | （未　払　利　息）※ | 480 |

※　30,000×2.4％×$\frac{8\text{月}}{12\text{月}}$＝480

11　法人税等

| | | | |
|---|---|---|---|
| （法　人　税　等）※１ | 32,295 | （仮 払 法 人 税 等） | 9,000 |
| | | （未 払 法 人 税 等）※２ | 23,295 |

※１　(1) 税引前当期純利益：収益950,102－費用850,102＝100,000

(2) 年税額：税引前100,000×30％＋法調2,295＝32,295

※２　差額

# 問題5　一般総合(5)　解答

※　□で囲まれた数字は配点を示す。

決算整理後残高試算表（x11年3月31日）　（単位：千円）

| 借方 勘定科目 | 金額 | | 貸方 勘定科目 | 金額 | |
|---|---|---|---|---|---|
| 現金 | 1 | 285 | 支払手形 | 1 | 10,250 |
| 小口現金 | 1 | 55 | 買掛金 | 1 | 15,245 |
| 当座預金 | 1 | 25,555 | 未払金 | 1 | 615 |
| 受取手形 | 1 | 44,750 | 未払費用 | 1 | 200 |
| 売掛金 | 1 | 48,300 | 貸倒引当金 | 1 | 6,550 |
| 繰越商品 | 1 | 11,100 | 賞与引当金 | 1 | 4,000 |
| 前払費用 | 1 | 200 | 借入金 | | 12,000 |
| 建物 | 1 | 71,775 | 資本金 | | 80,000 |
| 車両 | 1 | 6,975 | 資本準備金 | | 40,000 |
| 備品 | 1 | 5,414 | 利益準備金 | | 13,000 |
| 土地 | | 150,000 | 繰越利益剰余金 | | 14,806 |
| 商標権 | 1 | 3,625 | 売上 | 2 | 1,308,700 |
| 破産更生債権等 | 1 | 6,000 | 受取利息 | | 140 |
| 仕入 | 1 | 763,684 | 雑収入 | | 95 |
| 営業費 | 1 | 111,175 | | | |
| 給料手当 | | 150,750 | | | |
| 賞与手当 | 2 | 7,000 | | | |
| 旅費交通費 | 2 | 5,785 | | | |
| 見本品費 | 2 | 220 | | | |
| 貸倒損失 | 2 | 600 | | | |
| 棚卸減耗費 | 2 | 196 | | | |
| 減価償却費 | 2 | 11,757 | | | |
| 商標権償却 | 2 | 500 | | | |
| 貸倒引当金繰入 | 2 | 5,300 | | | |
| 賞与引当金繰入 | 2 | 4,000 | | | |
| 支払保険料 | 2 | 600 | | | |
| 支払利息 | | 5,000 | | | |
| 手形売却損 | 2 | 660 | | | |
| 雑損失 | 2 | 140 | | | |
| 車両売却損 | 2 | 1,175 | | | |
| 火災損失 | 2 | 63,025 | | | |
| 合計 | | 1,505,601 | 合計 | | 1,505,601 |

【配　点】　1×20カ所　2×15カ所　　合計50点

## 解答への道

### Ⅰ　本問のポイント

決算整理型の総合問題である。難易度は高くないものばかりであったが、ボリュームの多い問題であったため、制限時間内で解答するにはひとつひとつの処理を速くかつ正確に行わなければならない。その基礎となるのが仕訳力であるため、仕訳を考える時間をできるだけ短くするように意識していただきたい。

### Ⅱ　具体的解説（単位：千円）

1　現金

(1) 先日付小切手

| | | | |
|---|---|---|---|
| （受　取　手　形） | 250 | （現　　　　金） | 250 |

(2) 現金過不足

| | | | |
|---|---|---|---|
| （雑　　損　　失） | 5 | （現　　　　金）※ | 5 |

※　①　実際有高：通貨285

②　帳簿残高：540－250＝290

③　①－②＝△5

2　小口現金

| | | | |
|---|---|---|---|
| （営　　業　　費） | 45 | （小　口　現　金） | 45 |

3　当座預金

(1) 時間外預入 ⇨ 仕訳不要（銀行側加算）

(2) 引落未記帳

| | | | |
|---|---|---|---|
| （支　払　手　形） | 1,250 | （当　座　預　金） | 1,250 |

(3) 誤記帳（営業費の支払）

①　適正な仕訳

| | | | |
|---|---|---|---|
| （営　　業　　費） | 320 | （当　座　預　金） | 320 |

②　当社が行った仕訳

| | | | |
|---|---|---|---|
| （当　座　預　金） | 230 | （営　　業　　費） | 230 |

③　修正仕訳（①－②）

| | | | |
|---|---|---|---|
| （営　　業　　費） | 550 | （当　座　預　金） | 550 |

(4) 未渡小切手

| | | | |
|---|---|---|---|
| （当　座　預　金） | 600 | （買　　掛　　金） | 500 |
| | | （未　　払　　金） | 100 |

(5) 誤記帳（手形割引）

① 適正な仕訳

| | | | |
|---|---|---|---|
| （当座預金） | 7,990 | （受取手形） | 8,000 |
| （手形売却損）※ | 10 | | |

※ 差額

② 当社が行った仕訳

| | | | |
|---|---|---|---|
| （当座預金） | 8,000 | （受取手形） | 8,000 |

③ 修正仕訳（①－②）

| | | | |
|---|---|---|---|
| （手形売却損） | 10 | （当座預金） | 10 |

(6) 銀行勘定調整表

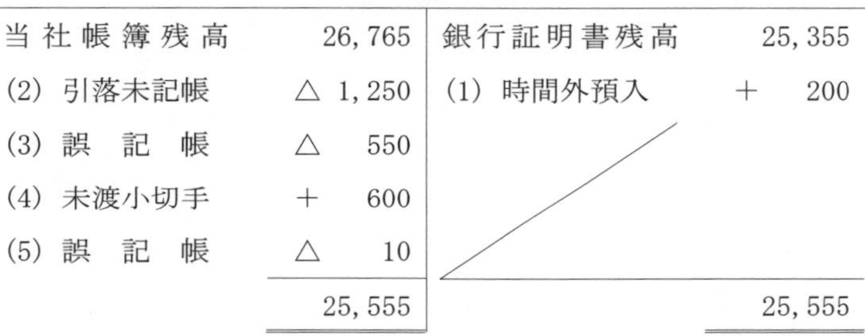

銀行勘定調整表

| 当社帳簿残高 | 26,765 | 銀行証明書残高 | 25,355 |
|---|---|---|---|
| (2) 引落未記帳 | △ 1,250 | (1) 時間外預入 | ＋ 200 |
| (3) 誤記帳 | △ 550 | | |
| (4) 未渡小切手 | ＋ 600 | | |
| (5) 誤記帳 | △ 10 | | |
| | 25,555 | | 25,555 |

4 商品

(1) 返品

| | | | |
|---|---|---|---|
| （売上） | 300 | （売掛金） | 300 |

(2) 見本品費への振替

| | | | |
|---|---|---|---|
| （見本品費） | 220 | （仕入） | 220 |

(3) 売上原価の算定

| | | | |
|---|---|---|---|
| （仕入） | 10,200 | （繰越商品） | 10,200 |
| （繰越商品）※ | 11,480 | （仕入） | 11,480 |

※ 帳簿棚卸高：11,500＋返品200－見本品220＝11,480

(4) 棚卸減耗費

| | | | |
|---|---|---|---|
| （仕入）※2 | 84 | （繰越商品）※1 | 280 |
| （棚卸減耗費）※3 | 196 | | |

※1 ① 帳簿棚卸高：11,480

② 実地棚卸高：11,000＋返品200＝11,200

③ ①－②＝280

※2 原価処理：280×30％＝84

※3 差額

(5) 収益性の低下による帳簿価額の切下げ

| | | | |
|---|---|---|---|
| (仕　　　　入) | 100 | (繰　越　商　品) ※ | 100 |

※　返品200－正味売却価額100＝100（原価処理）

5　固定資産

(1) 建物

①　建物A（焼失）

(a) 適正な仕訳（収支額については、便宜上、「当座預金」とする。）

| | | | |
|---|---|---|---|
| (減　価　償　却　費) ※1 | 1,125 | (建　　　　物) | 79,750 |
| (当　座　預　金) | 15,600 | | |
| (火　災　損　失) ※2 | 63,025 | | |

※1　$100,000 \times 0.9 \times \frac{1年}{40年} \times \frac{6月}{12月} = 1,125$

※2　差額

(b) 当社が行った仕訳

| | | | |
|---|---|---|---|
| (当　座　預　金) | 15,600 | (仮　受　金) | 15,600 |

(c) 修正仕訳((a)－(b))

| | | | |
|---|---|---|---|
| (減　価　償　却　費) | 1,125 | (建　　　　物) | 79,750 |
| (仮　受　金) | 15,600 | | |
| (火　災　損　失) | 63,025 | | |

②　建物B

| | | | |
|---|---|---|---|
| (減　価　償　却　費) ※ | 2,025 | (建　　　　物) | 2,025 |

※　$90,000 \times 0.9 \times \frac{1年}{40年} = 2,025$

(2) 車両

①　車両A（買換）

(a) 適正な仕訳（収支額については、便宜上、「当座預金」とする。）

| | | | |
|---|---|---|---|
| (減　価　償　却　費) ※1 | 3,000 | (車　　　　両) | 7,000 |
| (車　両　売　却　損) ※2 | 1,175 | (当　座　預　金) ※4 | 1,675 |
| (車　　　　両) ※3 | 4,500 | | |

※1　$20,000 \times \frac{1年}{5年} \times \frac{9月}{12月} = 3,000$

※2　適正評価額2,825－帳簿価額(7,000－減費3,000)＝△1,175

※3　定価4,600－値引(下取価額2,925－適正評価額2,825)＝4,500

※4　定価4,600－下取価額2,925＝1,675

(b) 当社が行った仕訳

| | | | |
|---|---|---|---|
| (仮払金) | 1,675 | (当座預金) | 1,675 |

(c) 修正仕訳（(a)－(b)）

| | | | |
|---|---|---|---|
| (減価償却費) | 3,000 | (車両) | 7,000 |
| (車両売却損) | 1,175 | (仮払金) | 1,675 |
| (車両) | 4,500 | | |

② 車両B及び車両C（減価償却）

| | | | |
|---|---|---|---|
| (減価償却費)※ | 2,925 | (車両) | 2,925 |

※(a) 車両B：13,500×$\frac{1年}{5年}$＝2,700

(b) 車両C：4,500×$\frac{1年}{5年}$×$\frac{3月}{12月}$＝225

(c) (a)＋(b)＝2,925

(3) 備品

① 備品A

| | | | |
|---|---|---|---|
| (減価償却費)※ | 682 | (備品) | 682 |

※ 期首帳簿価額4,096×$\frac{1年}{10年－償却済4年}$＝682（千円未満切捨）

② 備品B

| | | | |
|---|---|---|---|
| (減価償却費)※ | 2,000 | (備品) | 2,000 |

※ 期首帳簿価額4,000×$\frac{1年}{変更後4年－償却済2年}$＝2,000

(4) 商標権

| | | | |
|---|---|---|---|
| (商標権償却)※ | 500 | (商標権) | 500 |

※ 取得価額5,000×$\frac{1年}{10年}$＝500

6 貸倒引当金

(1) 貸倒れ

| | | | |
|---|---|---|---|
| (貸倒引当金)※1 | 300 | (売掛金) | 900 |
| (貸倒損失)※2 | 600 | | |

※1 前期発生分

※2 当期発生分

(2) 破産更生債権等への振替

| | | | |
|---|---|---|---|
| (破産更生債権等) | 6,000 | (受取手形)※ | 1,500 |
| | | (売掛金) | 3,500 |
| | | (仮払金) | 1,000 |

※　丙社振出で乙社から裏書譲渡を受けた約束手形は、乙社に対する債権ではないため、破産更生債権等には該当しない。

(3) 貸倒引当金の設定

①　破産更生債権等

| | | | |
|---|---|---|---|
| (貸倒引当金繰入)※ | 3,500 | (貸倒引当金) | 3,500 |

※　6,000－担保処分見込額2,500＝3,500

②　貸倒懸念債権

| | | | |
|---|---|---|---|
| (貸倒引当金繰入)※ | 1,250 | (貸倒引当金) | 1,250 |

※　(受取手形2,000＋売掛金1,050－担保処分見込額550)×50％＝1,250

③　一般債権

| | | | |
|---|---|---|---|
| (貸倒引当金繰入)※ | 550 | (貸倒引当金) | 550 |

※　(a) 受取手形：前T/B 46,000＋先日付250－破産1,500＝44,750

(b) 売掛金：前T/B 53,000－返品300－貸倒900－破産3,500＝48,300

(c) {((a)＋(b))－懸念(2,000＋1,050)}×２％＝1,800

(d) 1,800－(前T/B貸引1,550－貸倒300)＝550

7　従業員賞与（収支額については、便宜上、「当座預金」とする。）

(1) ６月10日支給分の修正

①　適正な仕訳

| | | | |
|---|---|---|---|
| (賞与引当金)※ | 3,000 | (当座預金) | 4,500 |
| (賞与手当) | 1,500 | | |

※　前T/B賞与引当金

②　当社が行った仕訳

| | | | |
|---|---|---|---|
| (賞与手当) | 4,500 | (当座預金) | 4,500 |

③　修正仕訳（①－②）

| | | | |
|---|---|---|---|
| (賞与引当金) | 3,000 | (賞与手当) | 3,000 |

(2) 賞与引当金の設定

| | | | |
|---|---|---|---|
| (賞与引当金繰入)※ | 4,000 | (賞与引当金) | 4,000 |

※　支給見込額6,000×$\frac{4月}{6月}$＝4,000

8　その他の事項

(1) 出張旅費の精算

| | | | |
|---|---|---|---|
| (旅費交通費) | 85 | (仮払金) | 70 |
| | | (未払金)※ | 15 |

※　「不足額についてはｘ11年４月２日に従業員へ現金で支払った。」とあることから、当

期末時点では未払いである。

(2) 支払保険料の繰延

(前　払　費　用)※　200　(支　払　保　険　料)　200

※　1か月あたりの保険料：前T/B支払保険料800÷16か月分＊＝50

繰延額：@50×4か月分(4月～7月)＝200

＊　前T/B支払保険料800は、12か月分の保険料ではなく、16か月分の保険料である。なぜなら、問題文に「毎年」とあるため、前T/B支払保険料は、前期の2月1日に支払った金額のうち当期に帰属する4か月分と当期の8月1日及び2月1日に支払った12か月分の合計が計上されているからである。これを具体的に仕訳及び勘定記入で示すと次のようになる(収支額については、便宜上、「当座預金」とする。)。

① 前期・2月1日保険料支払時

(支　払　保　険　料)　6か月分　(当　座　預　金)　6か月分

② 前期・決算整理

(前　払　費　用)　4か月分　(支　払　保　険　料)　4か月分

③ 当期・再振替

(支　払　保　険　料)　4か月分　(前　払　費　用)　4か月分

④ 当期・8月1日保険料支払時

(支　払　保　険　料)　6か月分　(当　座　預　金)　6か月分

⑤ 当期・2月1日保険料支払時

(支　払　保　険　料)　6か月分　(当　座　預　金)　6か月分

支払保険料

| | | |
|---|---|---|
| 当期首 | 4か月分 | 前T/B　16か月分 |
| 8月1日 | 6か月分 | |
| 2月1日 | 6か月分 | |

(3) 営業費の見越計上

(営　業　費)　200　(未　払　費　用)　200

# 問題 6　一般総合(6)　解答

※　□で囲まれた数字は配点を示す。

決算整理後残高試算表　　(単位：千円)

| 勘定科目 | 金額 | 勘定科目 | 金額 |
|---|---|---|---|
| 現金預金 | [2] 561,990 | 支払手形 | 33,000 |
| 受取手形 | [2] 121,000 | 買掛金 | [2] 82,300 |
| 売掛金 | [2] 205,000 | 未払法人税等 | [1] 56,472 |
| 貯蔵品 | [2] 170 | 賞与引当金 | [2] 16,000 |
| 繰越商品 | [2] 12,400 | 貸倒引当金 | [2] 9,240 |
| 建物 | [2] 28,625 | 社債 | [2] 9,700 |
| 車両 | [2] 9,650 | 退職給付引当金 | [2] 278,100 |
| 備品 | [2] 7,050 | 繰延税金負債 | [1] 126 |
| 土地 | 300,000 | 資本金 | 500,000 |
| 投資有価証券 | [1] 9,600 | 資本準備金 | 80,000 |
| 破産更生債権等 | [1] 5,000 | 利益準備金 | 12,000 |
| 繰延税金資産 | [1] 89,304 | 繰越利益剰余金 | 86,525 |
| 仕入 | [1] 1,499,660 | その他有価証券評価差額金 | [1] 224 |
| 見本品費 | [1] 300 | 売上 | [1] 2,498,000 |
| 賞与引当金繰入額 | [1] 16,000 | 有価証券利息 | [1] 90 |
| 退職給付費用 | [1] 66,100 | 法人税等調整額 | [1] 6,714 |
| 貸倒引当金繰入額 | [1] 7,240 | | |
| 減価償却費 | [1] 3,860 | | |
| その他人件費 | [1] 463,800 | | |
| その他営業費 | [1] 172,575 | | |
| 棚卸減耗損 | [1] 240 | | |
| 社債利息 | [1] 340 | | |
| 雑損失 | [1] 10 | | |
| 車両売却損 | [1] 380 | | |
| 備品除却損 | [1] 425 | | |
| 投資有価証券評価損 | [1] 1,300 | | |
| 法人税等 | [1] 86,472 | | |
| 合計 | 3,668,491 | 合計 | 3,668,491 |

【配　点】 [1]×24カ所　[2]×13カ所　　合計50点

## 解答への道

### Ⅰ　本問のポイント

決算整理型の総合問題である。難易度は高くないものばかりであるため、制限時間内で解答するには１つ１つの処理を速くかつ正確に行わなければならない。その基礎となるのが仕訳力であるため、仕訳を考える時間をできるだけ短くするように意識していただきたい。

### Ⅱ　具体的解説（単位：千円）

1　現金預金

(1) 現金等

① 他人振出小切手（売掛金回収の未処理）

| | | | |
|---|---|---|---|
| （現 金 預 金） | 500 | （売 掛 金） | 500 |

② 自己振出小切手 ⇨ 下記(2)①参照

③ 収入印紙・切手

| | | | |
|---|---|---|---|
| （貯 蔵 品） | 20 | （その他営業費） | 20 |

④ Ｄ社社債のクーポン利息

| | | | |
|---|---|---|---|
| （現 金 預 金） | 30 | （有価証券利息）※ | 30 |

※ $3,000 \times 2\% \times \frac{6月}{12月} = 30$

⑤ 原因不明分

| | | | |
|---|---|---|---|
| （雑 損 失） | 10 | （現 金 預 金）※ | 10 |

※ 実際有高：通貨370＋他人振出小切手500＋クーポン利息30＝900

帳簿残高：380＋500＋30＝910

原因不明分：実際900－帳簿910＝△10

(2) 当座預金

① 未渡小切手

| | | | |
|---|---|---|---|
| （現 金 預 金） | 1,000 | （買 掛 金） | 1,000 |

② 未取付小切手 ⇨ 仕訳不要（銀行側減算）

③ 誤記帳

(a) 適正な仕訳

| | | | |
|---|---|---|---|
| （その他営業費） | 250 | （現 金 預 金） | 250 |

(b) 当社が行った仕訳

| | | | |
|---|---|---|---|
| （現 金 預 金） | 520 | （その他営業費） | 520 |

(c) 修正仕訳（(a)－(b)）

| | | | |
|---|---|---|---|
| （その他営業費） | 770 | （現 金 預 金） | 770 |

④　掛金の引落未記帳

| | | | |
|---|---|---|---|
| （その他人件費）※ | 1,500 | （現金預金） | 1,500 |

※　本来は退職給付引当金とすべきであるが、【資料２】８より、期中は支出した金額をその他人件費に計上しているため、一旦、その他人件費に計上し、下記８において修正することとする。

⑤　売掛金の振込未記帳

| | | | |
|---|---|---|---|
| （現金預金） | 2,000 | （売掛金） | 2,000 |

2　商品

(1)　見本品提供の未処理

| | | | |
|---|---|---|---|
| （見本品費） | 300 | （仕入） | 300 |

(2)　売上返品の未処理

| | | | |
|---|---|---|---|
| （売上） | 2,000 | （売掛金） | 2,000 |

(3)　売上原価の算定等

| | | | |
|---|---|---|---|
| （仕入） | 15,000 | （繰越商品） | 15,000 |
| （繰越商品）※１ | 13,500 | （仕入） | 13,500 |
| （仕入）※３ | 360 | （繰越商品）※２ | 600 |
| （棚卸減耗損）※４ | 240 | | |
| （仕入） | 500 | （繰越商品）※５ | 500 |

※１　12,600－見本300＋返品1,200＝13,500

※２　帳簿13,500－実地(11,700＋返品1,200)＝600

※３　600×60％＝360

※４　600－360＝240

※５　1,200－700＝500

3　固定資産

(1)　建物

| | | | |
|---|---|---|---|
| （減価償却費）※ | 1,125 | （建物） | 1,125 |

※　$50,000 \times 0.9 \times \frac{1年}{40年} = 1,125$

(2)　車両

①　買換の修正

| | | | |
|---|---|---|---|
| （減価償却費）※２ | 560 | （車両）※１ | 1,440 |
| （車両売却損）※３ | 380 | （仮払金）※５ | 6,100 |
| （車両）※４ | 6,600 | | |

※1　$4,800-4,800\times\frac{42\text{月}}{60\text{月}}=1,440$

※2　$4,800\times\frac{1\text{年}}{5\text{年}}\times\frac{7\text{月}}{12\text{月}}=560$

※3　適正評価額500－簿価(1,440－560)＝△380

※4　定価6,800－値引(下取700－適正500)＝6,600

※5　定価6,800－下取700＝6,100

② 減価償却（車両Ｂ及び車両Ｃ）

| | | | |
|---|---|---|---|
| (減価償却費)※ | 1,750 | (車両) | 1,750 |

※ (a) 車両Ｂ：$6,000\times\frac{1\text{年}}{5\text{年}}=1,200$

(b) 車両Ｃ：$6,600\times\frac{1\text{年}}{5\text{年}}\times\frac{5\text{月}}{12\text{月}}=550$

(c) (a)＋(b)＝1,750

(3) 備品

① 備品Ａ（除却）

| | | | |
|---|---|---|---|
| (減価償却費)※2 | 275 | (備品)※1 | 650 |
| (貯蔵品) | 150 | (仮払金) | 200 |
| (備品除却損)※3 | 425 | | |

※1　$2,400-2,400\times\frac{70\text{月}}{96\text{月}}=650$

※2　$2,400\times\frac{1\text{年}}{8\text{年}}\times\frac{11\text{月}}{12\text{月}}=275$

※3　差額

② 備品Ｂ

| | | | |
|---|---|---|---|
| (減価償却費)※ | 150 | (備品) | 150 |

※　$7,200\times\frac{1\text{年}}{8\text{年}}\times\frac{2\text{月}}{12\text{月}}=150$

4　貸倒引当金

(1) 破産更生債権等勘定への振替

| | | | |
|---|---|---|---|
| (破産更生債権等) | 5,000 | (受取手形) | 2,000 |
| | | (売掛金) | 3,000 |

(2) 貸倒引当金の繰入処理（まとめて示す。）

| | | | |
|---|---|---|---|
| (貸倒引当金繰入額)※ | 7,240 | (貸倒引当金) | 7,240 |

※ ① 破産更生債権等：5,000×100％＝5,000

② 貸倒懸念債権：(受手1,000＋売掛1,000)×50％＝1,000

問題6 解答

③　一般債権

受取手形：前T/B 123,000－破産2,000＝121,000

売掛金：前T/B 212,500－回収500－回収2,000－返品2,000－破産3,000
＝205,000

貸倒引当金：(受手121,000＋売掛205,000－懸念2,000)×１％＝3,240

④　繰入額：①＋②＋③－前T/B 2,000＝7,240

(3) 税効果会計

| | | | |
|---|---|---|---|
| (繰延税金資産)※ | 1,044 | (法人税等調整額) | 1,044 |

※ (会計上9,240－税務上5,760)×30％＝1,044

5　有価証券

(1) Ａ社株式

| | | | |
|---|---|---|---|
| (投資有価証券)※１ | 400 | (繰延税金負債)※２ | 120 |
| | | (その他有価証券評価差額金)※３ | 280 |

※１　期末時価2,400－取得価額2,000＝400

※２　400×30％＝120

※３　差額

(2) Ｂ社株式

| | | | |
|---|---|---|---|
| (投資有価証券評価損) | 1,300 | (投資有価証券)※ | 1,300 |

※　期末時価1,200－取得価額2,500＝△1,300（50％以上下落しているため、減損処理を行う。）

(3) Ｃ社株式

| | | | |
|---|---|---|---|
| (繰延税金資産)※２ | 30 | (投資有価証券)※１ | 100 |
| (その他有価証券評価差額金)※３ | 70 | | |

※１　期末時価3,100－取得価額3,200＝△100

※２　100×30％＝30

※３　差額

(4) Ｄ社社債

①　償却原価法

| | | | |
|---|---|---|---|
| (投資有価証券) | 30 | (有価証券利息)※ | 30 |

※　$(3,000-2,850)\times\frac{12\text{月}}{60\text{月}}=30$

②　時価評価

| | | | |
|---|---|---|---|
| (投資有価証券)※１ | 20 | (繰延税金負債)※２ | 6 |
| | | (その他有価証券評価差額金)※３ | 14 |

※1　期末時価2,900－帳簿価額(2,850＋30)＝20

※2　20×30%＝6

※3　差額

6　社債

| | | | |
|---|---|---|---|
| (社債利息) | 100 | (社債)※ | 100 |

※　$(10,000-9,400)\times\frac{12\text{月}}{72\text{月}}=100$

7　賞与引当金

(1) 当期賞与支給額の修正

| | | | |
|---|---|---|---|
| (賞与引当金) | 15,200 | (その他人件費) | 15,200 |

(2) 賞与引当金の繰入

| | | | |
|---|---|---|---|
| (賞与引当金繰入額) | 16,000 | (賞与引当金)※ | 16,000 |

※　$24,000\times\frac{4\text{月}}{6\text{月}}=16,000$

(3) 税効果会計

| | | | |
|---|---|---|---|
| (繰延税金資産)※ | 240 | (法人税等調整額) | 240 |

※　当期末16,000×30%－前期末15,200×30%＝240

8　退職給付引当金

(1) 退職給付費用の計上

| | | | |
|---|---|---|---|
| (退職給付費用)※ | 66,100 | (退職給付引当金) | 66,100 |

※　①　勤務費用：55,000

②　利息費用：500,000×２%＝10,000

③　期待運用収益：220,000×1.5%＝3,300

④　数理差異償却額（前々期分）：$8,000\times\frac{1\text{年}}{5\text{年}-1\text{年}}=2,000$

⑤　数理差異償却額（前期分）：$12,000\times\frac{1\text{年}}{5\text{年}}=2,400$

⑥　①＋②－③＋④＋⑤＝66,100

(2) 掛金拠出額の修正

| | | | |
|---|---|---|---|
| (退職給付引当金)※ | 18,000 | (その他人件費) | 18,000 |

※　月額1,500×12月＝18,000

(3) 退職一時金の修正

| | | | |
|---|---|---|---|
| (退職給付引当金) | 30,000 | (その他人件費) | 30,000 |

(4) 税効果会計

| | | | |
|---|---|---|---|
| (繰延税金資産)※ | 5,430 | (法人税等調整額) | 5,430 |

※　当期末（260,000＋66,100－18,000－30,000）×30%－前期末260,000×30%＝5,430

9　法人税等

| 借方 | 金額 | 貸方 | 金額 |
|---|---|---|---|
| （法　人　税　等）※1 | 86,472 | （仮　　払　　金） | 30,000 |
| | | （未 払 法 人 税 等）※2 | 56,472 |

※1　税引前当期純利益：収益2,498,090－費用2,232,230＝265,860

年税額：265,860×30%＋法調6,714＝86,472

※2　差額

| 問題7 | 一般総合(7) | 解答 |
|---|---|---|

※ □で囲まれた数字は配点を示す。

決算整理後残高試算表　　　　　（単位：千円）

| 借方 科目 | 金額 | 貸方 科目 | 金額 |
|---|---|---|---|
| 現金預金 | [2] 196,070 | 支払手形 | [2] 78,505 |
| 受取手形 | 163,275 | 営業外支払手形 | [2] 6,000 |
| 売掛金 | [2] 246,918 | 買掛金 | [2] 191,640 |
| 繰越商品 | [2] 240,220 | 借入金 | [2] 269,600 |
| 建物 | 120,000 | 未払法人税等 | [2] 7,944 |
| 構築物 | [2] 30,000 | 前受収益 | [2] 300 |
| 備品 | 51,200 | 未払費用 | [1] 378 |
| 車両 | [1] 22,000 | 貸倒引当金 | [1] 7,641 |
| 土地 | [1] 56,000 | 退職給付引当金 | [1] 21,940 |
| 建設仮勘定 | [1] 735 | 建物減価償却累計額 | [1] 30,000 |
| 投資有価証券 | [1] 113,400 | 構築物減価償却累計額 | [1] 22,000 |
| 関係会社株式 | [1] 8,100 | 備品減価償却累計額 | [1] 25,610 |
| 繰延税金資産 | [1] 8,124 | 車両減価償却累計額 | [1] 3,466 |
| 仕入 | [1] 1,959,580 | 繰延税金負債 | [1] 3,600 |
| 販売管理費 | [1] 280,510 | 資本金 | 300,000 |
| 減価償却費 | [1] 19,616 | 利益準備金 | 75,000 |
| 退職給付費用 | [1] 7,540 | 繰越利益剰余金 | 170,138 |
| 棚卸減耗費 | [1] 800 | その他有価証券評価差額金 | [1] 7,280 |
| 貸倒引当金繰入 | [1] 3,951 | 売上 | [1] 2,399,118 |
| 支払利息 | [1] 12,878 | 受取利息配当金 | [1] 10,020 |
| 雑損失 | 166 | 為替差損益 | [1] 4,503 |
| 投資有価証券評価損 | [1] 35,000 | 車両売却益 | [1] 2,300 |
| 関係会社株式評価損 | [1] 45,900 | | |
| 法人税等 | [1] 13,944 | | |
| 法人税等調整額 | [1] 1,056 | | |
| 合計 | 3,636,983 | 合計 | 3,636,983 |

【配　点】　[1]×30カ所　[2]×10カ所　　合計50点

## 解答への道

### Ⅰ　本問のポイント

本問は決算整理型の一般総合問題である。固定資産、有価証券を中心に元利総額の為替予約（振当処理）等の処理をスムーズに行えたかがポイントとなる。

### Ⅱ　具体的解説（単位：千円）

1　銀行勘定調整

(1)　翌日預入

| | | | |
|---|---|---|---|
| (現金預金)<br>〈現　　金〉 | 100 | (現金預金)<br>〈当座預金〉 | 100 |

(2)　水道光熱費引落未記帳

| | | | |
|---|---|---|---|
| (販売管理費) | 210 | (現金預金) | 210 |

(3)　未渡小切手

| | | | |
|---|---|---|---|
| (現金預金) | 420 | (買　掛　金) | 420 |

(4)　未取付小切手

(仕　訳　不　要)

(5)　銀行勘定調整表

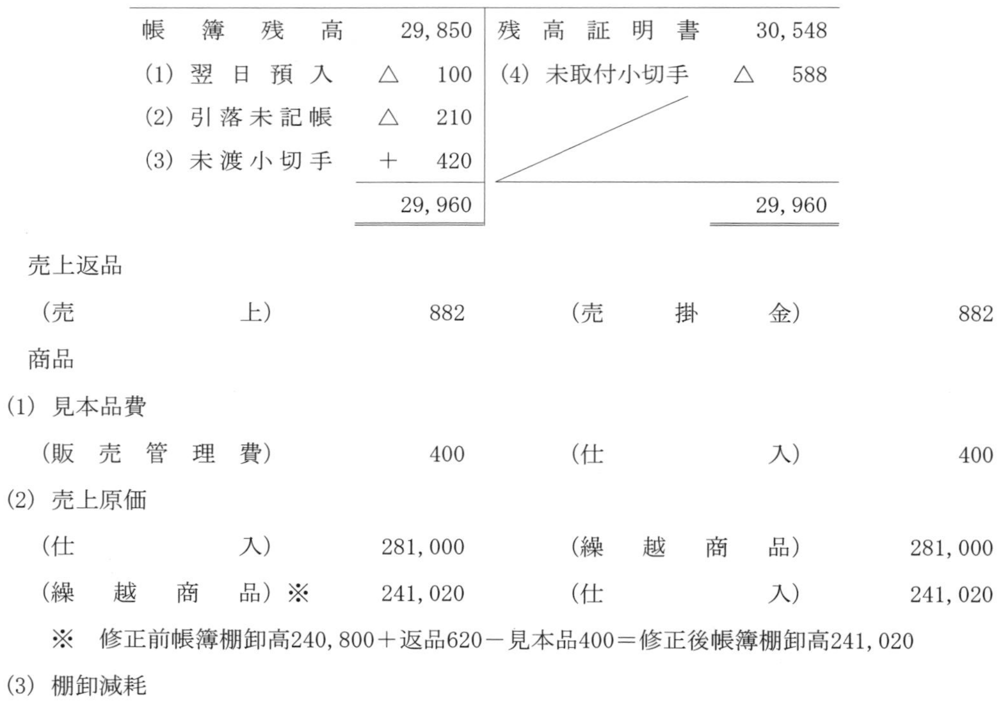

| | | | | | |
|---|---|---|---|---|---|
| 帳簿残高 | | 29,850 | 残高証明書 | | 30,548 |
| (1) 翌日預入 | △ | 100 | (4) 未取付小切手 | △ | 588 |
| (2) 引落未記帳 | △ | 210 | | | |
| (3) 未渡小切手 | ＋ | 420 | | | |
| | | 29,960 | | | 29,960 |

2　売上返品

| | | | |
|---|---|---|---|
| (売　　上) | 882 | (売　掛　金) | 882 |

3　商品

(1)　見本品費

| | | | |
|---|---|---|---|
| (販売管理費) | 400 | (仕　　入) | 400 |

(2)　売上原価

| | | | |
|---|---|---|---|
| (仕　　入) | 281,000 | (繰越商品) | 281,000 |
| (繰越商品)※ | 241,020 | (仕　　入) | 241,020 |

※　修正前帳簿棚卸高240,800＋返品620－見本品400＝修正後帳簿棚卸高241,020

(3)　棚卸減耗

| | | | |
|---|---|---|---|
| (棚卸減耗費)※ | 800 | (繰越商品) | 800 |

※　修正後帳簿棚卸高241,020－(修正前実地棚卸高239,600＋返品620)＝800

4　減価償却等

(1) 建物

| | | | |
|---|---|---|---|
| (減価償却費)※ | 3,000 | (建物減価償却累計額) | 3,000 |

※　$120,000 \times \dfrac{1\text{年}}{40\text{年}} = 3,000$

(2) 構築物

①　取得価額の推定（取得価額をｘとする。）

$x - x \times \dfrac{10\text{年}}{15\text{年}} = 10,000$

ｘ＝30,000（前T/B構築物）

②　前T/B構築物減価償却累計額：30,000－期首簿価10,000＝20,000

③　減価償却

| | | | |
|---|---|---|---|
| (減価償却費)※ | 2,000 | (構築物減価償却累計額) | 2,000 |

※　$30,000 \times \dfrac{1\text{年}}{15\text{年}} = 2,000$

(3) 備品

①　期首減価償却累計額の推定

$51,200 \times \dfrac{3\text{年}}{10\text{年}} = 15,360$

②　減価償却

| | | | |
|---|---|---|---|
| (減価償却費)※ | 10,250 | (備品減価償却累計額) | 10,250 |

※　期首簿価（51,200－15,360)×0.286＝10,250（千円未満切捨）

(4) 車両

①　買換の修正

(a) 適正な仕訳

イ　買換時（×17年12月15日）

| | | | |
|---|---|---|---|
| (車両減価償却累計額)※1 | 11,200 | (車両) | 14,000 |
| (減価償却費)※2 | 2,100 | (車両売却益)※3 | 2,300 |
| (車両) | 16,000 | (営業外支払手形) | 13,000 |

※1　取得価額14,000－期首簿価2,800＝11,200

※2　$14,000 \times \dfrac{1\text{年}}{5\text{年}} \times \dfrac{9\text{月}}{12\text{月}} = 2,100$

※3　下取価格3,000－売却時簿価(期首簿価2,800－減費2,100)＝2,300（売却益）

ロ　手形決済時（×18年１月末日）

| | | | |
|---|---|---|---|
| (営業外支払手形) | 7,000 | (現金預金) | 7,000 |

(b) 当社が行った仕訳

イ　買換時（×17年12月15日）

| | | | |
|---|---|---|---|
| (車　　　　　両) | 13,000 | (支　払　手　形) | 13,000 |

ロ　手形決済時（×18年1月末日）

| | | | |
|---|---|---|---|
| (支　払　手　形) | 7,000 | (現　金　預　金) | 7,000 |

(c) 修正仕訳((a)－(b))

| | | | |
|---|---|---|---|
| (車両減価償却累計額) | 11,200 | (車　　　　　両) | 14,000 |
| (減　価　償　却　費) | 2,100 | (車　両　売　却　益) | 2,300 |
| (車　　　　　両) | 3,000 | (営業外支払手形) | 6,000 |
| (支　払　手　形) | 6,000 | | |

② 減価償却

| | | | |
|---|---|---|---|
| (減　価　償　却　費) ※ | 2,266 | (車両減価償却累計額) | 2,266 |

※ (a) 車両Ｂ：$6,000 \times \frac{1年}{5年} = 1,200$

(b) 車両Ｃ：$16,000 \times \frac{1年}{5年} \times \frac{4月}{12月} = 1,066$（千円未満切捨）

(c) (a)＋(b)＝2,266

5　土地

(1) 適正な仕訳

| | | | |
|---|---|---|---|
| (土　　　　　地) ※1 | 1,800 | (現　金　預　金) | 2,535 |
| (建　設　仮　勘　定) ※2 | 735 | | |

※1　取壊費用1,000＋整地費用800＝1,800

※2　建物の設計費用735

(2) 当社が行った仕訳

| | | | |
|---|---|---|---|
| (建　設　仮　勘　定) | 2,535 | (現　金　預　金) | 2,535 |

(3) 修正仕訳（(1)－(2)）

| | | | |
|---|---|---|---|
| (土　　　　　地) | 1,800 | (建　設　仮　勘　定) | 1,800 |

6　有価証券

(1) 前T/B投資有価証券

神田社株式20,000＋上野社株式40,000＋田町社株式50,000＋ＫＫ社株式28,000(※)

＝138,000

※　@100ドル×2,000株×ＨＲ140円＝28,000

(2) 神田社株式

| | | | |
|---|---|---|---|
| (投　資　有　価　証　券) ※1 | 5,000 | (繰　延　税　金　負　債) ※2 | 1,500 |
| | | (その他有価証券評価差額金) ※3 | 3,500 |

※１　期末時価@2,500円×10,000株－帳簿価額20,000＝5,000

※２　5,000×30%＝1,500

※３　差額

(3)　上野社株式

| | | | |
|---|---|---|---|
| (繰延税金資産)※２ | 480 | (投資有価証券)※１ | 1,600 |
| (その他有価証券評価差額金)※３ | 1,120 | | |

※１　期末時価@48,000円×800株－帳簿価額40,000＝△1,600

※２　1,600×30%＝480

※３　差額

(4)　田町社株式

| | | | |
|---|---|---|---|
| (投資有価証券評価損) | 35,000 | (投資有価証券)※ | 35,000 |

※　期末時価@750円×20,000株－帳簿価額50,000＝△35,000

(5)　ＫＫ社株式

| | | | |
|---|---|---|---|
| (投資有価証券)※１ | 7,000 | (繰延税金負債)※２ | 2,100 |
| | | (その他有価証券評価差額金)※３ | 4,900 |

※１　期末時価@140ドル×2,000株×ＣＲ125円－帳簿価額28,000＝7,000

※２　7,000×30%＝2,100

※３　差額

(6)　目白社株式

| | | | |
|---|---|---|---|
| (関係会社株式評価損) | 45,900 | (関係会社株式)※ | 45,900 |

※　実質価額@22,500円×360株－帳簿価額54,000＝△45,900

7　買掛金

| | | | |
|---|---|---|---|
| (為替差損益) | 120 | (買掛金)※ | 120 |

※　ＣＲ換算額24千ドル×ＣＲ125円－帳簿価額2,880＝120

8　借入金（為替予約）

(1)　直々差額

| | | | |
|---|---|---|---|
| (借入金)※ | 500 | (為替差損益) | 500 |

※　予約日ＳＲ換算額100千ドル×ＳＲ130円－帳簿価額13,500＝△500

(2)　直先差額

| | | | |
|---|---|---|---|
| (借入金)※ | 400 | (前受収益) | 400 |

※　予約日ＦＲ換算額100千ドル×126円－予約日ＳＲ換算額100千ドル×ＳＲ130円
＝△400

問題7　解答

(3) 直先差額の按分

（前　受　収　益）※　100　（支　払　利　息）　100

※　$400 \times \frac{2月}{8月} = 100$

(4) 支払利息の見越計上

（支　払　利　息）※　378　（未　払　費　用）　378

※　$100千ドル \times 6\% \times \frac{6月}{12月} \times FR126円 = 378$

9　退職給付引当金

(1) 前T/B退職給付引当金：債務198,000－資産165,000－数理差異（損失）4,000＝29,000

(2) 前T/B繰延税金資産：29,000×30％＝8,700

(3) 退職給付費用の計上

（退職給付費用）※　7,540　（退職給付引当金）　7,540

※　①　勤務費用：7,400

②　利息費用：198,000×３％＝5,940

③　期待運用収益：165,000×４％＝6,600

④　数理差異の費用処理額：4,000×20％＝800

⑤　①＋②－③＋④＝7,540

(4) 直接給付

（退職給付引当金）　600　（仮　払　金）　600

(5) 年金基金からの給付（間接給付）

（仕　訳　不　要）

(6) 年金掛金の支払

（退職給付引当金）　14,000　（仮　払　金）　14,000

(7) 税効果会計

（法人税等調整額）　2,118　（繰延税金資産）※　2,118

※　当期末(29,000＋7,540－600－14,000)×30％－前期末8,700＝△2,118

10　貸倒引当金

(1) 貸倒引当金の繰入処理

（貸倒引当金繰入額）　3,951　（貸　倒　引　当　金）※　3,951

※　①　一般債権：{受手163,275＋売掛(前T/B 247,800－返品882)－懸念6,000}×１％
＝4,041（千円未満切捨）

②　貸倒懸念債権：乙社債権6,000×60％＝3,600

③　(①＋②)－前T/B貸引3,690＝3,951

(2) 税効果会計

| | | | |
|---|---|---|---|
| (繰延税金資産) ※ | 1,062 | (法人税等調整額) | 1,062 |

※ (7,641－4,101)×30％＝1,062

11 法人税等

(1) 源泉所得税

| | | | |
|---|---|---|---|
| (仮払金) | 1,500 | (受取利息配当金) | 1,500 |

(2) 法人税等の計上

| | | | |
|---|---|---|---|
| (法人税等) ※1 | 13,944 | (仮払金) ※2 | 6,000 |
| | | (未払法人税等) ※3 | 7,944 |

※1 ① 税引前当期純利益：収益2,415,941－費用2,365,941＝50,000

② 年税額：50,000×30％－法調1,056＝13,944

※2 中間申告納付額4,500＋源泉所得税1,500＝6,000

※3 差額

## 問題 8　商的工業簿記(1)　解答

※　□で囲まれた数字は配点を示す。

（単位：千円）

| | | | | | | | | |
|---|---|---|---|---|---|---|---|---|
| ① | 2 | 900 | ② | 1 | 138,756 | ③ | 1 | 110,000 |
| ④ | 2 | 75,800 | ⑤ | 1 | 29,200 | ⑥ | 1 | 2,100 |
| ⑦ | 2 | 131,875 | ⑧ | 1 | 9,000 | ⑨ | 1 | 16,250 |
| ⑩ | 2 | 7,700 | ⑪ | 1 | 26,240 | ⑫ | 1 | 61,350 |
| ⑬ | 2 | 2,198,200 | ⑭ | 1 | 1,318,710 | ⑮ | 1 | 14,400 |
| ⑯ | 2 | 23,700 | ⑰ | 1 | 7,790 | ⑱ | 1 | 2,700 |
| ⑲ | 2 | 889,735 | ⑳ | 1 | 40 | ㉑ | 1 | 680 |
| ㉒ | 2 | 20 | ㉓ | 1 | 400 | ㉔ | 1 | 59,430 |
| ㉕ | 2 | 30,100 | ㉖ | 1 | 79,000 | ㉗ | 1 | 41,430 |
| ㉘ | 1 | 24,000 | ㉙ | 1 | 29,400 | ㉚ | 1 | 180,500 |
| ㉛ | 1 | 120 | ㉜ | 1 | 280 | ㉝ | 1 | 4,640,000 |
| ㉞ | 1 | 180 | ㉟ | 1 | 640 | ㊱ | 1 | 70 |
| ㊲ | 1 | 4,170 | ㊳ | 1 | 944,500 | ㊴ | 1 | 904,540 |
| ㊵ | 1 | 387,660 | ㊶ | 1 | 2,223,000 | | | |

【配　点】　1×32カ所　2×９カ所　　合計50点

### 解答への道

I　**本問のポイント**

本問は製造業の総合問題である。以下の処理が正しく行えたかがポイントとなる。

1　現金及び当座預金

2　期末仕掛品及び製品の評価

3　社債及び有価証券

## II　具体的解説（単位：千円）

### 1　現金

(1) 配当金領収書（A社株式）

| 借方 | 金額 | 貸方 | 金額 |
|---|---|---|---|
| (現　金) | 20 | (有価証券運用損益) | 20 |

(2) クーポン利息（B社社債）

| 借方 | 金額 | 貸方 | 金額 |
|---|---|---|---|
| (現　金) | 300 | (有価証券利息) | 300 |

(3) 原因不明分

| 借方 | 金額 | 貸方 | 金額 |
|---|---|---|---|
| (雑　損　失) | 5 | (現　金) ※ | 5 |

※　①　実際有高：通貨580＋配当20＋クーポン300＝900

②　帳簿残高：前T/B 585＋20＋300＝905

③　①－②＝△5

### 2　当座預金

(1) 時間外預入 ⇨ 仕訳不要

(2) 売掛金の振込未記帳

| 借方 | 金額 | 貸方 | 金額 |
|---|---|---|---|
| (当座預金) | 12,000 | (売　掛　金) | 12,000 |

(3) 未渡小切手

| 借方 | 金額 | 貸方 | 金額 |
|---|---|---|---|
| (当座預金) | 8,000 | (買　掛　金) | 8,000 |

(4) 企業年金掛金の引落未記帳

| 借方 | 金額 | 貸方 | 金額 |
|---|---|---|---|
| (退職給付引当金) | 300 | (当座預金) | 300 |

(5) 営業費の引落未記帳

| 借方 | 金額 | 貸方 | 金額 |
|---|---|---|---|
| (営　業　費) | 750 | (当座預金) | 750 |

(6) 支払手形決済の誤記帳

①　適正な仕訳

| 借方 | 金額 | 貸方 | 金額 |
|---|---|---|---|
| (支払手形) | 6,300 | (当座預金) | 6,300 |

②　甲社が行った仕訳

| 借方 | 金額 | 貸方 | 金額 |
|---|---|---|---|
| (当座預金) | 3,600 | (支払手形) | 3,600 |

③　修正仕訳（①－②）

| 借方 | 金額 | 貸方 | 金額 |
|---|---|---|---|
| (支払手形) | 9,900 | (当座預金) | 9,900 |

### 3　材料

| 借方 | 金額 | 貸方 | 金額 |
|---|---|---|---|
| (材料仕入) | 1,800 | (材　料) | 1,800 |
| (材　料) | 2,200 | (材料仕入) | 2,200 |
| (材料棚卸減耗費) | 100 | (材　料) | 100 |
| (仕　掛　品) | 944,500 | (材料仕入) ※1 | 944,500 |
| (仕　掛　品) | 60 | (材料棚卸減耗費) ※2 | 60 |

問題8 解答

※1　1,800＋944,900－2,200＝944,500

※2　100×60％＝60

4　有形固定資産

(1) 建物

| | | | |
|---|---|---|---|
| (減価償却費)※1 | 5,625 | (建物) | 5,625 |
| (仕掛品)※2 | 1,125 | (減価償却費) | 1,125 |

※1　①　取得原価（xとおく。）：$x - x \times 0.9 \times \frac{20年}{40年} = 137,500$

$0.55x = 137,500$

$x = 250,000$

②　減価償却費：$250,000 \times 0.9 \times \frac{1年}{40年} = 5,625$

※2　5,625×20％＝1,125

(2) 機械装置

①　前T/B残高：$30,000 - 30,000 \times \frac{6年}{10年} = 12,000$

②　減価償却

| | | | |
|---|---|---|---|
| (仕掛品)※ | 3,000 | (機械装置) | 3,000 |

※　$30,000 \times \frac{1年}{10年} = 3,000$

(3) 車両

①　買換（営業車）

(a) 適正な仕訳

| | | | |
|---|---|---|---|
| (減価償却費)※1 | 2,000 | (車両) | 3,200 |
| (車両売却損)※2 | 400 | (当座預金)※3 | 12,700 |
| (車両) | 13,500 | | |

※1　①　取得原価（xとおく。）：$x - x \times \frac{44月}{60月} = 3,200$

$x = 12,000$

②　減価償却費：$12,000 \times \frac{1年}{5年} \times \frac{10月}{12月} = 2,000$

※2　下取800－帳簿価額(3,200－2,000)＝△400

※3　購入価額13,500－下取800＝12,700

(b) 甲社が行った仕訳

| | | | |
|---|---|---|---|
| (車両) | 12,700 | (当座預金) | 12,700 |

(c) 修正仕訳 ((a)−(b))

| | | | |
|---|---|---|---|
| (減価償却費) | 2,000 | (車　　両) | 2,400 |
| (車両売却損) | 400 | | |

② 減価償却

(a) 営業車

| | | | |
|---|---|---|---|
| (減価償却費) ※ | 450 | (車　　両) | 450 |

※ $13,500 \times \frac{1年}{5年} \times \frac{2月}{12月} = 450$

(b) 製造用

| | | | |
|---|---|---|---|
| (仕　掛　品) ※ | 1,600 | (車　　両) | 1,600 |

※ $(前T/B\ 20,700 - 3,200 - 12,700) \times \frac{1年}{5年 - 2年} = 1,600$

(4) 器具備品

| | | | |
|---|---|---|---|
| (減価償却費) | 1,400 | (器具備品) ※1 | 1,400 |
| (仕　掛　品) ※2 | 560 | (減価償却費) | 560 |

※1 $11,200 \times \frac{1年}{8年} = 1,400$

※2 1,400×40%＝560

5 賞与引当金

(1) 賞与引当金の取崩処理

| | | | |
|---|---|---|---|
| (賞与引当金) | 22,000 | (人　件　費) | 22,000 |

(2) 賞与引当金の繰入処理及び製造原価への振替処理

| | | | |
|---|---|---|---|
| (賞与引当金繰入額) | 24,000 | (賞与引当金) ※1 | 24,000 |
| (仕　掛　品) ※2 | 9,600 | (賞与引当金繰入額) | 9,600 |

※1 $28,800 \times \frac{5月}{6月} = 24,000$

※2 24,000×40%＝9,600

(3) 税効果会計

| | | | |
|---|---|---|---|
| (繰延税金資産) ※ | 600 | (法人税等調整額) | 600 |

※ 24,000×30%−22,000×30%＝600

6 退職給付引当金

(1) 退職給付費用の計上（期首分）

| | | | |
|---|---|---|---|
| (退職給付費用) | 39,400 | (退職給付引当金) ※ | 39,400 |

※ ① 勤務費用：33,000

② 利息費用：250,000×３%＝7,500

問題8 解答

③　期待運用収益：80,000×２％＝1,600

④　数理計算上の差異の償却額

X19年３月期分：$600\times\dfrac{1年}{5年-3年}=300$

X21年３月期分：$800\times\dfrac{1年}{5年-1年}=200$

300＋200＝500

⑤　①＋②－③＋④＝39,400

(2)　当期支出額の修正

| | | | |
|---|---|---|---|
| (退職給付引当金)※ | 27,300 | (人　件　費) | 27,300 |

※　一時金24,000＋掛金(3,600－300)＝27,300

(3)　当期発生数理計算上の差異の償却及び製造原価への振替処理

| | | | |
|---|---|---|---|
| (退職給付費用) | 100 | (退職給付引当金)※1 | 100 |
| (仕　掛　品)※2 | 15,800 | (退職給付費用) | 15,800 |

※1　①　退職給付引当金残高：期首168,600＋費用39,400－支出27,600＝180,400

②　当期発生額：債務258,400－資産76,600－退引180,400－数差(600＋800－500)＝500（不利差異）

③　$500\times\dfrac{1年}{5年}=100$

※2　(39,400＋100)×40％＝15,800

(4)　税効果会計

| | | | |
|---|---|---|---|
| (繰延税金資産)※ | 3,570 | (法人税等調整額) | 3,570 |

※　(180,400＋100)×30％－168,600×30％＝3,570

7　人件費及び営業費から製造原価への振替処理

| | | | |
|---|---|---|---|
| (仕　掛　品) | 879,140 | (人　件　費)※1 | 879,140 |
| (仕　掛　品) | 381,315 | (営　業　費)※2 | 381,315 |

※1　(前T/B 2,247,150－22,000－27,300)×40％＝879,140

※2　(前T/B 1,270,300＋750)×30％＝381,315

8　貸倒引当金

| | | | |
|---|---|---|---|
| (貸倒引当金繰入額) | 2,700 | (貸　倒　引　当　金)※ | 2,700 |

※　(1)　受取手形：60,000

(2)　売掛金：前T/B 122,000－12,000＝110,000

(3)　((1)＋(2))×２％－前T/B 700＝2,700

9　社債

(1) 買入消却

①　適正な仕訳

| | | | |
|---|---|---|---|
| (社　　　　債) ※1 | 19,500 | (当　座　預　金) | 19,600 |
| (社　債　利　息) ※2 | 170 | (社債買入消却損益) ※3 | 70 |

※1　期首簿価(前T/B 29,150＋19,600)×$\frac{20,000}{50,000}$＝19,500

※2　①　償却額：(20,000－19,500)×$\frac{6月}{96月－36月}$＝50

②　20,000×1.2％×$\frac{6月}{12月}$＝120

③　①＋②＝170

※3　差額

②　甲社が行った仕訳

| | | | |
|---|---|---|---|
| (社　　　　債) | 19,600 | (当　座　預　金) | 19,600 |

③　修正仕訳（①－②）

| | | | |
|---|---|---|---|
| (社　債　利　息) | 170 | (社　　　　債) | 100 |
| | | (社債買入消却損益) | 70 |

(2) 償却原価法

| | | | |
|---|---|---|---|
| (社　債　利　息) | 150 | (社　　　　債) ※ | 150 |

※　{(50,000－20,000)－(29,150＋100)}×$\frac{12月}{96月－36月}$＝150

10　有価証券

(1) A社株式（売買目的有価証券）

| | | | |
|---|---|---|---|
| (有　価　証　券) ※ | 30 | (有価証券運用損益) | 30 |

※　時価1,030－前T/B 1,000＝30

(2) B社社債（満期保有目的の債券）

| | | | |
|---|---|---|---|
| (投資有価証券) ※ | 40 | (有価証券利息) | 40 |

※　(20,000－19,800)×$\frac{1年}{5年}$＝40

(3) C社株式（その他有価証券）

| | | | |
|---|---|---|---|
| (投資有価証券) ※1 | 400 | (繰延税金負債) ※2 | 120 |
| | | (その他有価証券評価差額金) ※3 | 280 |

※1　時価6,400－取得価額6,000＝400

※2　400×30％＝120

※3　差額

11　当期製品製造原価の振替処理

| | | | |
|---|---|---|---|
| (製　　　品) ※ | 2,223,000 | (仕　掛　品) | 2,223,000 |

※　(1) 材料費

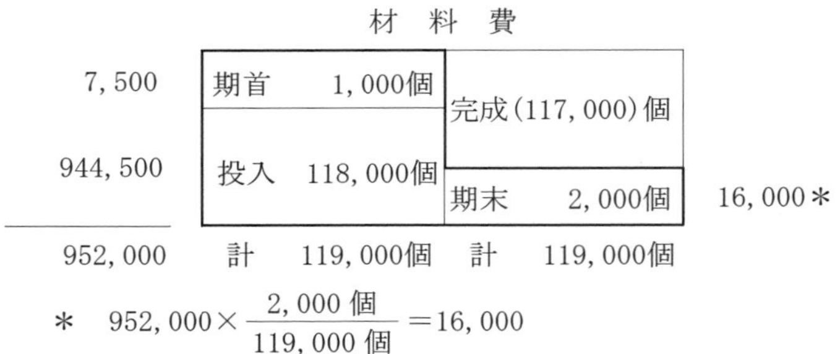


＊　$952,000 \times \frac{2,000個}{119,000個} = 16,000$

(2) 加工費

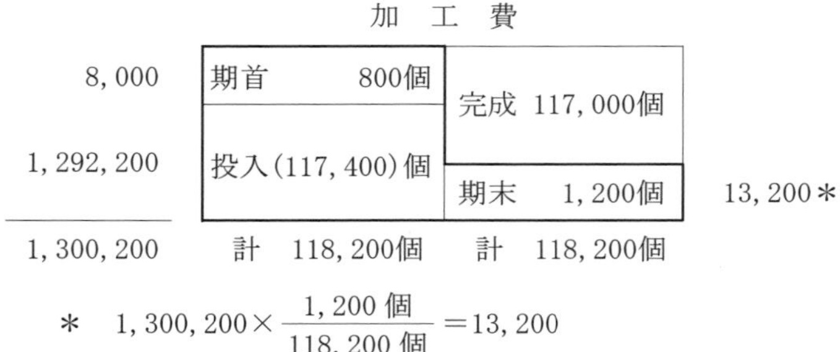


＊　$1,300,200 \times \frac{1,200個}{118,200個} = 13,200$

(3) 当期製品製造原価：期首15,500＋総製造費用2,236,700－期末29,200＝2,223,000

12　売上原価の振替処理

| | | | |
|---|---|---|---|
| (売　上　原　価) ※ | 2,198,200 | (製　　　品) | 2,198,200 |

※　(1) 期末製品の評価

製　　品

| | | | |
|---|---|---|---|
| 51,000 | 期首　3,000個 | 売上(116,000)個 | |
| 2,223,000 | 完成　117,000個 | 期末　4,000個 | 75,800＊ |
| 2,274,000 | 計　120,000個 | 計　120,000個 | |

＊　$2,274,000 \times \frac{4,000個}{120,000個} = 75,800$

(2) 売上原価：期首51,000＋完成2,223,000－期末75,800＝2,198,200

13　売上高の算定

@40×116,000個＝4,640,000

14　法人税等

| | | | |
|---|---|---|---|
| (法　人　税　等) ※1 | 59,430 | (仮 払 法 人 税 等) | 18,000 |
| | | (未 払 法 人 税 等) ※2 | 41,430 |

※1　(1) 税引前当期純利益：収益4,641,025－費用4,456,825＝184,200

(2) 年税額：184,200×30%＋法調4,170＝59,430

※2　差額

15　決算整理後残高試算表

決算整理後残高試算表　(単位：千円)

| 借方 科目 | 借方 金額 | 貸方 科目 | 貸方 金額 |
|---|---|---|---|
| 現金 | ① 900 | 支払手形 | ㉕ 30,100 |
| 当座預金 | ② 138,756 | 買掛金 | ㉖ 79,000 |
| 受取手形 | 60,000 | 未払法人税等 | ㉗ 41,430 |
| 売掛金 | ③ 110,000 | 賞与引当金 | ㉘ 24,000 |
| 有価証券 | 1,030 | 貸倒引当金 | 3,400 |
| 製品 | ④ 75,800 | 長期借入金 | 30,000 |
| 仕掛品 | ⑤ 29,200 | 社債 | ㉙ 29,400 |
| 材料 | ⑥ 2,100 | 退職給付引当金 | ㉚ 180,500 |
| 建物 | ⑦ 131,875 | 繰延税金負債 | ㉛ 120 |
| 機械装置 | ⑧ 9,000 | 資本金 | 85,000 |
| 車両 | ⑨ 16,250 | 資本準備金 | 20,000 |
| 器具備品 | ⑩ 7,700 | 利益準備金 | 1,200 |
| 土地 | 70,000 | 繰越利益剰余金 | 86,831 |
| 投資有価証券 | ⑪ 26,240 | その他有価証券評価差額金 | ㉜ 280 |
| 繰延税金資産 | ⑫ 61,350 | 売上 | ㉝ 4,640,000 |
| 売上原価 | ⑬ 2,198,200 | 受取利息配当金 | 135 |
| 人件費 | ⑭ 1,318,710 | 有価証券運用損益 | ㉞ 180 |
| 賞与引当金繰入額 | ⑮ 14,400 | 有価証券利息 | ㉟ 640 |
| 退職給付費用 | ⑯ 23,700 | 社債買入消却損益 | ㊱ 70 |
| 減価償却費 | ⑰ 7,790 | 法人税等調整額 | ㊲ 4,170 |
| 貸倒引当金繰入額 | ⑱ 2,700 | | |
| 営業費 | ⑲ 889,735 | | |
| 材料棚卸減耗費 | ⑳ 40 | | |
| 支払利息 | 450 | | |
| 社債利息 | ㉑ 680 | | |
| 雑損失 | ㉒ 20 | | |
| 車両売却損 | ㉓ 400 | | |
| 法人税等 | ㉔ 59,430 | | |
| 合計 | 5,256,456 | 合計 | 5,256,456 |

問題8 解答

16　製造原価報告書

製造原価報告書　(単位：千円)

| | | | |
|---|---|---|---|
| Ⅰ | 材料費 | | |
| | 材料期首たな卸高 | ( 1,800) | |
| | 当期材料仕入高 | ( 944,900) | |
| | 合　計 | ( 946,700) | |
| | 材料期末たな卸高 | ( 2,200) | (㊳ 944,500) |
| Ⅱ | 労務費 | | |
| | 賞与引当金繰入額 | ( 9,600) | |
| | 退職給付費用 | ( 15,800) | |
| | その他の労務費 | ( 879,140) | (㊴ 904,540) |
| Ⅲ | 製造経費 | | |
| | 減価償却費 | ( 6,285) | |
| | 材料棚卸減耗費 | ( 60) | |
| | その他の製造経費 | ( 381,315) | (㊵ 387,660) |
| Ⅳ | 当期総製造費用 | | ( 2,236,700) |
| Ⅴ | 仕掛品期首たな卸高 | | ( 15,500) |
| | 合　計 | | ( 2,252,200) |
| Ⅵ | 仕掛品期末たな卸高 | | ( 29,200) |
| Ⅶ | 当期製品製造原価 | | (㊶ 2,223,000) |

## 問題9　本支店会計　　解答

※　□で囲まれた数字は配点を示す。

（単位：千円）

| No. | 配点 | 金額 | No. | 配点 | 金額 | No. | 配点 | 金額 |
|---|---|---|---|---|---|---|---|---|
| ① | 1 | 64,463 | ② | 2 | 65,500 | ③ | 2 | 3,345 |
| ④ | 1 | 95,000 | ⑤ | 2 | 10,000 | ⑥ | 2 | 2,516 |
| ⑦ | 1 | 21,510 | ⑧ | 2 | 807,600 | ⑨ | 2 | 8,758 |
| ⑩ | 1 | 910 | ⑪ | 2 | 688,370 | ⑫ | 2 | 188,030 |
| ⑬ | 1 | 2,400 | ⑭ | 2 | 4,050 | ⑮ | 2 | 3,000 |
| ⑯ | 1 | 1,020 | ⑰ | 2 | 42,200 | ⑱ | 2 | 190 |
| ⑲ | 1 | 33,420 | ⑳ | 1 | 2,606 | ㉑ | 2 | 63,700 |
| ㉒ | 1 | 198,000 | ㉓ | 1 | 99,010 | ㉔ | 2 | 147,735 |
| ㉕ | 1 | 6,500 | ㉖ | 1 | 1,150,000 | ㉗ | 2 | 434,189 |
| ㉘ | 1 | 130 | ㉙ | 1 | 693 | ㉚ | 2 | 126,000 |
| ㉛ | 1 | 1,800,500 | ㉜ | 1 | 6,200 | ㉝ | 2 | 420 |

【配　点】　1×16カ所　2×17カ所　　合計50点

## 解答への道

### Ⅰ　本問のポイント

本問は本支店会計の総合問題である。主なポイントは以下のとおりである。

1　未達取引の処理及び照合勘定の一致

2　未達取引を踏まえた本店及び支店の売上原価の算定及び内部利益の算定

3　合併損益計算書の売上原価の内訳

### Ⅱ　具体的解説（単位：千円）

1　未達取引

(1) 商品の未達（支店）

| | | | |
|---|---|---|---|
| (本　店　仕　入)※ | 550 | (本　　店) | 550 |

※　500×1.1＝550

(2) 直接仕入の未達（本店）

| | | | |
|---|---|---|---|
| (仕　　入) | 2,400 | (買　掛　金) | 2,400 |
| (支　　店) | 2,640 | (支　店　売　上)※ | 2,640 |

※　2,400×1.1＝2,640

(3) 商品の未達（本店）

| | | | |
|---|---|---|---|
| (支　店　仕　入)※ | 147 | (支　　店) | 147 |

※　140×1.05＝147

(4) 買掛金の支払（支店）

| | | | |
|---|---|---|---|
| (買　掛　金) | 5,000 | (本　　店) | 5,000 |

(5) 営業費の支払（支店）

| | | | |
|---|---|---|---|
| (営　業　費) | 380 | (本　　店) | 380 |

(6) 支店からの振込（本店）

| | | | |
|---|---|---|---|
| (現　金　預　金) | 1,500 | (支　　店) | 1,500 |

(7) 照合勘定

支　店

| 借方 | | 貸方 | |
|---|---|---|---|
| 前T/B | 91,567 | (3) | 147 |
| | | (6) | 1,500 |
| | | 未達整理後 | 92,560 |
| (2) | 2,640 | | |

本　店

| 借方 | 貸方 | |
|---|---|---|
| 未達整理後 92,560 | 前T/B | (86,630) |
| | (1) | 550 |
| | (4) | 5,000 |
| | (5) | 380 |

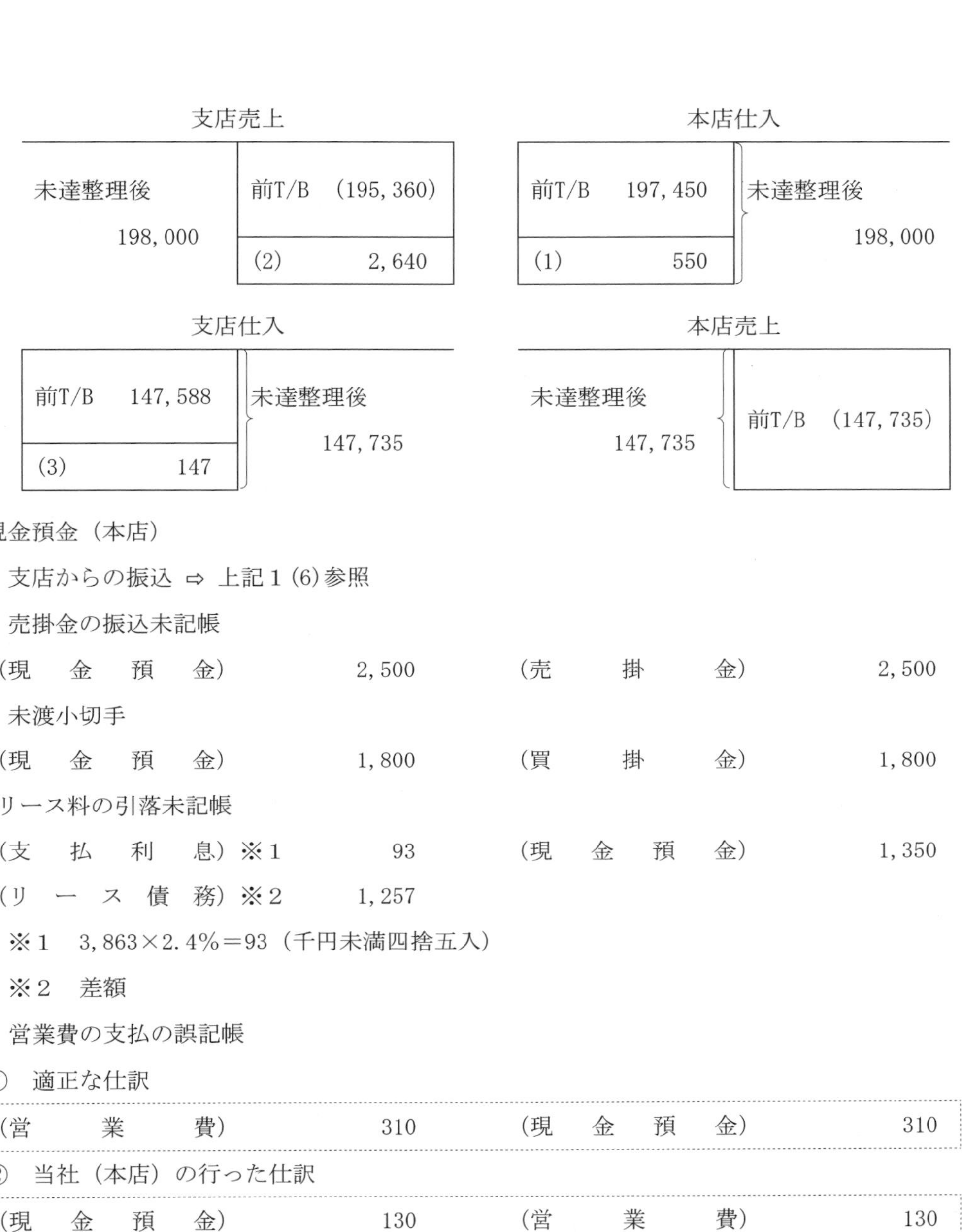


2　現金預金（本店）

(1)　支店からの振込 ⇨ 上記１(6)参照

(2)　売掛金の振込未記帳

| | | | |
|---|---|---|---|
| (現金預金) | 2,500 | (売掛金) | 2,500 |

(3)　未渡小切手

| | | | |
|---|---|---|---|
| (現金預金) | 1,800 | (買掛金) | 1,800 |

(4)リース料の引落未記帳

| | | | |
|---|---|---|---|
| (支払利息) ※1 | 93 | (現金預金) | 1,350 |
| (リース債務) ※2 | 1,257 | | |

※1　3,863×2.4%＝93（千円未満四捨五入）

※2　差額

(5)　営業費の支払の誤記帳

①　適正な仕訳

| | | | |
|---|---|---|---|
| (営業費) | 310 | (現金預金) | 310 |

②　当社（本店）の行った仕訳

| | | | |
|---|---|---|---|
| (現金預金) | 130 | (営業費) | 130 |

③　修正仕訳（①−②）

| | | | |
|---|---|---|---|
| (営業費) | 440 | (現金預金) | 440 |

3　商品

(1)　本店

| | | | |
|---|---|---|---|
| (売上原価) | 3,270 | (繰越商品) ※1 | 3,270 |
| (売上原価) | 660,000 | (仕入) ※2 | 660,000 |
| (売上原価) | 147,735 | (支店仕入) | 147,735 |
| (繰越商品) ※3 | 3,405 | (売上原価) | 3,405 |
| (棚卸減耗費) ※4 | 60 | (繰越商品) | 60 |

※１　Ａ商品1,800＋Ｂ商品1,470＝3,270（前T/B繰越商品）

※２　前T/B 657,600＋未達2,400＝660,000

※３　Ａ商品1,200＋Ｂ商品(2,058＋未達147)＝3,405

※４　Ａ商品：1,200－1,140＝60

(2) 支店

| | | | |
|---|---|---|---|
| （売　上　原　価） | 3,420 | （繰　越　商　品）※１ | 3,420 |
| （売　上　原　価） | 490,000 | （仕　　　　入） | 490,000 |
| （売　上　原　価） | 198,000 | （本　店　仕　入） | 198,000 |
| （繰　越　商　品）※２ | 3,050 | （売　上　原　価） | 3,050 |
| （棚　卸　減　耗　費）※３ | 70 | （繰　越　商　品） | 70 |

※１　Ａ商品1,320＋Ｂ商品2,100＝3,420(前T/B繰越商品)

※２　Ａ商品(1,100＋未達550)＋Ｂ商品1,400＝3,050

※３　Ｂ商品：1,400－1,330＝70

4　貸倒引当金

(1) 本店

| | | | |
|---|---|---|---|
| （貸倒引当金繰入）※ | 910 | （貸　倒　引　当　金） | 910 |

※　{受手20,000＋売掛(68,000－2,500)}×２％－前T/B 800＝910

(2) 支店

| | | | |
|---|---|---|---|
| （貸倒引当金繰入）※ | 1,020 | （貸　倒　引　当　金） | 1,020 |

※　(受手14,000＋売掛52,000)×２％－前T/B 300＝1,020

5　固定資産

(1) 本店

①　建物

| | | | |
|---|---|---|---|
| （減　価　償　却　費）※ | 5,000 | （建　　　　物） | 5,000 |

※　$150,000\times\frac{1年}{30年}=5,000$

②　備品

| | | | |
|---|---|---|---|
| （減　価　償　却　費）※ | 2,500 | （備　　　　品） | 2,500 |

※　$20,000\times\frac{1年}{8年}=2,500$

③　リース資産

(a) 前T/Bリース資産：$6,290-6,290\times\frac{2年}{5年}=3,774$

(b) 減価償却費の計上

| | | | |
|---|---|---|---|
| （減　価　償　却　費）※ | 1,258 | （リ　ー　ス　資　産） | 1,258 |

※　$6,290 \times \frac{1年}{5年} = 1,258$

(2) 支店

① 建物

| | | | |
|---|---|---|---|
| (減価償却費)※ | 2,000 | (建　　　物) | 2,000 |

※　$60,000 \times \frac{1年}{30年} = 2,000$

② 備品

| | | | |
|---|---|---|---|
| (減価償却費)※ | 1,000 | (備　　　品) | 1,000 |

※　$8,000 \times \frac{1年}{8年} = 1,000$

6　賞与引当金

(1) 賞与引当金の計上（本店）

| | | | |
|---|---|---|---|
| (賞与引当金繰入)※ | 8,000 | (賞与引当金) | 8,000 |

※　$12,000 \times \frac{4月}{6月} = 8,000$

(2) 税効果会計（本店）

| | | | |
|---|---|---|---|
| (繰延税金資産)※ | 60 | (法人税等調整額) | 60 |

※　8,000×30％－前T/B 2,340＝60

(3) 支店負担分の振替処理

① 本店

| | | | |
|---|---|---|---|
| (支　　　店) | 2,400 | (賞与引当金繰入)※ | 2,400 |

※　8,000×30％＝2,400

② 支店

| | | | |
|---|---|---|---|
| (賞与引当金繰入)※ | 2,400 | (本　　　店) | 2,400 |

※　8,000×30％＝2,400

7　退職給付引当金

(1) 退職給付費用の計上（本店）

| | | | |
|---|---|---|---|
| (退職給付費用)※ | 13,500 | (退職給付引当金) | 13,500 |

※　① 勤務費用：10,975
　　② 利息費用：125,000×２％＝2,500
　　③ 期待運用収益：60,000×１％＝600
　　④ 数理差異償却：2,500×0.25＝625
　　⑤ ①＋②－③＋④＝13,500

(2) 掛金及び一時金の修正（本店）

| | | | |
|---|---|---|---|
| (退職給付引当金)※ | 12,300 | (営　業　費) | 12,300 |

※　掛金1,800＋一時金10,500＝12,300

(3) 税効果会計（本店）

| | | | |
|---|---|---|---|
| （繰延税金資産）※ | 360 | （法人税等調整額） | 360 |

※　(62,500＋13,500－12,300)×30％－前T/B 18,750＝360

(4) 支店負担分の振替処理

①　本店

| | | | |
|---|---|---|---|
| （支店） | 4,050 | （退職給付費用）※ | 4,050 |

※　13,500×30％＝4,050

②　支店

| | | | |
|---|---|---|---|
| （退職給付費用）※ | 4,050 | （本店） | 4,050 |

※　13,500×30％＝4,050

8　営業費の見越計上

(1) 本店

| | | | |
|---|---|---|---|
| （営業費） | 360 | （未払費用） | 360 |

(2) 支店

| | | | |
|---|---|---|---|
| （営業費） | 150 | （未払費用） | 150 |

9　法人税等（本店）

| | | | |
|---|---|---|---|
| （法人税等） | 54,420 | （仮払法人税等） | 21,000 |
| | | （未払法人税等）※ | 33,420 |

※　差額

10　決算整理後残高試算表

決算整理後残高試算表

X11年３月31日　　　　　　　　　　　　（単位：千円）

| 借方科目 | 本　店 | 支　店 | 貸方科目 | 本　店 | 支　店 |
|---|---|---|---|---|---|
| 現金預金 | ① **64,463** | 58,295 | 支払手形 | 18,000 | 9,000 |
| 受取手形 | 20,000 | 14,000 | 買掛金 | ⑰ **42,200** | 11,000 |
| 売掛金 | ② **65,500** | 52,000 | 繰延内部利益 | ⑱※ **190** | ― |
| 繰越商品 | ③ **3,345** | 2,980 | 未払法人税等 | ⑲ **33,420** | ― |
| 建物 | ④ **95,000** | 49,000 | 未払費用 | 360 | 150 |
| 備品 | ⑤ **10,000** | 4,500 | 賞与引当金 | 8,000 | ― |
| リース資産 | ⑥ **2,516** | ― | 貸倒引当金 | 1,710 | 1,320 |
| 土地 | 55,000 | ― | 借入金 | 25,000 | ― |
| 繰延税金資産 | ⑦ **21,510** | ― | リース債務 | ⑳ **2,606** | ― |
| 支店 | 99,010 | ― | 退職給付引当金 | ㉑ **63,700** | ― |
| 売上原価 | ⑧ **807,600** | ⑪ **688,370** | 本店 | ― | ㉓ **99,010** |
| 営業費 | 246,159 | ⑫ **188,030** | 資本金 | 90,000 | ― |
| 賞与引当金繰入 | 5,600 | ⑬ **2,400** | 利益準備金 | 3,000 | ― |
| 退職給付費用 | 9,450 | ⑭ **4,050** | 繰越利益剰余金 | 82,388 | ― |
| 減価償却費 | ⑨ **8,758** | ⑮ **3,000** | 売上 | 1,001,000 | 799,500 |
| 貸倒引当金繰入 | ⑩ **910** | ⑯ **1,020** | 支店売上 | ㉒ **198,000** | ― |
| 棚卸減耗費 | 60 | 70 | 本店売上 | ― | ㉔ **147,735** |
| 支払利息 | 693 | ― | 法人税等調整額 | 420 | ― |
| 法人税等 | 54,420 | ― | | | |
| 合計 | 1,569,994 | 1,067,715 | 合計 | 1,569,994 | 1,067,715 |

※　下記11(2)①参照

11　合併整理

(1) 照合勘定の相殺消去

①　支店勘定と本店勘定

| (本　　　店) | 99,010 | (支　　　店) | 99,010 |
|---|---|---|---|

②　支店売上勘定と本店仕入勘定

| (支　店　売　上) | 198,000 | (本　店　仕　入) | 198,000 |
|---|---|---|---|

③　本店売上勘定と支店仕入勘定

| (本　店　売　上) | 147,735 | (支　店　仕　入) | 147,735 |
|---|---|---|---|

問題9 解答

(2) 内部利益の調整

① 期首内部利益

| | | | |
|---|---|---|---|
| (繰延内部利益) ※ | 190 | (商品期首たな卸高) | 190 |

※ (a) 本店（B商品）：1,470× $\frac{0.05}{1.05}$ =70

(b) 支店（A商品）：1,320× $\frac{0.1}{1.1}$ =120

(c) (a)＋(b)＝190

② 期末内部利益

| | | | |
|---|---|---|---|
| (商品期末たな卸高) ※ | 255 | (商　　　品) | 255 |

※ (a) 本店（B商品）：(2,058＋未達147)× $\frac{0.05}{1.05}$ =105

(b) 支店（A商品）：(1,100＋未達550)× $\frac{0.1}{1.1}$ =150

(c) (a)＋(b)＝255

12 本支店合併損益計算書

本支店合併損益計算書

X10年4月1日～X11年3月31日　（単位：千円）

| | | | | | |
|---|---|---|---|---|---|
| 商品期首たな卸高 | ㉕ | **6,500** | 売上高 | ㉛ | **1,800,500** |
| 当期商品仕入高 | ㉖ | **1,150,000** | 商品期末たな卸高 | ㉜ | **6,200** |
| 営業費 | ㉗ | **434,189** | 法人税等調整額 | ㉝ | **420** |
| 賞与引当金繰入 | | 8,000 | | | |
| 退職給付費用 | | 13,500 | | | |
| 減価償却費 | | 11,758 | | | |
| 貸倒引当金繰入 | | 1,930 | | | |
| 棚卸減耗費 | ㉘ | **130** | | | |
| 支払利息 | ㉙ | **693** | | | |
| 法人税等 | | 54,420 | | | |
| 当期純利益 | ㉚ | **126,000** | | | |
| | | 1,807,120 | | | 1,807,120 |

# 問題 10　一般総合(8)　解答

※　□で囲まれた数字は配点を示す。

決算整理後残高試算表　（単位：千円）

| 借方 科目 | 配点 | 借方 金額 | 貸方 科目 | 配点 | 貸方 金額 |
|---|---|---|---|---|---|
| 現金預金 | 2 | 147,430 | 支払手形 | | 33,000 |
| 受取手形 | | 132,000 | 買掛金 | 2 | 95,100 |
| 売掛金 | 2 | 194,700 | 未払消費税等 | 2 | 60,750 |
| 繰越商品 | 2 | 15,580 | 未払法人税等 | 2 | 76,365 |
| 建物 | | 300,000 | 前受収益 | 2 | 150 |
| 車両 | 2 | 6,200 | 賞与引当金 | 2 | 5,600 |
| 備品 | | 2,800 | 貸倒引当金 | 2 | 9,867 |
| 土地 | | 250,000 | 借入金 | | 30,000 |
| 投資有価証券 | 2 | 12,046 | 退職給付引当金 | 2 | 40,350 |
| 関係会社株式 | 2 | 1,600 | 建物減価償却累計額 | 2 | 168,750 |
| 破産更生債権等 | 2 | 6,600 | 車両減価償却累計額 | 1 | 1,920 |
| 繰延税金資産 | 1 | 14,775 | 備品減価償却累計額 | 1 | 1,725 |
| 仕入 | 1 | 1,626,050 | 繰延税金負債 | 1 | 180 |
| 販売管理費 | 1 | 992,132 | 資本金 | | 110,000 |
| 減価償却費 | 1 | 8,295 | 利益準備金 | | 11,000 |
| 賞与引当金繰入額 | 1 | 5,600 | 繰越利益剰余金 | | 88,554 |
| 退職給付費用 | 1 | 5,950 | その他有価証券評価差額金 | 1 | 420 |
| 貸倒引当金繰入額 | 1 | 8,967 | 売上 | 1 | 3,151,000 |
| 棚卸減耗費 | 1 | 170 | 受取利息配当金 | 1 | 427 |
| 支払利息 | | 600 | 法人税等調整額 | 1 | 1,365 |
| 雑損失 | 1 | 13 | | | |
| 為替差損益 | 1 | 1,200 | | | |
| 車両売却損 | 1 | 50 | | | |
| 関係会社株式評価損 | 1 | 2,400 | | | |
| 法人税等 | 1 | 151,365 | | | |
| 合計 | | 3,886,523 | 合計 | | 3,886,523 |

【配　点】　1×20カ所　2×15カ所　　合計50点

問題10 解答

## 解答への道

### Ⅰ　本問のポイント

本問は決算整理型の一般総合問題である。主なポイントは以下のとおりである。

1　商品の期末評価について、平均単価の算定及び数量の修正

2　固定資産について、買換及び耐用年数の変更

3　満期保有目的の債券について、利息法の処理

4　貸倒引当金、賞与引当金及び退職給付引当金について、各引当金の算定及び税効果会計

### Ⅱ　具体的解説（単位：千円）

1　現金預金

(1) 現金

①　販売管理費の誤記帳

| | | | |
|---|---|---|---|
| （販売管理費）※2 | 180 | （現金預金）※1 | 198 |
| （仮払消費税等）※3 | 18 | | |

※1　220－22＝198

※2　$198\times\frac{1}{1.1}=180$

※3　$198\times\frac{0.1}{1.1}=18$

②　X社債券のクーポン利息

| | | | |
|---|---|---|---|
| （現金預金） | 60 | （受取利息配当金） | 60 |

③　原因不明分

| | | | |
|---|---|---|---|
| （雑損失） | 2 | （現金預金）※ | 2 |

※　(a) 実際有高：通貨100＋クーポン60＝160

(b) 帳簿残高：300－198＋60＝162

(c) (a)－(b)＝△2

(2) 当座預金

①　時間外預入 ⇨ 仕訳不要（銀行側加算）

②　売掛金の振込未記帳

| | | | |
|---|---|---|---|
| （現金預金） | 2,200 | （売掛金） | 2,200 |

③　未取付小切手 ⇨ 仕訳不要（銀行側減算）

④　販売管理費の引落未記帳

| | | | |
|---|---|---|---|
| （販売管理費）※1 | 500 | （現金預金） | 550 |
| （仮払消費税等）※2 | 50 | | |

※1　$550 \times \frac{1}{1.1} = 500$

※2　$550 \times \frac{0.1}{1.1} = 50$

⑤　手形の不渡り

| (破産更生債権等) | 3,850 | (現金預金) | 3,850 |
|---|---|---|---|

2　売掛金

(1) 返品（A社）

| (売上) ※2 | 1,000 | (売掛金) ※1 | 1,100 |
|---|---|---|---|
| (仮受消費税等) ※3 | 100 | | |

※1　90,200－2,200－86,900＝1,100

※2　$1,100 \times \frac{1}{1.1} = 1,000$

※3　$1,100 \times \frac{0.1}{1.1} = 100$

(2) 未出荷商品（B社）

| (売上) ※2 | 3,000 | (売掛金) ※1 | 3,300 |
|---|---|---|---|
| (仮受消費税等) ※3 | 300 | | |

※1　66,000－62,700＝3,300

※2　$3,300 \times \frac{1}{1.1} = 3,000$

※3　$3,300 \times \frac{0.1}{1.1} = 300$

(3) D社売掛金の振替処理

| (破産更生債権等) | 2,750 | (売掛金) | 2,750 |
|---|---|---|---|

3　買掛金

(1) 直々差額

| (為替差損益) | 600 | (買掛金) ※ | 600 |
|---|---|---|---|

※　300千ドル×ＳＲ142円－帳簿価額42,000＝600

(2) 直先差額

| (買掛金) ※1 | 300 | (前受収益) ※2 | 150 |
|---|---|---|---|
| | | (為替差損益) ※2 | 150 |

※1　300千ドル×ＦＲ141円－帳簿価額(42,000＋600)＝△300

※2　$300 \times \frac{1月}{2月} = 150$

問題10　解答

4　商品

(1) 平均単価

① 甲商品：$\frac{1,400+15,500+29,000}{50個+500個+800個}$ ＝@34

② 乙商品：$\frac{2,100+32,400+29,400}{5個+75個+70個}$ ＝@426

③ 売上原価の算定等

| | | | |
|---|---|---|---|
| (仕　　　入) | 11,800 | (繰 越 商 品) | 11,800 |
| (繰 越 商 品) ※1 | 15,750 | (仕　　　入) | 15,750 |
| (棚 卸 減 耗 費) | 170 | (繰 越 商 品) ※2 | 170 |

※1　(a) 甲商品

帳簿数量：受入(50個＋500個＋800個)

－払出(460個＋220個＋600個－返品20個－未出荷60個)＝150個

帳簿棚卸高：@34×150個＝5,100

(b) 乙商品

帳簿数量：受入(5個＋75個＋70個)－払出(20個＋50個＋55個)＝25個

帳簿棚卸高：@426×25個＝10,650

(c) (a)＋(b)＝15,750

※2　甲商品：実地@34×(125個＋返品20個)－帳簿5,100＝△170

5　固定資産

(1) 建物

| | | | |
|---|---|---|---|
| (減 価 償 却 費) ※ | 6,750 | (建物減価償却累計額) | 6,750 |

※　300,000×0.9×$\frac{1年}{40年}$＝6,750

(2) 車両

① 買換の修正

| | | | |
|---|---|---|---|
| (車両減価償却累計額) ※1 | 1,500 | (車　　　両) | 2,000 |
| (減 価 償 却 費) ※2 | 200 | (仮 受 消 費 税 等) ※3 | 25 |
| (車 両 売 却 損) ※4 | 50 | (仮　払　金) ※5 | 3,245 |
| (車　　　両) ※6 | 3,200 | | |
| (仮 払 消 費 税 等) ※7 | 320 | | |

※1　2,000×$\frac{45月}{60月}$＝1,500

※2　2,000×$\frac{1年}{5年}$×$\frac{6月}{12月}$＝200

※3　275×$\frac{0.1}{1.1}$＝25

※4　$275\times\frac{1}{1.1}$ －簿価(2,000－1,500－200)＝△50

※5　定価3,520－下取275＝3,245

※6　$3,520\times\frac{1}{1.1}$ ＝3,200

※7　$3,520\times\frac{0.1}{1.1}$ ＝320

②　減価償却

| | | | |
|---|---|---|---|
| (減　価　償　却　費)※ | 920 | (車両減価償却累計額) | 920 |

※　(a) 期首保有分（売却分以外）：(前T/B 5,000－売却2,000)× $\frac{1年}{5年}$ ＝600

(b) 当期取得分：3,200× $\frac{1年}{5年}$ × $\frac{6月}{12月}$ ＝320

(c) (a)＋(b)＝920

(3) 備品

| | | | |
|---|---|---|---|
| (減　価　償　却　費)※ | 425 | (備品減価償却累計額) | 425 |

※　①　耐用年数短縮分：(1,200－1,200× $\frac{2年}{8年}$ )× $\frac{1年}{6年－2年}$ ＝225

②　上記①以外：(2,800－1,200)× $\frac{1年}{8年}$ ＝200

③　①＋②＝425

6　貸倒引当金

(1) 破産更生債権等

①　貸倒引当金の計上

| | | | |
|---|---|---|---|
| (貸倒引当金繰入額) | 6,600 | (貸　倒　引　当　金)※ | 6,600 |

※　(3,850＋2,750)×100％＝6,600

②　税効果会計

| | | | |
|---|---|---|---|
| (繰　延　税　金　資　産)※ | 990 | (法　人　税　等　調　整　額) | 990 |

※　{6,600－(3,850＋2,750)×50％}×30％＝990

(2) 一般債権

| | | | |
|---|---|---|---|
| (貸倒引当金繰入額) | 2,367 | (貸　倒　引　当　金)※ | 2,367 |

※　①　受取手形：132,000

②　売掛金：前T/B 204,050－2,200－1,100－3,300－2,750＝194,700

③　(①＋②)×１％－前T/B貸引900＝2,367

7　有価証券

(1) X社債券（利払日の修正）

①　×25年９月30日

（投資有価証券）※　18　（受取利息配当金）　18

※　$9,809 \times 1.6\% \times \frac{6月}{12月} - 10,000 \times 1.2\% \times \frac{6月}{12月}$ ＝18（千円未満四捨五入）

②　×26年３月31日

（投資有価証券）※　19　（受取利息配当金）　19

※　$(9,809+18) \times 1.6\% \times \frac{6月}{12月} - 10,000 \times 1.2\% \times \frac{6月}{12月}$ ＝19（千円未満四捨五入）

(2) Y社株式

（投資有価証券）※１　600　（繰延税金負債）※２　180

（その他有価証券評価差額金）※３　420

※１　期末時価2,200－取得価額1,600＝600

※２　600×30％＝180

※３　差額

(3) Z社株式

（関係会社株式評価損）　2,400　（関係会社株式）※　2,400

※　期末時価1,600－取得価額4,000＝△2,400

8　賞与引当金

(1) 賞与支給時の修正

（賞与引当金）　5,200　（販売管理費）　5,200

(2) 賞与引当金の計上

（賞与引当金繰入額）　5,600　（賞与引当金）※　5,600

※　$8,400 \times \frac{4月}{6月}$ ＝5,600

(3) 税効果会計

（繰延税金資産）※　120　（法人税等調整額）　120

※　5,600×30％－5,200×30％＝120

9　退職給付引当金

(1) 退職給付費用の計上

（退職給付費用）※　5,950　（退職給付引当金）　5,950

※　①　勤務費用：4,825

②　利息費用：60,000×２％＝1,200

③　期待運用収益：20,000×１％＝200

④　数理計算上の差異償却額：500×0.250＝125

⑤　①＋②－③＋④＝5,950

(2) 当期支出額の修正

| | | | |
|---|---|---|---|
| (退職給付引当金) ※ | 5,100 | (販売管理費) | 5,100 |

※　掛金600＋一時金4,500＝5,100

(3) 税効果会計

| | | | |
|---|---|---|---|
| (繰延税金資産) ※ | 255 | (法人税等調整額) | 255 |

※　(39,500＋5,950－5,100)×30%－39,500×30%＝255

10　消費税等

| | | | |
|---|---|---|---|
| (仮受消費税等) ※1 | 313,025 | (仮払消費税等) ※2 | 186,275 |
| | | (仮払金) | 66,000 |
| | | (未払消費税等) ※3 | 60,750 |

※1　前T/B 313,400－100－300＋25＝313,025

※2　前T/B 185,887＋18＋50＋320＝186,275

※3　差額

11　法人税等

| | | | |
|---|---|---|---|
| (法人税等) ※1 | 151,365 | (仮払金) | 75,000 |
| | | (未払法人税等) ※2 | 76,365 |

※1　(1) 税引前当期純利益：収益3,151,427－費用2,651,427＝500,000

(2) 年税額：500,000×30%＋法調1,365＝151,365

※2　差額

問題10 解答

| 問題 11 | 一般総合(9) | 解答 |
|---|---|---|

※ □で囲まれた数字は配点を示す。

決算整理後残高試算表　　（単位：千円）

| 借方科目 | 金額 | 貸方科目 | 金額 |
|---|---|---|---|
| 現金預金 | [2] 46,440 | 支払手形 | 3,500 |
| 受取手形 | [2] 22,500 | 買掛金 | [2] 11,450 |
| 売掛金 | [2] 25,500 | 未払法人税等 | [2] 11,310 |
| 繰越商品 | [2] 31,300 | 返金負債 | [2] 100 |
| 返品資産 | [2] 60 | 賞与引当金 | [2] 24,000 |
| 建物 | [2] 25,500 | 貸倒引当金 | [2] 5,960 |
| 車両 | [2] 3,250 | 借入金 | 25,000 |
| 備品 | [2] 2,800 | 退職給付引当金 | [2] 80,200 |
| 土地 | 80,000 | 繰延税金負債 | [2] 600 |
| 投資有価証券 | [2] 26,140 | 資本金 | 70,000 |
| 破産更生債権等 | [2] 5,000 | 資本準備金 | 15,000 |
| 繰延税金資産 | [1] 32,160 | 利益準備金 | 2,500 |
| 仕入 | [1] 301,140 | 繰越利益剰余金 | 16,380 |
| 人件費 | [1] 70,500 | その他有価証券評価差額金 | [1] 1,050 |
| 営業費 | [1] 29,245 | 売上 | [1] 499,900 |
| 賞与引当金繰入額 | [1] 24,000 | 受取利息配当金 | [1] 300 |
| 退職給付費用 | [1] 18,200 | 為替差損益 | [1] 10 |
| 減価償却費 | [1] 2,275 | 法人税等調整額 | [1] 2,910 |
| 貸倒引当金繰入額 | [1] 5,630 | | |
| 棚卸減耗費 | [1] 200 | | |
| 支払利息 | 1,000 | | |
| 雑損失 | [1] 20 | | |
| 法人税等 | [1] 17,310 | | |
| 合計 | 770,170 | 合計 | 770,170 |

【配　点】 [1]×16カ所　[2]×17カ所　　合計50点

## 解答への道

### Ⅰ　本問のポイント

本問は決算整理型の総合問題である。各論点については平易な内容ものが多いため、高得点を取っていただきたい問題である。

### Ⅱ　具体的解説（単位：千円）

1　現金預金

(1) 現金

①　期末換算替（外貨）

| | | | |
|---|---|---|---|
| (現　金　預　金) ※ | 10 | (為　替　差　損　益) | 10 |

※　イ　ＣＲ換算額：５千ドル×ＣＲ122円＝610

　　ロ　帳簿残高：５千ドル×ＨＲ120円＝600

　　ハ　イ－ロ＝10

②　クーポン利息

| | | | |
|---|---|---|---|
| (現　金　預　金) | 100 | (受取利息配当金) | 100 |

③　原因不明分

| | | | |
|---|---|---|---|
| (雑　損　失) ※ | 20 | (現　金　預　金) | 20 |

※　イ　実際有高：邦貨300＋外貨610＋クーポン100＝1,010

　　ロ　帳簿残高：920＋10＋100＝1,030

　　ハ　イ－ロ＝△20

(2) 当座預金

①　未渡小切手

| | | | |
|---|---|---|---|
| (現　金　預　金) | 1,000 | (買　掛　金) | 1,000 |

②　未取付小切手

(仕　訳　な　し)

③　振込未記帳

| | | | |
|---|---|---|---|
| (現　金　預　金) | 3,000 | (売　掛　金) | 3,000 |

2　商品売買等

(1) 返品見込

| | | | |
|---|---|---|---|
| (売　　上) | 100 | (返　金　負　債) ※１ | 100 |
| (返　品　資　産) ※２ | 60 | (仕　　入) | 60 |

※１　@10×10個＝100

※２　@６×10個＝60

(2) 見本品

| | | | |
|---|---|---|---|
| (営業費) | 300 | (仕入) | 300 |

(3) 売上原価の算定

| | | | |
|---|---|---|---|
| (仕入) | 25,200 | (繰越商品) | 25,200 |
| (繰越商品) ※ | 32,700 | (仕入) | 32,700 |

※ 33,000－見本品300＝32,700

(4) 棚卸減耗等

| | | | |
|---|---|---|---|
| (棚卸減耗費) ※1 | 200 | (繰越商品) | 1,400 |
| (仕入) ※2 | 1,200 | | |

※1 32,700－32,500＝200

※2 3,000－1,800＝1,200

3 貸倒引当金

(1) 破産更生債権等

① 破産更生債権等への振替

| | | | |
|---|---|---|---|
| (破産更生債権等) | 5,000 | (受取手形) | 2,000 |
| | | (売掛金) | 3,000 |

② 貸倒引当金の計上

| | | | |
|---|---|---|---|
| (貸倒引当金繰入額) ※ | 5,000 | (貸倒引当金) | 5,000 |

※ 5,000×100%＝5,000

③ 税効果会計

| | | | |
|---|---|---|---|
| (繰延税金資産) ※ | 750 | (法人税等調整額) | 750 |

※ (5,000×50%)×30%＝750

(2) 一般債権

| | | | |
|---|---|---|---|
| (貸倒引当金繰入額) ※ | 630 | (貸倒引当金) | 630 |

※ {受手(24,500－2,000)＋売掛(31,500－3,000－3,000)}×2%－前T/B 330＝630

4 固定資産

(1) 前T/B残高

① 建物：$30,000-30,000\times\frac{5年}{40年}=26,250$

② 車両：$5,000-5,000\times\frac{9月}{5年\times12月}=4,250$

③ 備品：$4,200-4,200\times\frac{20月}{8年\times12月}=3,325$

(2) 減価償却

① 建物

| 借方 | 金額 | 貸方 | 金額 |
|---|---|---|---|
| (減価償却費)※ | 750 | (建物) | 750 |

※ 30,000÷40年＝750

② 車両

| 借方 | 金額 | 貸方 | 金額 |
|---|---|---|---|
| (減価償却費)※ | 1,000 | (車両) | 1,000 |

※ 5,000÷５年＝1,000

③ 備品

| 借方 | 金額 | 貸方 | 金額 |
|---|---|---|---|
| (減価償却費)※ | 525 | (備品) | 525 |

※ 4,200÷８年＝525

5 有価証券

(1) Ｅ社株式（その他有価証券）

| 借方 | 金額 | 貸方 | 金額 |
|---|---|---|---|
| (投資有価証券)※１ | 2,000 | (繰延税金負債)※２ | 600 |
| | | (その他有価証券評価差額金)※３ | 1,400 |

※１ 当期末時価12,000－取得原価10,000＝2,000

※２ 2,000×30％＝600

※３ 差額

(2) Ｆ社株式（その他有価証券）

| 借方 | 金額 | 貸方 | 金額 |
|---|---|---|---|
| (繰延税金資産)※２ | 150 | (投資有価証券)※１ | 500 |
| (その他有価証券評価差額金)※３ | 350 | | |

※１ 当期末時価4,500－取得原価5,000＝△500

※２ 500×30％＝150

※３ 差額

(3) Ｇ社社債（満期保有目的の債券）

| 借方 | 金額 | 貸方 | 金額 |
|---|---|---|---|
| (投資有価証券)※ | 120 | (受取利息配当金) | 120 |

※ $(10,000-9,400)\times\frac{12月}{60月}=120$

6 賞与引当金

(1) 賞与引当金の取崩処理

| 借方 | 金額 | 貸方 | 金額 |
|---|---|---|---|
| (賞与引当金) | 22,000 | (人件費) | 22,000 |

(2) 賞与引当金の繰入処理

| 借方 | 金額 | 貸方 | 金額 |
|---|---|---|---|
| (賞与引当金繰入額) | 24,000 | (賞与引当金)※ | 24,000 |

※ $36,000\times\frac{4月}{6月}=24,000$

(3) 税効果会計

（繰延税金資産）※ 600 （法人税等調整額） 600

※ 24,000×30%－22,000×30%＝600

7 退職給付引当金

(1) 期首未認識数理計算上の差異

未積立(200,000－120,000)－退引75,000＝5,000(積立不足)

(2) 退職給付費用の計上

（退職給付費用）※ 18,200 （退職給付引当金） 18,200

※ ① 勤務費用：15,000

② 利息費用：200,000×２%＝4,000

③ 期待運用収益：120,000×1.5%＝1,800

④ 数理差異償却：5,000×0.2＝1,000

⑤ ①＋②－③＋④＝18,200

(3) 当期支出額（掛金拠出額及び一時金支給額）の修正

（退職給付引当金）※ 13,000 （人件費） 13,000

※ 掛金3,000＋一時金10,000＝13,000

(4) 税効果会計

（繰延税金資産）※ 1,560 （法人税等調整額） 1,560

※ (75,000＋18,200－13,000)×30%－75,000×30%＝1,560

8 法人税等

（法人税等）※１ 17,310 （仮払金） 6,000

（未払法人税等）※２ 11,310

※１ (1) 税引前当期純利益：収益500,210－費用452,210＝48,000

(2) 年税額：税引前48,000×30%＋法調2,910＝17,310

※２ 差額

## 問題 12　一般総合(10)　解答



※　□で囲まれた数字は配点を示す。

決算整理後残高試算表　(単位：千円)

| 借方 科目 | 金額 | 貸方 科目 | 金額 |
|---|---|---|---|
| 現金預金 | 1 87,595 | 支払手形 | 100,695 |
| 受取手形 | 142,400 | 買掛金 | 1 169,060 |
| 売掛金 | 1 209,600 | 未払金 | 1 210 |
| 有価証券 | 1 24,400 | 未払法人税等 | 1 24,370 |
| 繰越商品 | 1 90,000 | 賞与引当金 | 1 10,000 |
| 建物 | 1 45,072 | 貸倒引当金 | 1 3,520 |
| 備品 | 1 28,250 | 借入金 | 40,000 |
| 車両 | 1 1,992 | 社債 | 1 59,040 |
| 土地 | 100,000 | 退職給付引当金 | 1 86,450 |
| 投資有価証券 | 1 36,560 | その他の負債 | 5,233 |
| 関係会社株式 | 1 25,000 | 繰延税金負債 | 1 90 |
| その他の資産 | 4,657 | 資本金 | 120,000 |
| 繰延税金資産 | 1 28,995 | 資本準備金 | 60,000 |
| 仕入 | 2 930,850 | 利益準備金 | 5,000 |
| 営業費 | 2 422,675 | 別途積立金 | 16,000 |
| 退職給付費用 | 2 18,150 | 繰越利益剰余金 | 33,783 |
| 賞与引当金繰入 | 2 10,000 | その他有価証券評価差額金 | 1 70 |
| 貸倒引当金繰入 | 2 532 | 売上 | 1 1,545,200 |
| 減価償却費 | 2 6,950 | 受取利息配当金 | 1 2,595 |
| 棚卸減耗費 | 2 1,050 | 社債買入消却損益 | 1 480 |
| 支払利息 | 1,120 | 法人税等調整額 | 2 4,005 |
| 社債利息 | 2 1,440 | | |
| 有価証券運用損益 | 2 40 | | |
| 為替差損益 | 2 300 | | |
| 雑損失 | 2 168 | | |
| 関係会社株式評価損 | 2 25,000 | | |
| 法人税等 | 2 43,005 | | |
| 合計 | 2,285,801 | 合計 | 2,285,801 |

【配　点】　1×22カ所　2×14カ所　　合計50点

## 解答への道

### Ⅰ　本問のポイント

本問は決算整理型の一般総合問題である。現金預金（現金過不足）、売掛金の期末換算替、商品の期末評価、固定資産、有価証券、社債の買入消却等の処理が正しく行えたかがポイントとなる。

### Ⅱ　具体的解説（単位：千円）

1　現金預金

(1)　現金

①　前T/Bの現金残高

前T/B現金預金86,440－当預23,400(※)－普預12,000－定預48,000＝3,040

※　下記(2)④より

②　修正及び現金過不足

(a)　配当金領収証

| | | | |
|---|---|---|---|
| （仮払金） | 135 | （受取利息配当金）※ | 675 |
| （現金預金） | 540 | | |

※　540＋源泉135＝675

(b)　営業費

| | | | |
|---|---|---|---|
| （営業費） | 420 | （現金預金） | 420 |

(c)　原因不明分

| | | | |
|---|---|---|---|
| （雑損失） | 15 | （現金預金）※ | 15 |

※　イ　実際有高：紙幣及び硬貨1,105＋他人振出小切手1,500＋配当金領収証540＝3,145

ロ　帳簿残高3,040＋540－420＝3,160

ハ　イ－ロ＝△15

(2)　銀行勘定調整

①　未取付小切手 ⇨ 仕訳不要（銀行側減算）

②　未渡小切手

| | | | |
|---|---|---|---|
| （現金預金） | 1,050 | （買掛金） | 840 |
| | | （未払金） | 210 |

③　時間外預入 ⇨ 仕訳不要（銀行側加算）

④　銀行勘定調整表

銀行勘定調整表

| 当社残高※ | (23,400) | 銀行残高 | 24,130 |
|---|---|---|---|
| 未渡小切手 | ＋ 1,050 | 未取付小切手 | △ 100 |
| | | 時間外預入 | ＋ 420 |
| 修正後残高 | 24,450 | 修正後残高 | 24,450 |

※　差額

2　売掛金

(1) 返品

| (売　　上) | 1,050 | (売　掛　金) ※ | 1,050 |
|---|---|---|---|

※　回答額21,000－帳簿残高22,050＝△1,050

(2) 換算替

| (売　掛　金) | 200 | (為替差損益) ※ | 200 |
|---|---|---|---|

※　①　外貨金額：25,400÷ＨＲ127円＝200千ドル

②　ＣＲ換算額200千ドル×128円－帳簿残高25,400＝200

3　商品

(1) 他勘定振替

| (営　業　費) | 800 | (仕　　入) | 800 |
|---|---|---|---|

(2) 売上原価の算定

| (仕　　入) | 87,200 | (繰越商品) | 87,200 |
|---|---|---|---|
| (繰越商品) ※ | 91,900 | (仕　　入) | 91,900 |

※　修正前帳簿棚卸高92,100＋返品600－見本品800＝91,900

(3) 棚卸減耗費

| (仕　　入) ※2 | 450 | (繰越商品) ※1 | 1,500 |
|---|---|---|---|
| (棚卸減耗費) ※3 | 1,050 | | |

※1　帳簿91,900－実地(修正前実地棚卸高89,800＋返品600)＝1,500

※2　1,500×30％＝450

※3　差額

(4) 商品評価損

| (仕　　入) | 400 | (繰越商品) ※ | 400 |
|---|---|---|---|

※　返品商品原価600－評価額200＝400

4　有価証券

(1) 前T/B投資有価証券

Ｂ社債13,920（下記(4)①参照）＋Ｄ株式16,300＋Ｅ株式6,000(※)＝36,220

※　前期末時価が取得原価の50%以上下落しているため、前期末に減損処理を行っている。

(2)　前T/B関係会社株式：50,000

(3)　売買目的有価証券（A株式）

| | | | |
|---|---|---|---|
| （有　価　証　券）※ | 190 | （有価証券運用損益） | 190 |

※　当期末時価24,400－取得原価24,210＝190

(4)　満期保有目的の債券（B社債）

①　前期末償却原価：$13,800+(15,000-13,800)\times\frac{6月}{60月}=13,920$

②　金利調整差額の償却

| | | | |
|---|---|---|---|
| （投資有価証券）※ | 240 | （受取利息配当金） | 240 |

※　$(15,000-13,800)\times\frac{12月}{60月}=240$

(5)　関係会社株式（C株式）

| | | | |
|---|---|---|---|
| （関係会社株式評価損） | 25,000 | （関係会社株式）※ | 25,000 |

※　実質価額@５×25,000株×20%－帳簿価額50,000＝△25,000

当期末の実質価額が取得原価の50%以上低下しているため、減損処理を行う。

(6)　その他有価証券（D株式及びE株式）

①　D株式

| | | | |
|---|---|---|---|
| （投資有価証券）※1 | 300 | （繰延税金負債）※2 | 90 |
| | | （その他有価証券評価差額金）※3 | 210 |

※1　当期末時価16,600－取得原価16,300＝300

※2　300×30%＝90

※3　差額

②　E株式

| | | | |
|---|---|---|---|
| （繰延税金資産）※2 | 60 | （投資有価証券）※1 | 200 |
| （その他有価証券評価差額金）※3 | 140 | | |

※1　当期末時価5,800－前期末時価6,000＝△200

※2　200×30%＝60

※3　差額

5　有形固定資産

(1)　建物

①　取得原価の算定（取得価額をｘとおく。）

$x-(x\times0.034\times10年)=47,520$

$x=72,000$

② 減価償却

| | | | |
|---|---|---|---|
| (減価償却費)※ | 2,448 | (建物) | 2,448 |

※ 72,000×0.034＝2,448

(2) 備品

| | | | |
|---|---|---|---|
| (減価償却費)※ | 3,500 | (備品) | 3,500 |

※ ① 既存分：(36,000－12,000)×0.125＝3,000

② 当期取得分：$12,000\times0.125\times\frac{4月}{12月}=500$

③ ①＋②＝3,500

(3) 車両

| | | | |
|---|---|---|---|
| (減価償却費)※ | 1,002 | (車両) | 1,002 |

※ 6,000×0.167＝1,002

6 社債

(1) 前T/Bの金額

① 社債：$100,000\times\frac{96円}{100円}+(100,000-100,000\times\frac{96円}{100円})\times\frac{24月}{60月}=97,600$

② 社債利息：(100,000－40,000)×1％＝600

(2) 買入消却に係る修正

① 適正な仕訳

| | | | |
|---|---|---|---|
| (社債)※1 | 39,040 | (現金預金) | 38,920 |
| (社債利息)※2 | 360 | (社債買入消却損益)※3 | 480 |

※1 期首簿価$97,600\times\frac{40,000}{100,000}=39,040$

※2 $40,000\times1\%\times\frac{6月}{12月}+(40,000-39,040)\times\frac{6月}{60月-24月}=360$

※3 差額

② 当社が行った仕訳

| | | | |
|---|---|---|---|
| (仮払金) | 38,920 | (現金預金) | 38,920 |

③ 修正仕訳（①－②）

| | | | |
|---|---|---|---|
| (社債) | 39,040 | (仮払金) | 38,920 |
| (社債利息) | 360 | (社債買入消却損益) | 480 |

(3) 金利調整差額の償却

| | | | |
|---|---|---|---|
| (社債利息) | 480 | (社債)※ | 480 |

※ $\{60,000-(97,600-39,040)\}\times\frac{12月}{60月-24月}=480$

7　賞与引当金

(1) 賞与支給額に係る修正

| | | | |
|---|---|---|---|
| (賞　与　引　当　金) | 9,800 | (営　　業　　費) | 9,800 |

(2) 賞与引当金繰入

| | | | |
|---|---|---|---|
| (賞与引当金繰入) | 10,000 | (賞　与　引　当　金)※ | 10,000 |

※　$15,000 \times \frac{4月}{6月} = 10,000$

(3) 税効果会計

| | | | |
|---|---|---|---|
| (繰延税金資産) | 60 | (法人税等調整額) | 60 |

※　当期末10,000×30%－前期末9,800×30%＝60

8　退職給付引当金

(1) 期首における退職給付引当金（前T/B退職給付引当金）

期首未積立退職給付債務

| | | | |
|---|---|---|---|
| 期首年金資産 | 210,000 | 期首退職給付債務 | 300,000 |
| 未認識数理差異 | 16,700 | | |
| 退職給付引当金※ | 73,300 | | |

※　差額

(2) 退職給付費用の計上（当期発生数理計算上の差異の費用処理以外）

| | | | |
|---|---|---|---|
| (退職給付費用) | 18,650 | (退職給付引当金)※ | 18,650 |

※　①　勤務費用：11,000

②　利息費用：300,000×４％＝12,000

③　期待運用収益：210,000×３％＝6,300

④　数理差異償却（×12年３月期分）：$6,800 \times \frac{1年}{10年－2年} = 850$

⑤　数理差異償却（×13年３月期分）：$9,900 \times \frac{1年}{10年－1年} = 1,100$

⑥　①＋②－③＋④＋⑤＝18,650

(3) 退職給付（一時金）及び年金掛金拠出額に係る修正

| | | | |
|---|---|---|---|
| (退職給付引当金)※ | 5,000 | (営　　業　　費) | 5,000 |

※　当社からの支給額2,000＋年金掛金拠出額3,000＝5,000

(4) 当期発生数理計算上の差異の費用処理

| | | | |
|---|---|---|---|
| (退職給付引当金)※ | 500 | (退職給付費用) | 500 |

※　$5,000(*) \times \frac{1年}{10年} = 500$

（＊）当期発生数理計算上の差異の算定

イ　純額法

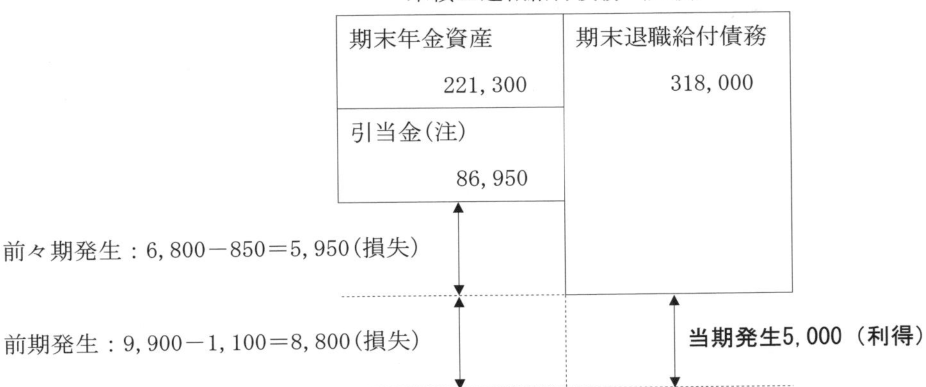


（注）期首73,300＋退費18,650－給付等5,000＝86,950

ロ　総額法

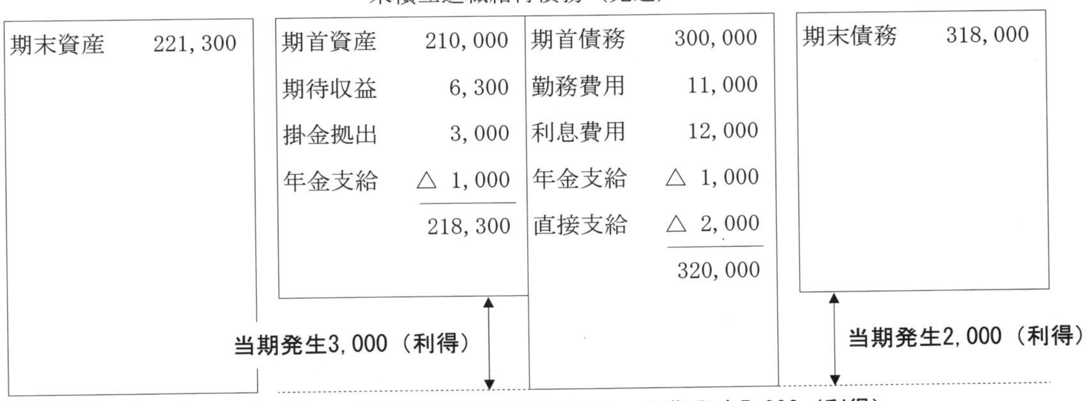


**∴　年金資産3,000(利得)＋退職給付債務2,000(利得)＝当期発生5,000（利得）**

(5)　税効果会計

| | | | |
|---|---|---|---|
| (繰 延 税 金 資 産) ※ | 3,945 | (法 人 税 等 調 整 額) | 3,945 |

※　(73,300＋18,650－5,000－500)×30%－前期73,300×30%＝3,945

9　貸倒引当金

| | | | |
|---|---|---|---|
| (貸 倒 引 当 金 繰 入) | 532 | (貸　倒　引　当　金) ※ | 532 |

※　(前T/B受手142,400＋前T/B売掛210,450－返品1,050＋換算替200)×1％
　－前T/B 2,988＝532

10　法人税等の算定

| | | | |
|---|---|---|---|
| （法　人　税　等）※1 | 43,005 | （仮　　払　　金）※2 | 18,635 |
| | | （未払法人税等）※3 | 24,370 |

※1　(1)　税引前当期純利益：収益1,548,275－費用1,418,275＝130,000

　　(2)　前税額：130,000×30％＋法調4,005＝43,005

※2　中間納付額18,500＋源泉所得税等135＝18,635

※3　差額

# 問題13　財務諸表　解答

※　□で囲まれた数字は配点を示す。

| | 配点 | 金額 | |
|---|---|---|---|
| A | 4 | 3,500 | 千円 |
| B | 4 | 42,100 | 千円 |
| C | 4 | 21,600 | 千円 |
| D | 4 | 32,240 | 千円 |
| E | 4 | 260 | 千円 |
| F | 4 | 10,788 | 千円 |
| G | 2 | 300 | 千円 |
| H | 2 | 180 | 千円 |
| I | 2 | 513,900 | 千円 |
| J | 2 | △ 27,900 | 千円 |
| K | 2 | 3,000 | 千円 |
| L | 2 | 2,000 | 千円 |
| M | 2 | 23,510 | 千円 |
| N | 2 | 4,050 | 千円 |
| O | 2 | △ 110 | 千円 |
| P | 2 | △ 2,000 | 千円 |
| Q | 2 | 600 | 千円 |
| R | 2 | 200 | 千円 |
| S | 2 | 700 | 千円 |

【配　点】　2×13カ所　4×６カ所　　合計50点

## 解答への道

### Ⅰ　本問のポイント

本問は、貸借対照表、損益計算書及びキャッシュ・フロー計算書（直接法・間接法）を資料とした推定問題である。

もし、本問がキャッシュ・フロー計算書のみを作成するならば、次の流れで金額を算定することになる。

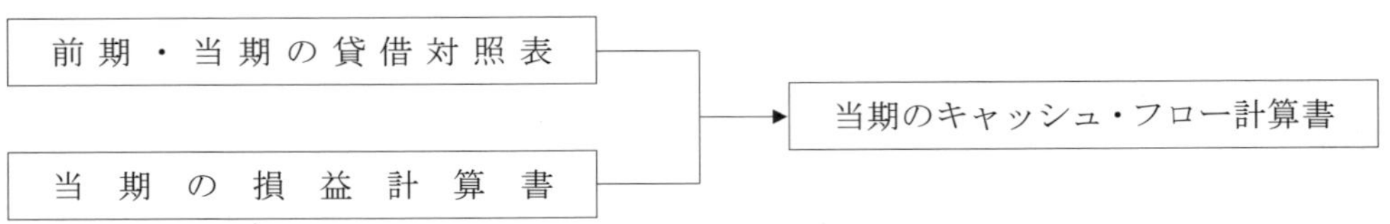


しかし、本問では貸借対照表と損益計算書の金額も算定するため、次の流れで金額を算定することも必要となる。

(1)　貸借対照表の金額

(2)　損益計算書の金額

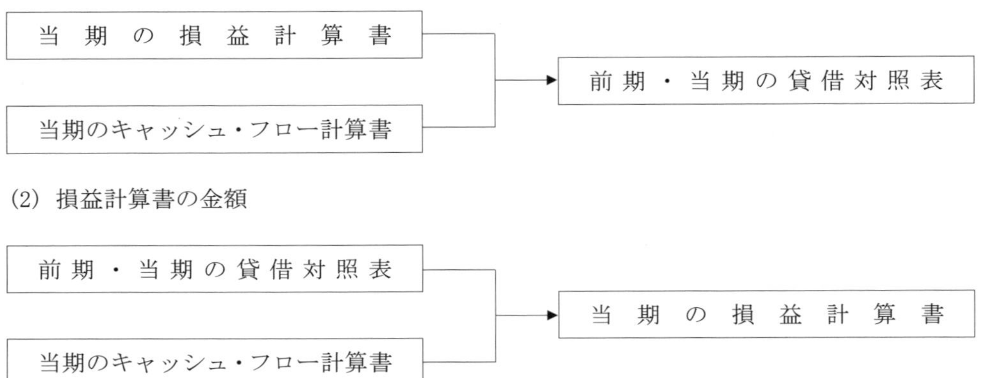


### Ⅱ　具体的解説（単位：千円）

1　当期B/S投資有価証券（　A　）

(1)　当期首の前期末時価評価の振戻処理

| | | | |
|---|---|---|---|
| （投資有価証券）※2 | 200 | （繰延税金資産）※3 | 60 |
| | | （その他有価証券評価差額金）※1 | 140 |

※1　前期B/Sより（△が付されているため、借方残高）

※2　140÷（1－30%）＝200

※3　差額

(2) 当期末の時価評価

| | | | |
|---|---|---|---|
| (繰延税金資産) ※3 | 90 | (投資有価証券) ※2 | 300 |
| (その他有価証券評価差額金) ※1 | 210 | | |

※1　当期B/Sより (△が付されているため、借方残高)

※2　210÷(1－30%)＝300

※3　差額

(3) 当期B/Sの投資有価証券

投資有価証券

| | | | |
|---|---|---|---|
| 期首 | 3,600 | 時価評価 | 300 |
| 振戻 | 200 | 期末 | 3,500 |

2　前期B/S買掛金 ( B )

仕入債務

| | | | |
|---|---|---|---|
| 仕入支出 | 382,600 | 支払手形 | 28,100 |
| | | 買掛金 | 42,100 |
| 支払手形 | 28,500 | 当期仕入 | 383,300 ← |
| 買掛金 | 42,400 | | |

売上原価

| | | | |
|---|---|---|---|
| 期首商品 | 35,200 | 期末商品 | 34,600 |
| 当期仕入 | (383,300) | P/L | 383,900 |

3　当期B/S退職給付引当金 ( C )

退職給付引当金

| | | | |
|---|---|---|---|
| 支出※ | 2,900 | 期首 | 21,000 |
| 期末 | 21,600 | 給付費用 | 3,500 |

※　C/F人件費の支出64,700－P/L給料手当61,800＝2,900

4　前期B/S繰越利益剰余金 ( D )

繰越利益剰余金

| | | | |
|---|---|---|---|
| 準備金※1 | 1,000 | 期首 | 32,240 |
| 配当支払 | 10,000 | 当期利益 | 24,752 |
| 積立金※2 | 500 | | |
| 期末 | 45,492 | | |

※1　利益準備金の積立額：当期B/S 9,000－前期B/S 8,000＝1,000

※2　任意積立金の積立額：当期B/S 6,500－前期B/S 6,000＝500

5　P/L社債利息（　E　）

金利調整差額の償却額：当期B/S社債9,880－前期B/S 9,820＝60

クーポン利息：C/F利息の支払額200

∴　60＋200＝ 260

6　P/L法人税等（　F　）

| | | | |
|---|---|---|---|
| （法人税等）※3 | 10,788 | （仮払法人税等）※1 | 5,000 |
| | | （未払法人税等）※2 | 5,788 |

※1　C/F法人税等の支払額10,400－前期分確定納付額5,400（前期B/S未払法人税等）＝5,000

※2　当期B/Sより

※3　合計

7　P/L固定資産売却益（　G　）

| | | | |
|---|---|---|---|
| （減価償却累計額）※2 | 3,600 | （備品）※1 | 6,000 |
| （現金預金）※3 | 2,700 | （固定資産売却益）※4 | 300 |

※1　当期B/S 34,000－前期B/S 40,000＝△6,000

※2　減価償却費の内訳が不明であるため、期首に売却したと仮定し、減価償却費は全額決算整理で計上したものとする。

減価償却累計額

| | | | |
|---|---|---|---|
| 売却分 | （3,600） | 期首 | 13,500 |
| 期末 | 13,950 | 減費 | 4,050 |

※3　C/F有形固定資産の売却による収入

※4　差額

8　P/L法人税等調整額（　H　）

繰延税金資産

| | | | |
|---|---|---|---|
| 期首 | 6,360 | 振戻※1 | 60 |
| 時価評価※2 | 90 | 期末 | 6,570 |
| 調整額 | 180 | | |

※1　振戻分：上記1(1)参照

※2　時価評価分：上記1(2)参照

9　C/F営業収入（　I　）

売　上　債　権

| 借方 | | 貸方 | |
|---|---|---|---|
| 受取手形 | 32,600 | 貸倒額 | 1,500 |
| 売掛金 | 56,400 | 営業収入 | 513,900 |
| 売上高 | 517,400 | 受取手形 | 33,800 |
| | | 売掛金 | 57,200 |

貸倒引当金

| 借方 | | 貸方 | |
|---|---|---|---|
| 貸倒額 | 1,500 | 期首 | 1,780 |
| 期末 | 1,820 | 繰入額 | 1,540 |

10　C/Fその他の営業支出（　J　）

その他の営業費

| 借方 | | 貸方 | |
|---|---|---|---|
| 再振替 | 1,500 | 繰延 | 1,300 |
| 支出額 | 27,900 | P/L | 28,100 |

11　C/F有価証券の売却による収入（　K　）

(1)　売買目的有価証券に関する売却損益と評価損益の合計額

配当金の受取額のうちその他有価証券に係る配当金の受取額はP/L受取配当金に、売買目的有価証券に係る配当金の受取額はP/L有価証券運用損益に計上されていることを考慮して、売買目的有価証券に係る売却損益と評価損益の合計額を算定する。

P/L有価証券運用損益700－売買目的有価証券に係る受取配当金（C/F配当金の受取額210－P/L受取配当金110）＝600

(2)　売却収入

売却損益と評価損益の内訳が不明で、売却損益と評価損益の合計額600が貸方残高（収益）であるため、600をすべて売却益または評価益と仮定して算定する。

①　売却益600と仮定した場合（評価損益は０となる）

| | | | |
|---|---|---|---|
| （現　金　預　金）※２ | 3,000 | （有　価　証　券）※１ | 2,400 |
| | | （有価証券運用損益）<br>〈有価証券売却益〉 | 600 |

※１　売却原価の算定

有　価　証　券

| 借方 | | 貸方 | |
|---|---|---|---|
| 期首 | 1,000 | 売却 | 2,400 |
| 取得 | 2,500 | 期末 | 1,100 |

※２　合計

② 評価益600と仮定した場合（売却損益は０となるため、売却原価＝収入額となる）

有　価　証　券

| | | | |
|---|---|---|---|
| 期　　首 | 1,000 | 売　　却 | 3,000 |
| 取　　得 | 2,500 | | |
| 評 価 益 | 600 | 期　　末 | 1,100 |

したがって、上記①又は②のどちらで解答しても、売却収入は3,000と求まる。

12　C/F自己株式の処分による収入（　L　）

| | | | |
|---|---|---|---|
| （現　金　預　金）※4 | 2,000 | （自　己　株　式）※2 | 1,800 |
| （新 株 予 約 権）※1 | 200 | （その他資本剰余金）※3 | 400 |

※1　当期B/S 800－前期B/S 1,000＝△200

※2　当期B/S 3,600－前期B/S 5,400＝△1,800

※3　当期B/S 1,600－前期B/S 1,200＝400

※4　差額

13　C/F現金及び現金同等物の増加額（　M　）

当期のキャッシュ・フロー計算書

| | |
|---|---|
| Ⅰ　営業活動によるキャッシュ・フロー | |
| 　営業収入 | （　513,900） |
| 　商品の仕入による支出 | △ 382,600 |
| 　人件費の支出 | △ 64,700 |
| 　その他の営業支出 | （△ 27,900） |
| 　　小　　計 | （　38,700） |
| 　配当金の受取額 | 210 |
| 　利息の支払額 | △ 200 |
| 　法人税等の支払額 | △ 10,400 |
| 営業活動によるキャッシュ・フロー | （　28,310） |
| Ⅱ　投資活動によるキャッシュ・フロー | |
| 　有価証券の取得による支出 | △ 2,500 |
| 　有価証券の売却による収入 | （　3,000） |
| 　有形固定資産の売却による収入 | 2,700 |
| 投資活動によるキャッシュ・フロー | （　3,200） |
| Ⅲ　財務活動によるキャッシュ・フロー | |
| 　自己株式の処分による収入 | （　2,000） |
| 　配当金の支払額 | △ 10,000 |
| 財務活動によるキャッシュ・フロー | （△ 8,000） |
| Ⅳ　現金及び現金同等物の増加額 | （　23,510） |
| Ⅴ　現金及び現金同等物の期首残高 | （　※　） |
| Ⅵ　現金及び現金同等物の期末残高 | （　※　） |

※　現金及び現金同等物の期首残高及び期末残高は本問においては不明となる。
なお、貸借対照表の現金預金及び資本金も本問においては不明となる。

14　仮にキャッシュ・フロー計算書が間接法であった場合

キャッシュ・フロー計算書

| Ⅰ　営業活動によるキャッシュ・フロー | |
|---|---|
| 税引前当期純利益 | （　35,360　） |
| 減価償却費 | （N　4,050　） |
| 貸倒引当金の増加額 | （　40　） |
| 退職給付引当金の増加額 | （　600　） |
| 受取配当金 | （O　△　110　） |
| 有価証券運用損益 | （　△　700　） |
| 社債利息 | （　260　） |
| 固定資産売却益 | （　△　300　） |
| 売上債権の増加額 | （P　△　2,000　） |
| 棚卸資産の減少額 | （Q　600　） |
| 前払費用の減少額 | （R　200　） |
| 仕入債務の増加額 | （S　700　） |
| 小　　計 | （　38,700　） |

(1)　減価償却費（N）

P/Lより4,050 → **4,050**（プラス調整）

(2)　受取配当金（O）

P/Lより110 → **△110**（マイナス調整）

(3)　売上債権の増加額（P）

当期B/S(33,800＋57,200)－前期B/S(32,600＋56,400)＝2,000 → **△2,000**（マイナス調整）

(4)　棚卸資産の減少額（Q）

当期B/S 34,600－前期B/S 35,200＝△600 → **600**（プラス調整）

(5)　前払費用の減少額（R）

当期B/S 1,300－前期B/S 1,500＝△200 → **200**（プラス調整）

(6)　仕入債務の増加額（S）

当期B/S(28,500＋42,400)－前期B/S(28,100＋42,100)＝700 → **700**（プラス調整）

# 問題 14　帳簿組織　解答

※　□で囲まれた数字は配点を示す。

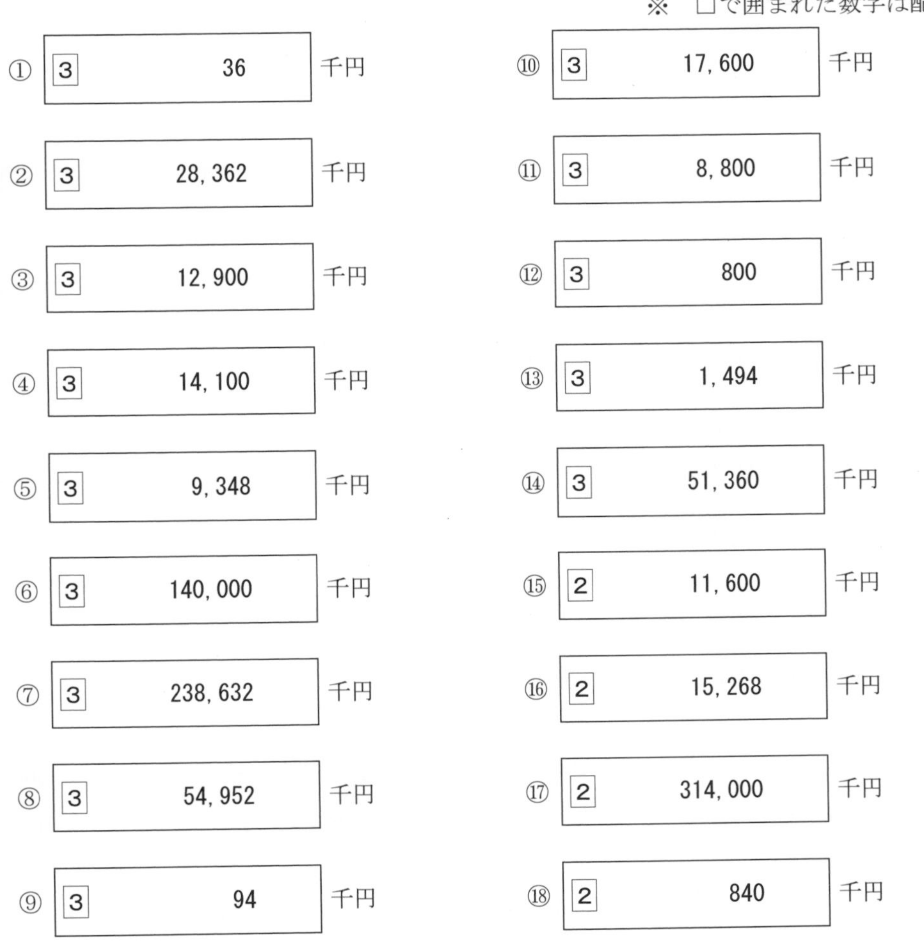

| | 配点 | 解答 | 単位 | | 配点 | 解答 | 単位 |
|---|---|---|---|---|---|---|---|
| ① | 3 | 36 | 千円 | ⑩ | 3 | 17,600 | 千円 |
| ② | 3 | 28,362 | 千円 | ⑪ | 3 | 8,800 | 千円 |
| ③ | 3 | 12,900 | 千円 | ⑫ | 3 | 800 | 千円 |
| ④ | 3 | 14,100 | 千円 | ⑬ | 3 | 1,494 | 千円 |
| ⑤ | 3 | 9,348 | 千円 | ⑭ | 3 | 51,360 | 千円 |
| ⑥ | 3 | 140,000 | 千円 | ⑮ | 2 | 11,600 | 千円 |
| ⑦ | 3 | 238,632 | 千円 | ⑯ | 2 | 15,268 | 千円 |
| ⑧ | 3 | 54,952 | 千円 | ⑰ | 2 | 314,000 | 千円 |
| ⑨ | 3 | 94 | 千円 | ⑱ | 2 | 840 | 千円 |

【配　点】　2×４カ所　3×14カ所　　合計50点

## 解答への道

### I　本問のポイント

帳簿組織を絡めた簿記一巡型の総合問題である。特段難易度の高い出題はないが、集計の際、二重仕訳や一部当座取引などには注意が必要であった。特殊仕訳帳絡みで間違えてしまった方は今一度、理解を深めるための確認をしていただきたい。

## Ⅱ　具体的解説（単位：千円）

1　前期末残高の不明金額の算定（建物・別途積立金）

(1) 減価償却累計額の内訳

①　リース分

$$2,400 \times \frac{1年}{5年} = 480$$

（注）所有権移転外ファイナンス・リースのため、残存価額をゼロ、償却期間をリース期間として計算する。

②　建物分

残高47,730－リース分480＝47,250

(2) 建物の取得原価の推定

建物の取得原価を$\chi$とおく

$$\chi \times 0.9 \times \frac{15年}{40年} = 47,250$$

$$0.3375\chi = 47,250$$

$$\chi = 140,000$$

∴　建物：140,000

(3) 別途積立金：貸借差額により 20,000

2　開始仕訳

| 借方 | 金額 | 貸方 | 金額 |
|---|---|---|---|
| (小口現金) | 30 | (支払手形) | 12,200 |
| (当座預金) | 19,920 | (買掛金) | 9,040 |
| (受取手形) | 13,000 | (前受金) | 1,400 |
| (売掛金) | 14,600 | (未払営業費) | 700 |
| (繰越商品) | 8,140 | (貸倒引当金) | 476 |
| (未収利息) | 280 | (リース債務) | 1,956 |
| (建物) | 140,000 | (減価償却累計額) | 47,730 |
| (リース資産) | 2,400 | (資本金) | 260,000 |
| (土地) | 218,000 | (資本準備金) | 40,000 |
| (貸付金) | 20,000 | (利益準備金) | 10,000 |
| | | (別途積立金) | 20,000 |
| | | (繰越利益剰余金) | 32,868 |

3　再振替仕訳

| 借方 | 金額 | 貸方 | 金額 |
|---|---|---|---|
| (受取利息) | 280 | (未収利息) | 280 |
| (未払営業費) | 700 | (営業費) | 700 |

4　営業仕訳（転記不要のものには✓を付している。）

(1) 特殊仕訳帳に記帳されない取引及び一部当座取引

① 小口現金による営業費の支払

| | | | |
|---|---|---|---|
| （営業費） | 4,492 | （小口現金） | 4,492 |

② 売掛金の貸倒れ

| | | | |
|---|---|---|---|
| （貸倒引当金） | 100 | （売掛金） | 100 |

③ 手形の割引（一部当座取引）

| | | | |
|---|---|---|---|
| （当座預金）※✓ | 480 | （受取手形） | 500 |
| （手形売却損） | 20 | | |

※ 差額

④ 利益準備金の積立て

| | | | |
|---|---|---|---|
| （繰越利益剰余金） | 1,600 | （利益準備金）※ | 1,600 |

※ 資本金260,000× $\frac{1}{4}$ －準備金（資準40,000＋利準10,000）＝15,000
配当額16,000× $\frac{1}{10}$ ＝1,600
} 小さい方 ∴ 1,600

(2) 合計仕訳

① 当座預金出納帳（預入）

| | | | |
|---|---|---|---|
| （当座預金） | 314,720 | （売掛金） | 92,600 |
| | | （受取手形）※✓ | 480 |
| | | （受取手形） | 202,800 |
| | | （前受金） | 11,800 |
| | | （売上）✓ | 6,200 |
| | | （受取利息） | 840 |

※ 一部当座取引に係るもののため転記は不要である。

② 当座預金出納帳（引出）

| | | | |
|---|---|---|---|
| （買掛金） | 158,240 | （当座預金） | 306,278 |
| （支払手形） | 76,600 | | |
| （営業費） | 50,400 | | |
| （小口現金） | 4,498 | | |
| （繰越利益剰余金） | 16,000 | | |
| （諸口）※✓ | 540 | | |

※ リース料支払時の具体的な仕訳は次のとおりとなる。

| | | | |
|---|---|---|---|
| （支払利息）※1 | 78 | （当座預金） | 540 |
| （リース債務）※2 | 462 | | |

※1　リース債務残高1,956×4％＝78（千円未満切捨）

※2　差額

③　売上帳

| | | | | |
|---|---|---|---|---|
| （当座預金）✓ | 6,200 | （売　　上） | | 314,000 |
| （売　掛　金） | 255,400 | | | |
| （受取手形）✓ | 40,000 | | | |
| （前　受　金） | 12,400 | | | |

④　仕入帳

| | | | |
|---|---|---|---|
| （仕　　入） | 240,000 | （買　掛　金） | 240,000 |

⑤　受取手形記入帳

| | | | | |
|---|---|---|---|---|
| （受取手形） | 203,200 | （売　掛　金） | | 163,200 |
| | | （売　　上） | ✓ | 40,000 |

⑥　支払手形記入帳

| | | | |
|---|---|---|---|
| （買　掛　金） | 82,000 | （支払手形） | 82,000 |

5　決算整理仕訳

(1)　売上原価の算定等

| | | | |
|---|---|---|---|
| （仕　　入） | 8,140 | （繰越商品） | 8,140 |
| （繰越商品） | 10,000 | （仕　　入） | 10,000 |
| （商品減耗損） | 160 | （繰越商品）※ | 160 |
| （仕　　入） | 492 | （繰越商品） | 492 |

※　期末帳簿棚卸高10,000－期末実地棚卸高9,840＝160

(2)　貸倒引当金

| | | | |
|---|---|---|---|
| （貸倒引当金繰入）※ | 94 | （貸倒引当金） | 94 |

※（受取手形12,900＋売掛金14,100＋貸付金20,000）×1％－前T/B（476－貸倒100）＝94

(3)　他の資料から判明するもの

①　減価償却

| | | | |
|---|---|---|---|
| （減価償却費）※ | 3,630 | （減価償却累計額） | 3,630 |

※　建　物：$140,000 \times 0.9 \times \frac{1年}{40年} = 3,150$
　　リース：$2,400 \times \frac{1年}{5年} = 480$
　　計 3,630

② 利息の見越

| | | | |
|---|---|---|---|
| （未収利息） | 280 | （受取利息）※ | 280 |

※ $20,000 \times 4.2\% \times \frac{4月}{12月} = 280$

③ 営業費の見越

| | | | |
|---|---|---|---|
| （営業費） | 760 | （未払営業費）※ | 760 |

※ 後T/Bより

6 決算整理後残高試算表

決算整理後残高試算表

| | | | |
|---|---|---|---|
| 小口現金 | ① 36 | 支払手形 | ⑩ 17,600 |
| 当座預金 | ② 28,362 | 買掛金 | ⑪ 8,800 |
| 受取手形 | ③ 12,900 | 前受金 | ⑫ 800 |
| 売掛金 | ④ 14,100 | 未払営業費 | 760 |
| 繰越商品 | ⑤ 9,348 | 貸倒引当金 | 470 |
| 未収利息 | 280 | リース債務 | ⑬ 1,494 |
| 建物 | ⑥140,000 | 減価償却累計額 | ⑭ 51,360 |
| リース資産 | 2,400 | 資本金 | 260,000 |
| 土地 | 218,000 | 資本準備金 | 40,000 |
| 貸付金 | 20,000 | 利益準備金 | ⑮ 11,600 |
| 仕入 | ⑦238,632 | 別途積立金 | 20,000 |
| 営業費 | ⑧ 54,952 | 繰越利益剰余金 | ⑯ 15,268 |
| 貸倒引当金繰入 | ⑨ 94 | 売上 | ⑰314,000 |
| 減価償却費 | 3,630 | 受取利息 | ⑱ 840 |
| 商品減耗損 | 160 | | |
| 支払利息 | 78 | | |
| 手形売却損 | 20 | | |
| | 742,992 | | 742,992 |

問題14 解答

## 問題 15　一般総合(11)　解答

※　□で囲まれた数字は配点を示す。

修正後の決算整理後残高試算表　(単位：千円)

| 借方 勘定科目 | | 金額 | 貸方 勘定科目 | | 金額 |
|---|---|---|---|---|---|
| 現金預金 | 2 | 16,298 | 支払手形 | 1 | 87,500 |
| 受取手形 | 2 | 98,000 | 買掛金 | 1 | 42,795 |
| 売掛金 | 2 | 51,100 | 未払金 | 1 | 1,315 |
| 商品 | 2 | 26,140 | 未払費用 | 1 | 1,215 |
| 貯蔵品 | 2 | 30 | 未払法人税等 | 1 | 9,425 |
| 有価証券 | 2 | 29,800 | 貸倒引当金 | 1 | 2,491 |
| 未収収益 | 1 | 150 | 賞与引当金 | 1 | 9,600 |
| 建物 | 1 | 232,500 | リース債務 | 1 | 48,600 |
| 車両 | 1 | 4,500 | 社債 | 1 | 18,980 |
| 備品 | 1 | 1,700 | 退職給付引当金 | 1 | 21,500 |
| リース資産 | 1 | 43,740 | 繰延税金負債 | 1 | 600 |
| 土地 | 1 | 100,000 | 資本金 | | 165,000 |
| ソフトウェア | 1 | 560 | 資本準備金 | | 48,750 |
| 投資有価証券 | 1 | 42,000 | 繰越利益剰余金 | | 161,322 |
| 破産更生債権等 | 1 | 1,500 | その他有価証券評価差額金 | 1 | △ 700 |
| 繰延税金資産 | 1 | 10,380 | 売上高 | 1 | 799,075 |
| 売上原価 | 1 | 454,780 | 受取利息配当金 | 1 | 650 |
| 棚卸減耗損 | 1 | 1,200 | 有価証券利息 | 1 | 700 |
| 営業費 | 1 | 63,851 | | | |
| 減価償却費 | 1 | 13,410 | | | |
| ソフトウェア償却 | 1 | 40 | | | |
| 貸倒引当金繰入 | 1 | 1,307 | | | |
| 人件費 | 1 | 205,819 | | | |
| 手形売却損 | 1 | 479 | | | |
| 支払利息 | 1 | 1,215 | | | |
| 社債利息 | 1 | 780 | | | |
| 為替差損益 | 1 | 394 | | | |
| 法人税等 | 1 | 14,925 | | | |
| 法人税等調整額 | 1 | 2,220 | | | |
| 合計 | | 1,418,818 | 合計 | | 1,418,818 |

【配　点】　1×38カ所　2×6カ所　　合計50点

## 解答への道

### Ⅰ　本問のポイント

本問は、誤った試算表を適正な試算表に修正する問題である。決算整理事項等の資料から適正な残高を算定できるものについては直接適正な残高を算定し、算定できない場合には誤処理を取り消してから適正な仕訳をやり直すことで適正な残高を算定することが必要となる。誤処理の修正については決算整理型の問題においてはよく出題されるものとなるため、解答手順を身に付けておくことが必要となる。

### Ⅱ　具体的解説（単位：千円）

1　現金預金

(1) 現金（期末換算替）

| | | | |
|---|---|---|---|
| (為替差損益) | 4 | (現金預金)※ | 4 |

※　CR換算額(2,000ドル×CR108円)－帳簿残高(800－国内通貨580)＝△4

(2) 当座預金

①　雑収入振替分の取消

| | | | |
|---|---|---|---|
| (雑収入)※ | 267 | (現金預金) | 267 |

※　修正前T/Bより

②　手形割引（手形No.555）

(a) 適正な仕訳

| | | | |
|---|---|---|---|
| (現金預金) | 585 | (受取手形) | 600 |
| (手形売却損)※ | 15 | | |

※　差額

(b) 当社が行った仕訳

| | | | |
|---|---|---|---|
| (現金預金) | 600 | (受取手形) | 600 |

(c) 修正仕訳（(a)－(b)）

| | | | |
|---|---|---|---|
| (手形売却損) | 15 | (現金預金) | 15 |

③　未渡小切手（小切手No.301）

| | | | |
|---|---|---|---|
| (現金預金)※ | 465 | (買掛金) | 465 |

※　当社の金庫の中に保管されていることから、未渡小切手に該当する。

④　電話料金引落未記帳

| | | | |
|---|---|---|---|
| (営業費) | 183 | (現金預金) | 183 |

2　貯蔵品

| | | | |
|---|---|---|---|
| (営業費) | 70 | (貯蔵品)※ | 70 |

※　前期末未使用（【資料２】勘定内訳より）

3　売上

(1) 得意先Ａ社からの売上返品

| (売上高) | 400 | (売掛金) | 400 |
|---|---|---|---|

(2) 得意先Ｂ社に対する販売（３月30日出荷分）

①　適正な仕訳

仕訳なし※

※　当社は出荷基準により売上を認識しているため、売上を取消す必要はない。

②　当社が行った仕訳

| (雑損失) ※ | 3,000 | (売掛金) | 3,000 |
|---|---|---|---|

※　修正前T/Bより

③　修正仕訳（①－②）

| (売掛金) | 3,000 | (雑損失) | 3,000 |
|---|---|---|---|

4　商品

(1) 売上返品に係る売上原価の修正

| (商品) ※ | 240 | (売上原価) | 240 |
|---|---|---|---|

※　商品原価@2,400円×返品数量100個＝240

(2) 商品評価損

| (売上原価) | 20 | (商品) ※ | 20 |
|---|---|---|---|

※　(商品原価@2,400円－正味売却価額@2,300円)×200個＝20

5　貸倒引当金

(1) 破産更生債権等への振替

| (破産更生債権等) | 1,500 | (売掛金) ※ | 1,500 |
|---|---|---|---|

※　【資料２】勘定内訳より

(2) 貸倒引当金の設定

①　破産更生債権等

| (貸倒引当金繰入) | 1,000 | (貸倒引当金) ※ | 1,000 |
|---|---|---|---|

※　1,500－担保500＝1,000

②　一般債権

| (貸倒引当金繰入) | 11 | (貸倒引当金) ※ | 11 |
|---|---|---|---|

※　(a) 一般債権：イ　受取手形：修正前T/B 98,000

ロ　売掛金：修正前T/B 50,000－400＋3,000－1,500＝51,100

ハ　イ＋ロ＝149,100

(b) 一般債権に対する設定額：(a)×１％＝1,491

(c) 繰入額：(b)－修正前T/B貸引1,480＝11

6　有形固定資産

(1) 建物 ⇨ 修正不要

(2) 車両 ⇨ 修正不要

(3) 備品 ⇨ 減価償却費の修正

① 適正な仕訳

| (減価償却費) | 300 | (備品)※ | 300 |
|---|---|---|---|

※ $2,000 \times \frac{1年}{5年} \times \frac{9月}{12月} = 300$

② 当社が行った仕訳

| (減価償却費) | 400 | (備品)※ | 400 |
|---|---|---|---|

※ 【資料２】勘定内訳より

③ 修正仕訳（①－②）

| (備品) | 100 | (減価償却費) | 100 |
|---|---|---|---|

7　リース取引

(1) 未払費用の取消

| (未払費用)※ | 5,625 | (営業費) | 5,625 |
|---|---|---|---|

※ 修正前T/Bより

(2) リース資産の計上

| (リース資産)※ | 48,600 | (リース債務) | 48,600 |
|---|---|---|---|

※ ① リース料総額の現在価値：11,250×年金現価係数4.32＝48,600

② 見積現金購入価額：49,200

③ ①<② ∴ 48,600

(3) 減価償却

| (減価償却費)※ | 4,860 | (リース資産) | 4,860 |
|---|---|---|---|

※ $48,600 \times \frac{1年}{5年} \times \frac{6月}{12月} = 4,860$

(4) 支払利息の見越計上

| (支払利息) | 1,215 | (未払費用)※ | 1,215 |
|---|---|---|---|

※ リース債務$48,600 \times 5.0\% \times \frac{6月}{12月} = 1,215$

8　ソフトウェア

(1) 取得時の修正

① 適正な仕訳

| (ソフトウェア)※1 | 600 | (現金預金)※3 | 825 |
|---|---|---|---|
| (営業費)※2 | 225 | | |

問題15 解答

※１　購入代価500＋設定作業100＝600

※２　移替作業

※３　借方合計

②　当社が行った仕訳

| 借方 | 金額 | 貸方 | 金額 |
|---|---|---|---|
| (営　　業　　費)※ | 825 | (現　金　預　金) | 825 |

※　【資料２】勘定内訳より

③　修正仕訳（①－②）

| 借方 | 金額 | 貸方 | 金額 |
|---|---|---|---|
| (ソ フ ト ウ ェ ア) | 600 | (営　　業　　費) | 600 |

(2) 減価償却

| 借方 | 金額 | 貸方 | 金額 |
|---|---|---|---|
| (ソフトウェア償却)※ | 40 | (ソ フ ト ウ ェ ア) | 40 |

※　$600 \times \frac{1年}{5年} \times \frac{4月}{12月} = 40$

9　投資有価証券

(1) Ｘ株式

①　適正な仕訳

| 借方 | 金額 | 貸方 | 金額 |
|---|---|---|---|
| (繰 延 税 金 資 産)※２ | 900 | (投 資 有 価 証 券)※１ | 3,000 |
| (その他有価証券評価差額金)※３ | 2,100 | | |

※１　期末時価16,000－取得価額19,000＝△3,000

※２　3,000×30％＝900

※３　差額

②　当社が行った仕訳

| 借方 | 金額 | 貸方 | 金額 |
|---|---|---|---|
| (投資有価証券評価損益)※ | 3,000 | (投 資 有 価 証 券) | 3,000 |

※　【資料２】勘定内訳より

③　修正仕訳（①－②）

| 借方 | 金額 | 貸方 | 金額 |
|---|---|---|---|
| (繰 延 税 金 資 産) | 900 | (投資有価証券評価損益) | 3,000 |
| (その他有価証券評価差額金) | 2,100 | | |

(2) Ｙ株式

①　適正な仕訳

| 借方 | 金額 | 貸方 | 金額 |
|---|---|---|---|
| (投 資 有 価 証 券)※１ | 2,000 | (繰 延 税 金 負 債)※２ | 600 |
| | | (その他有価証券評価差額金)※３ | 1,400 |

※１　期末時価26,000－取得価額24,000＝2,000

※２　2,000×30％＝600

※３　差額

② 当社が行った仕訳

| | | | |
|---|---|---|---|
| (投資有価証券) | 2,000 | (投資有価証券評価損益) ※ | 2,000 |

※ 【資料２】勘定内訳より

③ 修正仕訳（①－②）

| | | | |
|---|---|---|---|
| (投資有価証券評価損益) | 2,000 | (繰延税金負債) | 600 |
| | | (その他有価証券評価差額金) | 1,400 |

(3) Z社債

① 期末評価

償還期日が翌期であり、有価証券勘定への振替処理は適正に行われているため、必要となる修正仕訳は有価証券勘定により示す。

(a) 適正な仕訳

| | | | |
|---|---|---|---|
| (有価証券) ※ | 400 | (有価証券利息) | 400 |

※ (額面30,000－期首簿価29,400) × $\frac{12月}{18月}$ ＝400

(b) 当社が行った仕訳

| | | | |
|---|---|---|---|
| (有価証券) | 600 | (投資有価証券評価損益) ※ | 600 |

※ 【資料２】勘定内訳より

(c) 修正仕訳（(a)－(b)）

| | | | |
|---|---|---|---|
| (投資有価証券評価損益) | 600 | (有価証券) | 200 |
| | | (有価証券利息) | 400 |

② クーポン利息の見越計上

| | | | |
|---|---|---|---|
| (未収収益) ※ | 150 | (有価証券利息) | 150 |

※ 30,000×1.0%× $\frac{6月}{12月}$ ＝150

10 社債

(1) 適正な仕訳

| | | | |
|---|---|---|---|
| (社債利息) ※1 | 780 | (現金預金) ※2 | 600 |
| | | (社債) ※3 | 180 |

※1 18,800×4.15%＝780（千円未満四捨五入）

※2 修正前T/B社債利息(支払額)

※3 差額

(2) 当社が行った仕訳

| | | | |
|---|---|---|---|
| (社債利息) | 600 | (現金預金) | 600 |

(3) 修正仕訳（(1)－(2)）

| | | | |
|---|---|---|---|
| (社　債　利　息) | 180 | (社　　　　債) | 180 |

11　賞与引当金（前期計上額の修正）

| | | | |
|---|---|---|---|
| (賞　与　引　当　金)※ | 8,400 | (人　　件　　費) | 8,400 |

※　前期計上額（【資料２】勘定内訳より）

12　退職給付引当金

(1)　３月31日退職者分

| | | | |
|---|---|---|---|
| (退職給付引当金) | 1,000 | (未　　払　　金) | 1,000 |

(2) 企業年金拠出額及び一時金支払額

| | | | |
|---|---|---|---|
| (退職給付引当金)※ | 16,500 | (人　　件　　費) | 16,500 |

※　年金拠出4,500＋一時金12,000＝16,500（【資料２】勘定内訳より）

13　税効果会計

(1) 貸倒引当金（破産更生債権等）

| | | | |
|---|---|---|---|
| (繰延税金資産)※ | 150 | (法人税等調整額) | 150 |

※　①（1,500－担保500）×50%＝500

②（貸引1,000－①）×30%＝150

(2) 賞与引当金

| | | | |
|---|---|---|---|
| (繰延税金資産)※ | 360 | (法人税等調整額) | 360 |

※　当期計上額9,600×30%－2,520（【資料２】勘定内訳より）＝360

(3) 退職給付引当金

| | | | |
|---|---|---|---|
| (法人税等調整額) | 2,730 | (繰延税金資産)※ | 2,730 |

※　（修正前T/B 39,000－1,000－16,500）×30%－9,180（【資料２】勘定内訳より）＝△2,730

14　法人税等

| | | | |
|---|---|---|---|
| (法　人　税　等)※ | 5,925 | (未払法人税等) | 5,925 |

※　修正後年税額14,925－修正前T/B 9,000＝5,925

## 問題 16　一般総合(12)　解答

※　□で囲まれた数字は配点を示す。

（単位：円）

| | 配点 | 金額 | | 配点 | 金額 | | 配点 | 金額 |
|---|---|---|---|---|---|---|---|---|
| ① | 1 | 16,320,620 | ② | 1 | 99,520,000 | ③ | 1 | 18,300,000 |
| ④ | 1 | 3,704,000 | ⑤ | 1 | 32,990,000 | ⑥ | 1 | 240,000 |
| ⑦ | 1 | 7,376,400 | ⑧ | 1 | 1,785,000 | ⑨ | 1 | 305,150,000 |
| ⑩ | 1 | 67,402,772 | ⑪ | 1 | 4,877,500 | ⑫ | 1 | 1,096,960 |
| ⑬ | 1 | 5,168,000 | ⑭ | 1 | 2,000,000 | ⑮ | 1 | 489,500 |
| ⑯ | 1 | 693,600 | ⑰ | 2 | 11,441,400 | ⑱ | 2 | 558,600 |
| ⑲ | 2 | 50,216,000 | ⑳ | 2 | 2,485,000 | ㉑ | 2 | 64,500 |
| ㉒ | 2 | 6,600,000 | ㉓ | 2 | 2,240,000 | ㉔ | 2 | 19,368,000 |
| ㉕ | 2 | 23,400,000 | ㉖ | 2 | 3,640,000 | ㉗ | 2 | 2,100,000 |
| ㉘ | 2 | 428,842,800 | ㉙ | 2 | 50,000 | ㉚ | 2 | 300,000 |
| ㉛ | 2 | 94,000 | ㉜ | 2 | 243,000 | ㉝ | 2 | 175,000 |

【配　点】　1×16カ所　2×17カ所　　合計50点

### 解答への道

**I　本問のポイント**

本問は決算整理型の一般総合問題であり、銀行勘定調整（当座借越）、貸倒引当金、商品の期末評価、有価証券、為替予約、固定資産、賞与引当金、退職給付引当金等、総合問題では出題頻度の高い論点であるため、スピーディーに解答できたかがポイントとなる。

問題16 解答

## Ⅱ　具体的解説（単位：円）

### 1　銀行勘定調整

(1)　振込未記帳

| | | | |
|---|---|---|---|
| （現　金　預　金） | 93,620 | （売　　掛　　金）※ | 94,500 |
| （販売費一般管理費） | 880 | | |

※　借方合計

(2)　時間外預入 ⇨ 仕訳不要（銀行側加算）

(3)　未渡小切手

| | | | |
|---|---|---|---|
| （現　金　預　金） | 66,000 | （買　　掛　　金） | 66,000 |

(4)　誤記帳

①　適正な仕訳

（仕　訳　不　要）

②　当社が行った仕訳

| | | | |
|---|---|---|---|
| （現　金　預　金） | 253,000 | （売　　掛　　金） | 253,000 |

③　修正仕訳（①－②）

| | | | |
|---|---|---|---|
| （売　　掛　　金） | 253,000 | （現　金　預　金） | 253,000 |

(5)　当座借越残高の短期借入金への振替

| | | | |
|---|---|---|---|
| （現　金　預　金） | 50,000 | （短　期　借　入　金）※ | 50,000 |

※　下記(6)参照

(6)　銀行勘定調整表

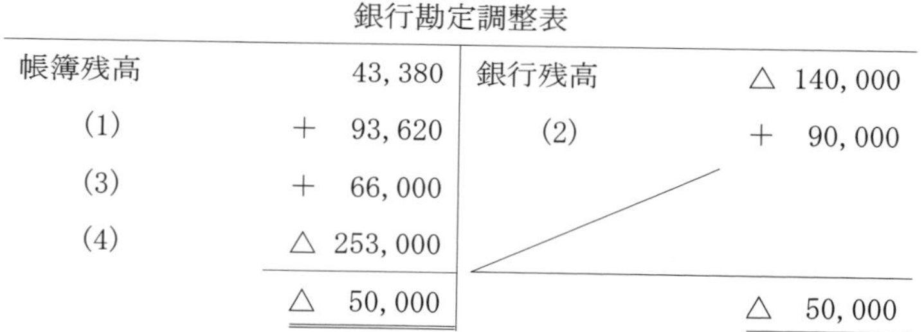

銀行勘定調整表

| 帳簿残高 | 43,380 | 銀行残高 | △ 140,000 |
|---|---|---|---|
| (1) | ＋ 93,620 | (2) | ＋ 90,000 |
| (3) | ＋ 66,000 | | |
| (4) | △ 253,000 | | |
| | △ 50,000 | | △ 50,000 |

### 2　国内の取引先に対する金銭債権

(1)　A社

| | | | |
|---|---|---|---|
| （売　　　　上） | 1,285,200 | （売　　掛　　金） | 1,285,200 |

(2)　B社

| | | | |
|---|---|---|---|
| （売　　　　上） | 1,890,000 | （売　　掛　　金） | 1,890,000 |

(3)　C社

| | | | |
|---|---|---|---|
| （貸　倒　引　当　金）※1 | 40,000 | （売　　掛　　金） | 50,400 |
| （貸　倒　損　失）※2 | 10,400 | | |

※1　一般債権の貸倒れにおいて充当できる貸倒引当金は、一般債権に対して計上した部分のみである。

※2　差額

(4) D社

①　債権回収

| | | | |
|---|---|---|---|
| (その他流動負債) | 200,000 | (破産更生債権等) | 200,000 |

②　貸倒処理

| | | | |
|---|---|---|---|
| (貸倒引当金) | 100,000 | (破産更生債権等)※ | 100,000 |

※　300,000－回収200,000＝100,000

(5) E社

| | | | |
|---|---|---|---|
| (貸倒引当金) | 960,000 | (破産更生債権等)※ | 960,000 |

※　1,200,000×80％＝960,000

3　商品の期末評価

(1) 仕入過大計上

| | | | |
|---|---|---|---|
| (買掛金) | 450,000 | (仕入)※ | 450,000 |

※　(340個－430個)×@5,000＝△450,000

(2) 売上原価の算定等

| | | | |
|---|---|---|---|
| (仕入) | 18,000,000 | (繰越商品) | 18,000,000 |
| (繰越商品)※1 | 18,400,000 | (仕入) | 18,400,000 |
| (棚卸減耗損)※2 | 100,000 | (繰越商品) | 100,000 |

※1　16,350,000－誤処理450,000＋返品分@6,000×170個＋未出荷分@4,000×370個＝18,400,000

※2　①　実地棚卸高：17,280,000＋返品分@6,000×170個＝18,300,000

②　棚卸減耗費：18,400,000－18,300,000＝100,000

4　有価証券

(1) F社株式

①　受取配当金

(a) 適正な仕訳

| | | | |
|---|---|---|---|
| (現金預金) | 16,000 | (有価証券運用損益)※ | 20,000 |
| (その他流動資産) | 4,000 | | |

※　借方合計

(b) 当社が行った仕訳

| | | | |
|---|---|---|---|
| (現金預金) | 16,000 | (雑収入) | 16,000 |

問題16 解答

(c) 修正仕訳 ((a)－(b))

| | | | |
|---|---|---|---|
| (雑　　収　　入) | 16,000 | (有価証券運用損益) | 20,000 |
| (その他流動資産) | 4,000 | | |

② 期末評価

| | | | |
|---|---|---|---|
| (有価証券運用損益) | 190,000 | (有　価　証　券) ※ | 190,000 |

※ 1,810,000－2,000,000＝△190,000

(2) G社社債

① 金利調整差額の償却

| | | | |
|---|---|---|---|
| (受取利息配当金) | 10,000 | (投資有価証券) ※ | 10,000 |

※ $(3,000,000-3,150,000)\times\frac{4月}{60月}=\triangle 10,000$

② クーポン利息の見越計上

| | | | |
|---|---|---|---|
| (未　収　収　益) | 30,000 | (受取利息配当金) ※ | 30,000 |

※ $3,000,000\times 3\%\times\frac{4月}{12月}=30,000$

(3) H社株式

① 受取配当金

(a) 適正な仕訳

| | | | |
|---|---|---|---|
| (現　金　預　金) | 80,000 | (受取利息配当金) | 100,000 |
| (その他流動資産) | 20,000 | | |

(b) 当社が行った仕訳

| | | | |
|---|---|---|---|
| (現　金　預　金) | 80,000 | (雑　　収　　入) | 80,000 |

(c) 修正仕訳 ((a)－(b))

| | | | |
|---|---|---|---|
| (雑　　収　　入) | 80,000 | (受取利息配当金) | 100,000 |
| (その他流動資産) | 20,000 | | |

② 期末評価

| | | | |
|---|---|---|---|
| (繰延税金資産) ※2 | 300,000 | (投資有価証券) ※1 | 1,000,000 |
| (その他有価証券評価差額金) ※3 | 700,000 | | |

※1 7,700,000－8,700,000＝△1,000,000

※2 1,000,000×30%＝300,000

※3 差額

(4) I社株式

| | | | |
|---|---|---|---|
| (投資有価証券) ※1 | 150,000 | (繰延税金負債) ※2 | 45,000 |
| | | (その他有価証券評価差額金) ※3 | 105,000 |

※1 4,350,000－4,200,000＝150,000

※2　150,000×30%＝45,000

※3　差額

(5)　J社株式

| | | | |
|---|---|---|---|
| (繰延税金資産)※2 | 510,000 | (投資有価証券)※1 | 1,700,000 |
| (その他有価証券評価差額金)※3 | 1,190,000 | | |

※1　17,800,000－19,500,000＝△1,700,000

※2　1,700,000×30%＝510,000

※3　差額

5　外貨建取引等

(1)　前受金

①　誤処理

(a)　適正な仕訳

| | | | |
|---|---|---|---|
| (前受金)※1 | 780,000 | (売上)※3 | 3,828,000 |
| (売掛金)※2 | 3,048,000 | | |

※1　6,000ドル×HR130＝780,000

※2　(30,000ドル－6,000ドル)×HR127＝3,048,000

※3　借方合計

(b)　当社が行った仕訳

| | | | |
|---|---|---|---|
| (売掛金)※ | 3,810,000 | (売上) | 3,810,000 |

※　30,000ドル×HR127＝3,810,000

(c)　修正仕訳((a)－(b))

| | | | |
|---|---|---|---|
| (前受金) | 780,000 | (売掛金) | 762,000 |
| | | (売上) | 18,000 |

②　換算替

(仕訳不要)

(注)　前受金は外貨建金銭債務ではないため、期末換算替は行わない。

(2)　売掛金

| | | | |
|---|---|---|---|
| (売掛金)※ | 48,000 | (為替差損益) | 48,000 |

※　①　CR換算額：(30,000ドル－6,000ドル)×CR129＝3,096,000

②　帳簿価額：(30,000ドル－6,000ドル)×HR127＝3,048,000

③　①－②＝48,000

問題16 解答

(3) 短期借入金

① 為替予約（振当処理）

(a) 直々差額

| | | | |
|---|---|---|---|
| （為替差損益）※ | 25,000 | （短期借入金） | 25,000 |

※ ① 予約日ＳＲ換算額：25,000ドル×予約日ＳＲ126＝3,150,000

② 帳簿価額：25,000ドル×取引日ＳＲ125＝3,125,000

③ ①－②＝25,000

(b) 直先差額

| | | | |
|---|---|---|---|
| （前払費用）※ | 25,000 | （短期借入金） | 25,000 |

※ ① 予約日ＦＲ換算額：25,000ドル×ＦＲ127＝3,175,000

② 予約日ＳＲ換算額：3,150,000

③ ①－②＝25,000

(c) 直先差額の期間按分

| | | | |
|---|---|---|---|
| （支払利息） | 5,000 | （前払費用）※ | 5,000 |

※ $25,000 \times \frac{1月}{5月} = 5,000$

② 利息の見越計上

| | | | |
|---|---|---|---|
| （支払利息） | 64,500 | （未払費用）※ | 64,500 |

※ $25,000ドル \times 3\% \times \frac{8月}{12月} \times CR129 = 64,500$

6 有形固定資産

(1) 建物１

| | | | |
|---|---|---|---|
| （減価償却費）※ | 900,000 | （建物減価償却累計額） | 900,000 |

※ $30,000,000 \times 0.9 \times \frac{1年}{30年} = 900,000$

(2) 建物２

| | | | |
|---|---|---|---|
| （建物減価償却累計額）※1 | 6,300,000 | （建物） | 10,000,000 |
| （減価償却費）※2 | 375,000 | （保険差益）※3 | 175,000 |
| （未収金） | 3,500,000 | | |

※1 10,000,000－3,700,000＝6,300,000

※2 $10,000,000 \times \frac{1年}{20年} \times \frac{9月}{12月} = 375,000$

※3 差額

(3) 建物附属設備

① メンテナンス作業及び設備の取り替え

(a) 適正な仕訳

| | | | |
|---|---|---|---|
| (修　　繕　　費) ※1 | 2,000,000 | (現　金　預　金) | 2,600,000 |
| (建 物 附 属 設 備) ※2 | 600,000 | | |

※1 定期メンテナンス作業400,000＋取り替え作業に通常要する額1,600,000 ＝2,000,000

※2 実際の取り替え作業代金2,200,000－取り替え作業に通常要する額1,600,000 ＝600,000

(b) 当社が行った仕訳

| | | | |
|---|---|---|---|
| (修　　繕　　費) | 2,600,000 | (現　金　預　金) | 2,600,000 |

(c) 修正仕訳（(a)－(b)）

| | | | |
|---|---|---|---|
| (建 物 附 属 設 備) | 600,000 | (修　　繕　　費) | 600,000 |

② 減価償却

| | | | |
|---|---|---|---|
| (減 価 償 却 費) ※ | 940,000 | (建物附属設備減価償却累計額) | 940,000 |

※ (a) 既存分：13,500,000×$\frac{1年}{15年}$＝900,000

(b) 資本的支出分：600,000×$\frac{1年}{15年}$＝40,000

(c) (a)＋(b)＝940,000

(4) 器具備品1

① 適正な仕訳

| | | | |
|---|---|---|---|
| (器具備品減価償却累計額) ※1 | 4,625,000 | (器　具　備　品) | 8,000,000 |
| (減 価 償 却 費) ※2 | 562,500 | | |
| (現　金　預　金) | 2,118,900 | | |
| (固 定 資 産 売 却 損) ※3 | 693,600 | | |

※1 取得価額8,000,000－期首簿価3,375,000＝4,625,000

※2 3,375,000×0.250×$\frac{8月}{12月}$＝562,500

※3 差額

② 当社が行った仕訳

| | | | |
|---|---|---|---|
| (現　金　預　金) | 2,118,900 | (雑　　収　　入) | 2,118,900 |

③　修正仕訳（①－②）

| 借方 | 金額 | 貸方 | 金額 |
|---|---|---|---|
| （器具備品減価償却累計額） | 4,625,000 | （器　具　備　品） | 8,000,000 |
| （減　価　償　却　費） | 562,500 | | |
| （雑　　収　　入） | 2,118,900 | | |
| （固定資産売却損） | 693,600 | | |

(5)　器具備品２

| 借方 | 金額 | 貸方 | 金額 |
|---|---|---|---|
| （減　価　償　却　費）※ | 2,100,000 | （器具備品減価償却累計額） | 2,100,000 |

※　9,000,000×0.400×$\frac{7月}{12月}$＝2,100,000

7　貸倒引当金

(1)　貸倒実績率の算定

①　前々々期分：966,000÷138,000,000＝0.007

②　前々期分：750,000÷125,000,000＝0.006

③　前期分：1,468,500÷133,500,000＝0.011

④　貸倒実績率：(0.007＋0.006＋0.011)÷３年＝0.008

(2)　貸倒引当金繰入

| 借方 | 金額 | 貸方 | 金額 |
|---|---|---|---|
| （貸倒引当金繰入）※ | 1,096,960 | （貸　倒　引　当　金） | 1,096,960 |

※　①　破産更生債権等：前T/B 1,500,000－200,000－100,000－960,000＝240,000

②　貸倒懸念債権：(500,000－220,000)×60%＝168,000

③　一般債権：{受手42,100,000＋売掛（103,301,100－94,500＋253,000－1,285,200－1,890,000－50,400－762,000＋48,000)－懸念500,000} ×0.008＝1,128,960

④　繰入額：①＋②＋③－貸引残高（前T/B 1,540,000－40,000－100,000－960,000)＝1,096,960

(3)　税効果会計

| 借方 | 金額 | 貸方 | 金額 |
|---|---|---|---|
| （法人税等調整額） | 141,000 | （繰延税金資産）※ | 141,000 |

※　(会計1,536,960－限度額1,256,960)×30%－前T/B 225,000＝△141,000

8　賞与引当金

(1)　賞与引当金繰入

| 借方 | 金額 | 貸方 | 金額 |
|---|---|---|---|
| （賞与引当金繰入）※ | 2,240,000 | （賞　与　引　当　金） | 2,240,000 |

※　3,360,000×$\frac{4月}{6月}$＝2,240,000

(2)　税効果会計

| 借方 | 金額 | 貸方 | 金額 |
|---|---|---|---|
| （繰延税金資産）※ | 72,000 | （法人税等調整額） | 72,000 |

※　2,240,000×30%－前T/B 600,000＝72,000

9　退職給付会計

(1) 退職給付費用の計上（当期発生数理計算上の差異の費用処理前）

（退職給付費用）※　5,010,000　（退職給付引当金）　5,010,000

※ ① 勤務費用：3,400,000

② 利息費用：50,000,000×２％＝1,000,000

③ 期待運用収益：26,000,000×1.5％＝390,000

④ 数理差異償却：3,000,000(＊)× $\frac{1年}{3年}$ ＝1,000,000

＊ 期首未積立（50,000,000－26,000,000）－期首退引21,000,000
＝3,000,000（積立不足）

⑤ ①＋②－③＋④＝5,010,000

(2) 企業年金拠出額及び退職一時金支給額の修正

（退職給付引当金）※　6,800,000　（その他流動資産）　6,800,000

※ 企業年金拠出金1,800,000＋退職一時金5,000,000＝6,800,000

(3) 当期発生数理計算上の差異の費用処理

（退職給付費用）※　158,000　（退職給付引当金）　158,000

※ (a) 総額法

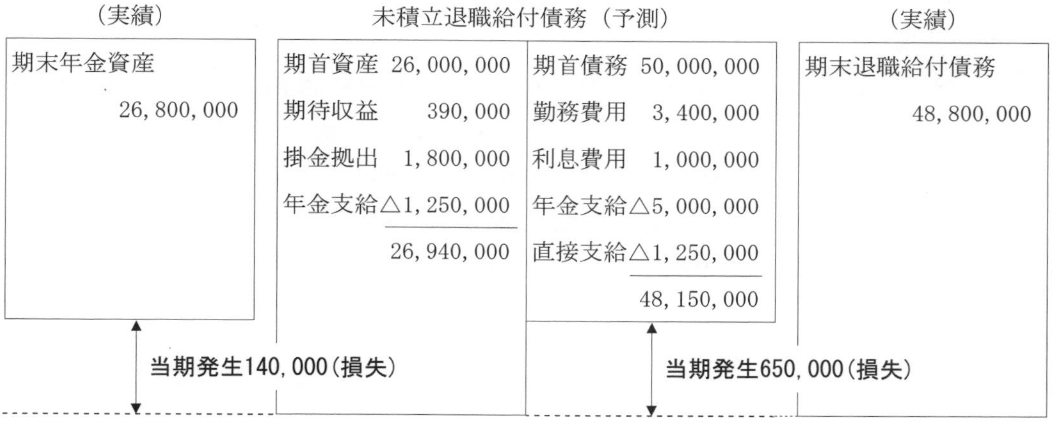

| （実績） | 未積立退職給付債務（予測） | | （実績） |
|---|---|---|---|
| 期末年金資産 26,800,000 | 期首資産 26,000,000 | 期首債務 50,000,000 | 期末退職給付債務 48,800,000 |
| | 期待収益 390,000 | 勤務費用 3,400,000 | |
| | 掛金拠出 1,800,000 | 利息費用 1,000,000 | |
| | 年金支給△1,250,000 | 年金支給△5,000,000 | |
| | 26,940,000 | 直接支給△1,250,000 | |
| | | 48,150,000 | |

**当期発生140,000(損失)**　　**当期発生650,000(損失)**

∴　債務650,000(損失)＋年金140,000(損失)＝790,000(損失)

問題16 解答

(b) 純額法

未積立退職給付債務

| 当期末年金資産<br>（実　　績）　26,800,000 | 当期末退職給付債務<br>（実　　績）　48,800,000 |
| --- | --- |
| 退職給付引当金＊1<br>19,210,000 | |
| 前々期発生分（損失）＊2<br>2,000,000 | |
| 当期発生分（損失）＊3<br>790,000 | |

＊1　期首21,000,000＋退費用5,010,000－退職給付6,800,000＝19,210,000

＊2　期首3,000,000－費用処理1,000,000＝2,000,000

＊3　差額

(c) 当期償却額：$790,000 \times \frac{1年}{5年} = 158,000$

(4) 税効果会計

| | | | |
| --- | --- | --- | --- |
| （法人税等調整額） | 489,600 | （繰延税金資産）※ | 489,600 |

※　当期末（19,210,000＋158,000）×30%－前T/B 6,300,000＝△489,600

10　法人税等

| | | | |
| --- | --- | --- | --- |
| （法　人　税　等）※1 | 11,441,400 | （その他流動資産）※2 | 4,524,000 |
| | | （未払法人税等）※3 | 6,917,400 |

※1　(1) 税引前当期純利益：収益429,704,800－費用389,704,800＝40,000,000

　　(2) 40,000,000×30%－法調558,600＝11,442,600

※2　4,500,000＋4,000＋20,000＝4,524,000

※3　差額

11　修正後及び決算整理後の残高試算表

| 借方 科目 | 借方 金額 | 貸方 科目 | 貸方 金額 |
|---|---|---|---|
| 現金預金 | ① 16,320,620 | 支払手形 | 29,170,000 |
| 受取手形 | 42,100,000 | 買掛金 | ⑲ 50,216,000 |
| 売掛金 | ② 99,520,000 | 前受金 | ⑳ 2,485,000 |
| 有価証券 | 1,810,000 | 未払費用 | ㉑ 64,500 |
| 繰越商品 | ③ 18,300,000 | 未払法人税等 | 6,917,400 |
| 未収収益 | 30,000 | 短期借入金 | ㉒ 6,600,000 |
| 前払費用 | 20,000 | 賞与引当金 | ㉓ 2,240,000 |
| 未収金 | 3,500,000 | 貸倒引当金 | 1,536,960 |
| その他流動資産 | ④ 3,704,000 | その他流動負債 | 2,148,800 |
| 建物 | 30,000,000 | 長期借入金 | 12,000,000 |
| 建物附属設備 | 14,100,000 | 退職給付引当金 | ㉔ 19,368,000 |
| 器具備品 | 9,000,000 | 繰延税金負債 | 45,000 |
| 土地 | ※ 46,500,000 | 建物減価償却累計額 | ㉕ 23,400,000 |
| 投資有価証券 | ⑤ 32,990,000 | 建物附属設備減価償却累計額 | ㉖ 3,640,000 |
| 破産更生債権等 | ⑥ 240,000 | 器具備品減価償却累計額 | ㉗ 2,100,000 |
| 繰延税金資産 | ⑦ 7,376,400 | 資本金 | 80,000,000 |
| その他有価証券評価差額金 | ⑧ 1,785,000 | 資本準備金 | 20,000,000 |
| 仕入 | ⑨ 305,150,000 | 利益準備金 | 20,000,000 |
| 販売費一般管理費 | ⑩ 67,402,772 | 別途積立金 | 10,500,000 |
| 減価償却費 | ⑪ 4,877,500 | 繰越利益剰余金 | 6,864,360 |
| 賞与引当金繰入 | 2,240,000 | 売上 | ㉘ 428,842,800 |
| 貸倒引当金繰入 | ⑫ 1,096,960 | 有価証券運用損益 | ㉙ 50,000 |
| 退職給付費用 | ⑬ 5,168,000 | 受取利息配当金 | ㉚ 300,000 |
| 棚卸減耗費 | 100,000 | 為替差損益 | ㉛ 94,000 |
| 貸倒損失 | 350,400 | 雑収入 | ㉜ 243,000 |
| 修繕費 | ⑭ 2,000,000 | 保険差益 | ㉝ 175,000 |
| 支払利息 | ⑮ 489,500 | | |
| 雑損失 | 136,068 | | |
| 固定資産売却損 | ⑯ 693,600 | | |
| 法人税等 | ⑰ 11,441,400 | | |
| 法人税等調整額 | ⑱ 558,600 | | |
| 合計 | 729,000,820 | 合計 | 729,000,820 |

※　差額

問題16 解答

# 問 題 17　一般総合(13)　　解 答

※ □で囲まれた数字は配点を示す。

決算整理後残高試算表　　(単位：円)

| 借方 勘定科目 | 金額 | 貸方 勘定科目 | 金額 |
|---|---|---|---|
| 現金 | [1] 45,250 | 支払手形 | 22,312,000 |
| 当座預金 | [1] 18,789,950 | 買掛金 | [1] 31,806,800 |
| 普通預金 | 32,518,665 | 未払金 | 3,150,000 |
| 受取手形 | [1] 49,085,000 | 預り金 | [1] 875,400 |
| 売掛金 | [1] 42,775,000 | 未払費用 | [1] 525,000 |
| 貯蔵品 | [1] 32,000 | 未払法人税等 | [1] 9,782,000 |
| 繰越商品 | [1] 9,461,000 | 貸倒引当金 | [1] 10,837,200 |
| 建物 | [1] 164,000,000 | 賞与引当金 | [1] 21,250,000 |
| 車両 | [1] 4,800,000 | 借入金 | 50,000,000 |
| 備品 | 20,500,000 | 社債 | [1] 11,250,000 |
| 土地 | 180,000,000 | 繰延税金負債 | [1] 210,000 |
| 投資有価証券 | [1] 17,400,000 | 建物減価償却累計額 | [1] 56,980,000 |
| 破産更生債権等 | [1] 7,980,000 | 車両減価償却累計額 | [1] 640,000 |
| 繰延税金資産 | [1] 7,968,000 | 備品減価償却累計額 | [1] 12,031,250 |
| 仕入 | [1] 341,146,000 | 資本金 | 100,000,000 |
| 商品評価損益 | [1] 4,000 | 利益準備金 | 25,000,000 |
| 棚卸減耗費 | [1] 30,000 | 別途積立金 | 22,700,000 |
| 見本品費 | [1] 300,000 | 繰越利益剰余金 | 128,909,215 |
| 人件費 | [1] 82,190,400 | その他有価証券評価差額金 | [1] 280,000 |
| 法定福利費 | [2] 5,678,000 | 売上 | [1] 595,180,000 |
| 減価償却費 | [1] 9,576,250 | 受取利息配当金 | [1] 300,000 |
| 貸倒引当金繰入 | [1] 10,037,200 | 法人税等調整額 | [1] 1,878,000 |
| 賞与引当金繰入 | [2] 21,250,000 | | |
| 租税公課 | [1] 3,456,000 | | |
| 支払手数料 | [2] 627,600 | | |
| 修繕費 | [2] 42,000,000 | | |
| その他営業費 | [1] 8,494,550 | | |
| 支払利息 | 1,500,000 | | |
| 社債利息 | [2] 400,000 | | |
| 投資有価証券評価損 | [2] 1,800,000 | | |
| 車両売却損 | [2] 110,000 | | |
| 法人税等 | [1] 21,942,000 | | |
| 合計 | 1,105,896,865 | 合計 | 1,105,896,865 |

【配 点】 [1]×36カ所 [2]×７カ所　合計50点

## 解答への道

### Ⅰ　本問のポイント

本問は基本処理が出題の中心であったが、ボリュームが多いため制限時間内で完答するのは少々厳しい内容であった。苦手論点のある方は仕訳を中心に確認していただきたい。

### Ⅱ　具体的解説（単位：円）

1　現金預金及びその他の事項

(1) 小口現金

| | | | |
|---|---|---|---|
| (その他営業費) | 195,000 | (現　　　金) | 195,000 |

(2) 当座預金

①　売掛金回収に係る誤記帳

イ　適正な仕訳

| | | | |
|---|---|---|---|
| (当　座　預　金) | 4,999,000 | (売　掛　金) | 5,000,000 |
| (支 払 手 数 料) ※ | 1,000 | | |

※　差額

ロ　当社が行った仕訳

| | | | |
|---|---|---|---|
| (当　座　預　金) | 5,000,000 | (売　掛　金) | 5,000,000 |

ハ　修正仕訳（イ－ロ）

| | | | |
|---|---|---|---|
| (支 払 手 数 料) | 1,000 | (当　座　預　金) | 1,000 |

②　未取付小切手（Y社買掛金支払）⇨ 仕訳不要（銀行側減算）

③　引落未記帳

| | | | |
|---|---|---|---|
| (その他営業費) | 300,000 | (当　座　預　金) | 300,000 |

④　未渡小切手

| | | | |
|---|---|---|---|
| (当　座　預　金) | 550,000 | (買　掛　金) | 550,000 |

⑤　銀行勘定調整表

銀行勘定調整表

| | | | | |
|---|---|---|---|---|
| 当社帳簿残高 | ( 18,540,950) | 銀行証明書残高 | | 19,539,950 |
| ①誤記帳 | △　1,000 | ②未取付小切手 | △ | 750,000 |
| ③引落未記帳 | △　300,000 | | | |
| ④未渡小切手 | ＋　550,000 | | | |
| | 18,789,950 | | | 18,789,950 |

(3) その他の修正

① X社買掛金の支払いに係る誤記帳

イ 適正な仕訳

| | | | |
|---|---|---|---|
| (買　掛　金) | 800,000 | (当 座 預 金) ※ | 800,800 |
| (支 払 手 数 料) | 800 | | |

※ 800,000＋手数料800＝800,800

ロ 当社が行った仕訳

| | | | |
|---|---|---|---|
| (買　掛　金) | 800,800 | (当 座 預 金) | 800,800 |

ハ 修正仕訳（イ－ロ）

| | | | |
|---|---|---|---|
| (支 払 手 数 料) | 800 | (買　掛　金) | 800 |

② ３月分給与等に係る誤記帳

イ 給料に係る処理の修正

(a) 適正な仕訳

| | | | |
|---|---|---|---|
| (人　件　費) | 4,150,000 | (預　り　金) ※ | 875,400 |
| | | (当 座 預 金) | 3,274,600 |

※ 源泉所得税等450,400＋社会保険料425,000＝875,400

(b) 当社が行った仕訳

| | | | |
|---|---|---|---|
| (人　件　費) | 3,274,600 | (当 座 預 金) | 3,274,600 |

(c) 修正仕訳((a)－(b))

| | | | |
|---|---|---|---|
| (人　件　費) | 875,400 | (預　り　金) | 875,400 |

ロ 法定福利費の見越

| | | | |
|---|---|---|---|
| (法 定 福 利 費) | 425,000 | (未 払 費 用) | 425,000 |

2 売掛金

| | | | |
|---|---|---|---|
| (売　　上) | 360,000 | (売　掛　金) ※ | 360,000 |

※ 6,510,000－6,150,000＝360,000

3 商品

(1) 期首商品に係る振戻処理

| | | | |
|---|---|---|---|
| (繰 越 商 品) | 38,000 | (商 品 評 価 損 益) | 38,000 |

(2) 他勘定振替（見本品提供）

| | | | |
|---|---|---|---|
| (見 本 品 費) | 300,000 | (仕　　入) | 300,000 |

(3) 売上原価の算定

| | | | |
|---|---|---|---|
| (仕　　　　入) | 8,290,000 | (繰 越 商 品)※1 | 8,290,000 |
| (繰 越 商 品)※2 | 9,553,000 | (仕　　　　入) | 9,553,000 |

※1　前T/B繰商8,252,000＋評価損益38,000(上記(1))＝8,290,000

※2　帳簿棚卸高9,853,000－見本品300,000＝9,553,000

(4) 棚卸減耗費の計上

| | | | |
|---|---|---|---|
| (仕　　　　入)※2 | 20,000 | (繰 越 商 品)※1 | 50,000 |
| (棚 卸 減 耗 費)※3 | 30,000 | | |

※1　修正後帳簿棚卸高：9,553,000
　　 修正後実地棚卸高：9,503,000　△50,000

※2　50,000×40%＝20,000 (原価処理)

※3　50,000×60%＝30,000 (原価外処理)

(5) 商品評価損の計上

| | | | |
|---|---|---|---|
| (商 品 評 価 損 益) | 42,000 | (繰 越 商 品) | 42,000 |

4　社債

(1) 前T/Bの金額

①　社債：120口×92,500＝11,100,000

②　社債利息：12,000,000×2.5%×$\frac{6月}{12月}$＝150,000

(2) 決算整理

①　金利調整差額の償却

| | | | |
|---|---|---|---|
| (社 債 利 息) | 150,000 | (社　　　　債)※ | 150,000 |

※　(12,000,000－11,100,000)×$\frac{10月}{60月}$＝150,000

②　クーポン利息の見越

| | | | |
|---|---|---|---|
| (社 債 利 息) | 100,000 | (未 払 費 用)※ | 100,000 |

※　12,000,000×2.5%×$\frac{4月}{12月}$＝100,000

5　有形固定資産（収支については不明であるため、「現金預金」として示す。）

(1)　建物

①　改修

イ　適正な仕訳

| | | | |
|---|---|---|---|
| （建　　　　　物）※ | 14,000,000 | （現　金　預　金） | 56,000,000 |
| （修　　繕　　費）※ | 42,000,000 | | |

※　資本的支出と収益的支出の区分計算

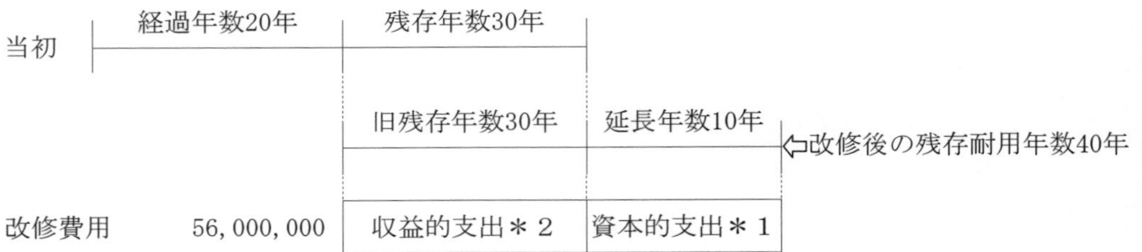


＊１　資本的支出：$56,000,000 \times \frac{10年}{40年} = 14,000,000$

＊２　収益的支出：$56,000,000 \times \frac{30年}{40年} = 42,000,000$

ロ　当社が行った仕訳

| | | | |
|---|---|---|---|
| （建　設　仮　勘　定） | 56,000,000 | （現　金　預　金） | 56,000,000 |

ハ　修正仕訳（イ－ロ）

| | | | |
|---|---|---|---|
| （建　　　　　物） | 14,000,000 | （建　設　仮　勘　定） | 56,000,000 |
| （修　　繕　　費） | 42,000,000 | | |

②　減価償却

| | | | |
|---|---|---|---|
| （減　価　償　却　費）※ | 2,980,000 | （建物減価償却累計額） | 2,980,000 |

※　既存分：$150,000,000 \times 0.9 \times \frac{1年}{50年} = 2,700,000$

資本的支出分：$14,000,000 \times \frac{1年}{50年} = 280,000$

合計2,980,000

(2) 車両

① 買換の修正

イ 適正な仕訳

| | | | |
|---|---|---|---|
| (車両減価償却累計額) | 1,800,000 | (車　　　　両) | 4,500,000 |
| (減　価　償　却　費) ※1 | 300,000 | (現　金　預　金) ※3 | 2,510,000 |
| (車　両　売　却　損) ※2 | 110,000 | | |
| (車　　　　両) | 4,800,000 | | |

※1　$4,500,000 \times \frac{1年}{5年} \times \frac{4月}{12月} = 300,000$

※2　下取価額2,290,000－売却時簿価（2,700,000－300,000）＝△110,000

※3　定価4,800,000－下取価額2,290,000＝2,510,000

ロ 当社が行った仕訳

| | | | |
|---|---|---|---|
| (仮　払　金) | 2,510,000 | (現　金　預　金) | 2,510,000 |

ハ 修正仕訳（イ－ロ）

| | | | |
|---|---|---|---|
| (車両減価償却累計額) | 1,800,000 | (仮　払　金) | 2,510,000 |
| (減　価　償　却　費) | 300,000 | | |
| (車　両　売　却　損) | 110,000 | | |
| (車　　　　両) | 300,000 | | |

② 減価償却（車両２）

| | | | |
|---|---|---|---|
| (減　価　償　却　費) ※ | 640,000 | (車両減価償却累計額) | 640,000 |

※　$4,800,000 \times \frac{1年}{5年} \times \frac{8月}{12月} = 640,000$

(3) 備品

① 備品１

| | | | |
|---|---|---|---|
| (減　価　償　却　費) ※ | 1,406,250 | (備品減価償却累計額) | 1,406,250 |

※　5,625,000×0.250＝1,406,250

② 備品２

| | | | |
|---|---|---|---|
| (減　価　償　却　費) ※ | 4,250,000 | (備品減価償却累計額) | 4,250,000 |

※　8,500,000×0.500＝4,250,000

6　有価証券

(1) Ｓ株式（取得原価の50%以上下落しているため、減損処理を行う。）

| | | | |
|---|---|---|---|
| (投資有価証券評価損) | 1,800,000 | (投　資　有　価　証　券) ※ | 1,800,000 |

※　時価1,200,000－取得原価3,000,000＝△1,800,000

(2) T株式

| | | | |
|---|---|---|---|
| (繰延税金資産)※2 | 90,000 | (投資有価証券)※1 | 300,000 |
| (その他有価証券評価差額金)※3 | 210,000 | | |

※1　時価10,200,000－取得原価10,500,000＝△300,000

※2　300,000×30％＝90,000

※3　差額

(3) U株式

| | | | |
|---|---|---|---|
| (投資有価証券)※1 | 700,000 | (繰延税金負債)※2 | 210,000 |
| | | (その他有価証券評価差額金)※3 | 490,000 |

※1　時価6,000,000－取得原価5,300,000＝700,000

※2　700,000×30％＝210,000

※3　差額

7　貸倒引当金等

(1) 貸倒れの修正

| | | | |
|---|---|---|---|
| (貸倒引当金) | 400,000 | (売掛金) | 400,000 |

(2) 貸倒懸念債権

| | | | |
|---|---|---|---|
| (貸倒引当金繰入) | 1,125,000 | (貸倒引当金)※1 | 1,125,000 |
| (繰延税金資産)※2 | 306,000 | (法人税等調整額) | 306,000 |

※1　(5,250,000－担保3,000,000)×50％＝1,125,000

※2　貸倒引当金繰入限度額：5,250,000×２％＝105,000

貸倒引当金繰入限度超過額：1,125,000－105,000＝1,020,000

繰延税金資産の増加額：1,020,000×30％＝306,000

(3) 破産更生債権等

| | | | |
|---|---|---|---|
| (破産更生債権等) | 7,980,000 | (受取手形) | 3,465,000 |
| | | (売掛金) | 4,515,000 |
| (貸倒引当金繰入) | 7,980,000 | (貸倒引当金) | 7,980,000 |
| (繰延税金資産)※ | 1,197,000 | (法人税等調整額) | 1,197,000 |

※　貸倒引当金繰入限度額：7,980,000×50％＝3,990,000

貸倒引当金繰入限度超過額：7,980,000－3,990,000＝3,990,000

繰延税金資産の増加額：3,990,000×30％＝1,197,000

(4) 一般債権

(貸倒引当金繰入)　932,200　(貸倒引当金) ※　932,200

※ 貸倒見積高：(前T/B受取手形52,550,000＋前T/B売掛金48,050,000
－誤処理360,000－貸倒400,000－破産7,980,000－懸念5,250,000)
×２％＝1,732,200

繰入額：1,732,200－(前T/B貸引1,200,000－貸倒400,000)＝932,200

8 賞与引当金（収支については不明であるため、「現金預金」として示す。）

(1) 賞与引当金の取崩

① 適正な仕訳

| 借方 | 金額 | 貸方 | 金額 |
|---|---|---|---|
| (賞与引当金) | 20,000,000 | (現金預金) | ××× |
| (人件費) | ××× | | |

② 当社が行った仕訳

| 借方 | 金額 | 貸方 | 金額 |
|---|---|---|---|
| (人件費) | ××× | (現金預金) | ××× |

③ 修正仕訳（①－②）

(賞与引当金)　20,000,000　(人件費)　20,000,000

(2) 賞与引当金の計上

(賞与引当金繰入)　21,250,000　(賞与引当金) ※1　21,250,000

(繰延税金資産) ※2　375,000　(法人税等調整額)　375,000

※1　$31,875,000 \times \frac{4月}{6月} = 21,250,000$

※2　繰延税金資産の増加額：21,250,000×30%－前T/B 6,000,000＝375,000

9 租税公課

(租税公課)　26,000　(貯蔵品)　26,000

(貯蔵品)　32,000　(租税公課)　32,000

問題17 解答

10　税金

(1)　源泉所得税等の修正

| | | | |
|---|---|---|---|
| (仮払金) | 60,000 | (受取利息配当金) | 60,000 |

(2)　未払法人税等の計上

| | | | |
|---|---|---|---|
| (法人税等) | ※1 21,942,000 | (仮払金) | ※2 12,160,000 |
| | | (未払法人税等) | ※3 9,782,000 |

| | | | | |
|---|---|---|---|---|
| ※1 | 収益総額 | | 595,480,000 | |
| | 費用総額 | | 528,600,000 | |
| | 税引前当期純利益 | | 66,880,000 | ×30% |
| | 法人税等 | ( 21,942,000 ) | | |
| | 法人税等調整額 | △1,878,000 | 20,064,000 | |
| | | | 46,816,000 | |

※2　中間納付額12,100,000＋源泉所得税等60,000＝12,160,000

※3　差額

| 問　題　18 | 商的工業簿記(2) | 解　答 |
|---|---|---|

※　□で囲まれた数字は配点を示す。

I　貸借対照表（×11年３月31日現在、単位：千円）

| 借 | | | 方 | 貸 | | | 方 |
|---|---|---|---|---|---|---|---|
| 勘定科目 | 金 | | 額 | 勘定科目 | 金 | | 額 |
| 現金 | (1) | 1 | 1,393 | 支払手形 | | | 16,842 |
| 当座預金 | (2) | 1 | 32,888 | 買掛金 | (18) | 1 | 38,012 |
| 受取手形 | (3) | 1 | 40,000 | 短期借入金 | (19) | 1 | 11,900 |
| 売掛金 | (4) | 1 | 51,500 | リース債務 | (20) | 1 | 1,416 |
| 商品 | (5) | 1 | 21,600 | 賞与引当金 | (21) | 1 | 10,890 |
| 製品 | (6) | 1 | 11,880 | 未払法人税等 | | | 6,947 |
| 材料 | (7) | 2 | 3,724 | 未払費用 | (22) | 1 | 119 |
| 仕掛品 | | | 8,128 | 前受金 | (23) | 1 | 550 |
| 前払費用 | (8) | 1 | 80 | 預り営業保証金 | (24) | 1 | 2,100 |
| 建物 | (9) | 1 | 165,100 | 退職給付引当金 | (25) | 1 | 96,530 |
| 機械装置 | (10) | 1 | 7,200 | 繰延税金負債 | (26) | 2 | 15 |
| 器具備品 | (11) | 1 | 3,375 | 資本金 | | | 100,000 |
| リース資産 | (12) | 1 | 1,442 | 資本準備金 | | | 20,000 |
| 土地 | | | 82,400 | 繰越利益剰余金 | | | 167,348 |
| 投資有価証券 | (13) | 1 | 10,650 | その他有価証券評価差額金 | (27) | 1 | △　210 |
| 不渡手形 | (14) | 1 | 500 | | | | |
| 破産更生債権等 | (15) | 2 | 2,800 | | | | |
| 繰延税金資産 | (16) | 1 | 32,949 | | | | |
| 貸倒引当金 | (17) | 1 | △　5,150 | | | | |
| 合計 | | | 472,459 | 合計 | | | 472,459 |

問題18 解答

Ⅱ　損益計算書（自×10年４月１日　至×11年３月31日、単位：千円）

| 借方 勘定科目 | 金額 | 貸方 勘定科目 | 金額 |
|---|---|---|---|
| 商品売上原価 | (28) 1 318,000 | 商品売上高 | 399,847 |
| 製品売上原価 | (29) 1 87,445 | 製品売上高 | 157,872 |
| 人件費 | (30) 1 54,756 | 受取配当金 | (40) 1 68 |
| 支払手数料 | 5,300 | 法人税等調整額 | (41) 1 2,166 |
| 減価償却費 | (31) 1 3,158 | | |
| 貸倒引当金繰入額 | (32) 1 3,450 | | |
| 商品減耗損 | (33) 1 400 | | |
| 材料減耗損 | (34) 1 33 | | |
| その他営業費用 | (35) 1 54,806 | | |
| 支払利息 | (36) 1 205 | | |
| 為替差損 | (37) 1 865 | | |
| 雑損失 | (38) 1 19 | | |
| 車両運搬具売却損 | (39) 2 80 | | |
| 法人税等 | 10,947 | | |
| 当期純利益 | 20,489 | | |
| 合計 | 559,953 | 合計 | 559,953 |

Ⅲ　製造原価報告書（自×10年４月１日　至×11年３月31日、単位：千円）

| 借方 勘定科目 | 金額 | 貸方 勘定科目 | 金額 |
|---|---|---|---|
| 期首仕掛品 | 7,710 | 期末仕掛品 | (45) 1 8,128 |
| 材料費 | (42) 1 38,070 | 当期製品製造原価 | (46) 1 88,440 |
| 労務費 | (43) 1 36,464 | | |
| 製造経費 | (44) 1 14,324 | | |
| 合計 | 96,568 | 合計 | 96,568 |

【配　点】 1×42カ所　　2×４カ所　　合計50点

## 解答への道

### Ⅰ　本問のポイント

本問は、商品売買と製造業を合わせた総合問題である。製造業についての仕掛品及び製品の期末評価については製造原価に関連する材料費、労務費及び製造経費の金額を正しく算定しなければできないため、それ以外の箇所で得点していくことがポイントとなる。

### Ⅱ　具体的解説（単位：千円）

1　現金

(1) 決算整理前残高試算表の不明金額：1,364（【資料３】現金出納帳より）

(2) 誤記帳

①　適正な仕訳

| (その他営業費用) | 24 | (現　　　金) | 24 |
|---|---|---|---|

②　当社が行った仕訳

| (その他営業費用) | 42 | (現　　　金) | 42 |
|---|---|---|---|

③　修正仕訳（①－②）

| (現　　　金) | 18 | (その他営業費用) | 18 |
|---|---|---|---|

(3) 配当金領収書

| (現　　　金)※ | 30 | (受取配当金) | 30 |
|---|---|---|---|

※　配当金領収書の受取が現金出納帳の記録の要約に記載されていないため、未記帳と判断する。

(4) 現金過不足

| (雑　損　失) | 19 | (現　　　金)※ | 19 |
|---|---|---|---|

※　①　実際有高：通貨418＋Ａ社振出小切手945＋配当金領収書30＝1,393

②　帳簿残高：1,364＋18＋30＝1,412

③　①－②＝△19

2　当座預金

(1) 誤記帳（Ａ社振出約束手形）

①　適正な仕訳

仕　訳　な　し　※

※　Ａ社振出約束手形の期日は×11年４月２日であるため、仕訳不要である。

②　当社が行った仕訳

| (当　座　預　金) | 2,700 | (受　取　手　形) | 2,700 |
|---|---|---|---|

③　修正仕訳（①－②）

| (受　取　手　形) | 2,700 | (当　座　預　金) | 2,700 |
|---|---|---|---|

問題18 解答

(2) 誤記帳（B社振出約束手形）

① 適正な仕訳

| 借方 | 金額 | 貸方 | 金額 |
|---|---|---|---|
| (不渡手形) | 500 | (受取手形) | 500 |

② 当社が行った仕訳

| 借方 | 金額 | 貸方 | 金額 |
|---|---|---|---|
| (当座預金) | 500 | (受取手形) | 500 |

③ 修正仕訳（①－②）

| 借方 | 金額 | 貸方 | 金額 |
|---|---|---|---|
| (不渡手形) | 500 | (当座預金) | 500 |

(3) 未取付小切手 ⇨ 銀行側減算

(4) 誤記帳

① 適正な仕訳

| 借方 | 金額 | 貸方 | 金額 |
|---|---|---|---|
| (預り営業保証金) ※1 | 300 | (売掛金) | 1,620 |
| (当座預金) ※2 | 1,320 | | |

※1 【資料2】預り営業保証金・C社に対するもの

※2 差額

② 当社が行った仕訳

| 借方 | 金額 | 貸方 | 金額 |
|---|---|---|---|
| (当座預金) | 1,620 | (売掛金) | 1,620 |

③ 修正仕訳（①－②）

| 借方 | 金額 | 貸方 | 金額 |
|---|---|---|---|
| (預り営業保証金) | 300 | (当座預金) | 300 |

(5) 引落未記帳

| 借方 | 金額 | 貸方 | 金額 |
|---|---|---|---|
| (その他営業費用) | 95 | (当座預金) | 95 |

3 売掛金

(1) D社分

| 借方 | 金額 | 貸方 | 金額 |
|---|---|---|---|
| (破産更生債権等) | 2,800 | (売掛金) ※ | 2,800 |

※ 【資料2】売掛金・D社に対するもの

(2) E社分

① 適正な仕訳

| 借方 | 金額 | 貸方 | 金額 |
|---|---|---|---|
| (前受金) ※1 | 100 | (商品売上高) | 1,500 |
| (売掛金) ※2 | 1,400 | | |

※1 【資料2】売掛金・E社に対するもの1,500－E社からの回答額1,400＝100

※2 差額

② 当社が行った仕訳

| 借方 | 金額 | 貸方 | 金額 |
|---|---|---|---|
| (売掛金) | 1,500 | (商品売上高) | 1,500 |

③ 修正仕訳（①－②）

| 借方 | 金額 | 貸方 | 金額 |
|---|---|---|---|
| (前受金) | 100 | (売掛金) | 100 |

4　商品

(1) 運送費の振替

| | | | |
|---|---|---|---|
| (仕　　　　入) | 2,300 | (その他営業費用) | 2,300 |

(2) 売上原価の算定

| | | | |
|---|---|---|---|
| (商品売上原価) | 21,700 | (商　　　　品) | 21,700 |
| (商品売上原価) | 318,300 | (仕　　　　入) ※1 | 318,300 |
| (商　　　　品) ※2 | 22,000 | (商品売上原価) | 22,000 |

※1　前T/B仕入316,000＋上記(1)2,300＝318,300

※2　$\dfrac{\text{前T/B商品21,700＋前T/B仕入316,000＋上記(1)2,300}}{\text{期首商品2,000個＋当期仕入32,000個}}$＝@10

@10×帳簿数量2,200個＝22,000

(3) 減耗

| | | | |
|---|---|---|---|
| (商品減耗損) | 400 | (商　　　　品) ※ | 400 |

※　@10×(実地2,160個－帳簿2,200個)＝△400

5　材料

(1) 材料費

| | | | |
|---|---|---|---|
| (材　料　費) | 3,848 | (材　　　　料) | 3,848 |
| (材　料　費) | 38,056 | (材　料　仕　入) | 38,056 |
| (材　　　　料) ※ | 3,834 | (材　料　費) | 3,834 |

※　材料期末帳簿棚卸高

(2) 減耗

| | | | |
|---|---|---|---|
| (製　造　経　費) ※2 | 77 | (材　　　　料) ※1 | 110 |
| (材料減耗損) ※3 | 33 | | |

※1　①　実地棚卸：3,724

②　帳簿棚卸：3,834

③　①－②＝△110

※2　110×70%＝77

※3　差額

6　有形固定資産

(1) 建物（本社）

①　期首帳簿価額

$100,000-100,000\times0.9\times\dfrac{1\text{年}}{40\text{年}}\times$経過9年$=79,750$

②　減価償却費

| | | | |
|---|---|---|---|
| (減価償却費) ※ | 2,250 | (建　　　　物) | 2,250 |

問題18 解答

※　$100,000 \times 0.9 \times \frac{1年}{40年} = 2,250$

(2) 建物（工場）

① 期首帳簿価額

$120,000 - 120,000 \times 0.9 \times \frac{1年}{30年} \times 経過8年 = 91,200$

② 減価償却費

| | | | |
|---|---|---|---|
| （製造経費）※ | 3,600 | （建物） | 3,600 |

※　$120,000 \times 0.9 \times \frac{1年}{30年} = 3,600$

(3) 機械装置（製造）

| | | | |
|---|---|---|---|
| （製造経費）※ | 1,200 | （機械装置） | 1,200 |

※　$12,000 \times \frac{1年}{10年} = 1,200$

(4) 車両運搬具（営業）

① 期首帳簿価額

$1,600 - 1,600 \times 0.9 \times \frac{1年}{6年} \times \frac{経過70月}{12月} = 200$

② 売却

| | | | |
|---|---|---|---|
| （減価償却費）※2 | 20 | （車両運搬具）※1 | 200 |
| （仮受金）※3 | 100 | | |
| （車両運搬具売却損）※4 | 80 | | |

※1　上記①より

※2　$1,600 \times 0.9 \times \frac{1年}{6年} \times \frac{1月}{12月} = 20$

※3　【資料２】仮受金・車両運搬具の売却代金

※4　差額

(5) 器具備品（営業）

| | | | |
|---|---|---|---|
| （減価償却費）※ | 600 | （器具備品） | 600 |

※　$2,400 \times 0.250 = 600$

(6) 器具備品（製造）

| | | | |
|---|---|---|---|
| （製造経費）※ | 525 | （器具備品） | 525 |

※　$2,100 \times 0.250 = 525$

7　リース取引

(1) リース資産とリース債務の計上

| | | | |
|---|---|---|---|
| （リース資産）※ | 1,730 | （リース債務） | 1,730 |

※　見積現金購入価額1,780 ＞ 現在価値1,730　∴　いずれか低い方　1,730

(2) リース料の支払

① 適正な仕訳（支出金額の勘定科目が不明であるため、当座預金勘定と仮定して示すこととする。）

| | | | |
|---|---|---|---|
| (支　払　利　息) ※2 | 86 | (当　座　預　金) ※1 | 400 |
| (リ　ー　ス　債　務) ※3 | 314 | | |

※1　リース料の年額

※2　1,730×計算利子率５％＝86（千円未満切捨）

※3　差額

② 当社が行った仕訳

| | | | |
|---|---|---|---|
| (その他営業費用) | 400 | (当　座　預　金) | 400 |

③ 修正仕訳（①－②）

| | | | |
|---|---|---|---|
| (支　払　利　息) | 86 | (その他営業費用) | 400 |
| (リ　ー　ス　債　務) | 314 | | |

(3) 減価償却費

| | | | |
|---|---|---|---|
| (減　価　償　却　費) ※ | 288 | (リ　ー　ス　資　産) | 288 |

※　$1,730\times\frac{1年}{6年}$＝288（千円未満切捨）

8　有価証券

(1) Ｖ社株式

| | | | |
|---|---|---|---|
| (繰　延　税　金　資　産) ※2 | 105 | (投　資　有　価　証　券) ※1 | 350 |
| (その他有価証券評価差額金) ※3 | 245 | | |

※1　① 期末時価：9,150

② 帳簿価額：9,500

③ ①－②＝△350

※2　350×30％＝105

※3　差額

(2) Ｗ社株式

| | | | |
|---|---|---|---|
| (投　資　有　価　証　券) ※1 | 50 | (繰　延　税　金　負　債) ※2 | 15 |
| | | (その他有価証券評価差額金) ※3 | 35 |

※1　① 期末時価：1,500

② 帳簿価額：1,450（前期末に減損処理を行っているため、帳簿価額は前期末時価1,450である。）

③ ①－②＝50

問題18 解答

※2　50×30%＝15

※3　差額

9　短期借入金

(1)　直々差額

| | | | |
|---|---|---|---|
| （為　替　差　損） | 200 | （短　期　借　入　金）※ | 200 |

※　①　予約日ＳＲ換算額：100,000ドル×ＳＲ118円＝11,800

②　帳簿価額：11,600

③　①－②＝200

(2)　直先差額

| | | | |
|---|---|---|---|
| （為　替　差　損）※2 | 20 | （短　期　借　入　金）※1 | 100 |
| （前　払　費　用）※3 | 80 | | |

※1　①　予約日ＦＲ換算額：100,000ドル×ＦＲ119円＝11,900

②　予約日ＳＲ換算額：11,800

③　①－②＝100

※2　$100\times\frac{1月}{5月}=20$

※3　$100\times\frac{4月}{5月}=80$

(3)　利息の見越

| | | | |
|---|---|---|---|
| （支　払　利　息） | 119 | （未　払　費　用）※ | 119 |

※　$100{,}000ドル\times 3\%\times\frac{4月}{12月}\times FR119円=119$

10　貸倒引当金

(1)　破産更生債権等（Ｄ社）

| | | | |
|---|---|---|---|
| （貸倒引当金繰入額） | 1,250 | （貸　倒　引　当　金）※ | 1,250 |

※　設定額：債権金額2,800－営業保証金300＝2,500

前期末：1,250（【資料2】貸倒引当金・貸倒懸念債権（Ｄ社）に対するもの）

繰入額：2,500－1,250＝1,250

(2)　貸倒懸念債権（Ｂ社）

| | | | |
|---|---|---|---|
| （貸倒引当金繰入額） | 850 | （貸　倒　引　当　金）※ | 850 |

※　債権金額：不渡手形500＋売掛金1,500＊＝2,000

＊【資料2】売掛金・Ｂ社に対するもの

設定額：（債権金額2,000－営業保証金300）×50%＝850

(3)　一般債権

| | | | |
|---|---|---|---|
| （貸倒引当金繰入額） | 1,350 | （貸　倒　引　当　金）※ | 1,350 |

※　①　受取手形：前T/B 37,300＋2,700＝40,000

②　売 掛 金：前T/B 54,400－2,800－100＝51,500

③　一般債権：①＋②－1,500＝90,000

④　設 定 額：90,000×２％＝1,800

⑤　繰 入 額：1,800－前T/B 450＝1,350

(4) 税効果会計

① 破産更生債権等

仕　訳　な　し

※ (a) 会計上：2,500

(b) 税務上：2,500×50％＝1,250

(c) 増加額：((a)－(b))×30％－375＊＝0

＊【資料２】繰延税金資産・前期末の貸倒引当金に対する税効果会計適用額

② 貸倒懸念債権

| (繰延税金資産)※ | 243 | (法人税等調整額) | 243 |
|---|---|---|---|

※ (a) 会計上：850

(b) 税務上：2,000×２％＝40

(c) 増加額：((a)－(b))×30％＝243

11　賞与引当金

(1) 賞与引当金の計上

| (人件費) | 10,890 | (賞与引当金)※ | 10,890 |
|---|---|---|---|

※　$16,335\times\frac{4月}{6月}=10,890$

(2) 労務費への配賦

| (労務費)※ | 32,964 | (人件費) | 32,964 |
|---|---|---|---|

※ (賃金給料63,450＋賞与8,070＋賞与引当金10,890)×40％＝32,964

(3) 税効果会計

| (繰延税金資産)※ | 1,083 | (法人税等調整額) | 1,083 |
|---|---|---|---|

※　10,890×30％－前期末2,184(【資料２】より)＝1,083

12　退職給付引当金

(1) 決算整理前残高試算表の退職給付引当金（前期末残高）

前期末自己都合要支給額：営業部門56,490＋製造部門37,240＝93,730

(2) 退職一時金支給の修正

① 適正な仕訳（支出金額の勘定科目が不明であるため、当座預金勘定と仮定して示すこととする。）

問題18 解答

| | | | |
|---|---|---|---|
| (退職給付引当金)※ | 6,010 | (当座預金) | 6,010 |

※　退職時支給額：営業部門3,910＋製造部門2,100＝6,010

②　当社が行った仕訳

| | | | |
|---|---|---|---|
| (人件費)※ | 6,010 | (当座預金) | 6,010 |

※　【資料２】人件費・退職一時金より

③　修正仕訳（①－②）

| | | | |
|---|---|---|---|
| (退職給付引当金) | 6,010 | (人件費) | 6,010 |

(3)　退職給付費用の計上

| | | | |
|---|---|---|---|
| (人件費)※１ | 5,310 | (退職給付引当金)※３ | 8,810 |
| (労務費)※２ | 3,500 | | |

※１　営業部門自己都合要支給額：当期末57,890－(前期末56,490－退職時3,910)＝5,310

※２　製造部門自己都合要支給額：当期末38,640－(前期末37,240－退職時2,100)＝3,500

※３　借方合計

(4)　税効果会計

①　【資料２】繰延税金資産・前期末の退職給付引当金に対する税効果会計適用額

93,730×30％＝28,119

∴　決算整理前残高試算表の繰延税金資産：

貸倒引当金375＋賞与引当金2,184＋退職給付引当金28,119＝30,678

②　会計処理

| | | | |
|---|---|---|---|
| (繰延税金資産)※ | 840 | (法人税等調整額) | 840 |

※　(93,730－6,010＋8,810)×30％－前期末28,119(上記(4)①より)＝840

13　買掛金

| | | | |
|---|---|---|---|
| (為替差損) | 176 | (買掛金)※ | 176 |

※　①　ＣＲ換算額：87,800ドル×ＣＲ120円＝10,536

②　帳簿価額：10,360（【資料２】買掛金・Ｎ社に対するもの、87,800ドル）

③　①－②＝176

14　仕掛品

(1)　当期総製造費用

| | | | |
|---|---|---|---|
| (仕掛品)※４ | 88,858 | (材料費)※１ | 38,070 |
| | | (労務費)※２ | 36,464 |
| | | (製造経費)※３ | 14,324 |

※１　期首3,848＋仕入38,056－期末帳簿3,834＝38,070

※２　人件費32,964＋退職給付3,500＝36,464

※３　前T/B 8,922＋材料減耗77＋減費(建物3,600＋機械1,200＋器備525)＝14,324

※4　貸方合計

(2) 当期製品製造原価

| (製品) ※ | 88,440 | (仕掛品) | 88,440 |
|---|---|---|---|

※ 材料費

| | | | |
|---|---|---|---|
| 3,930 | 期首　750個 | 完成　6,700個 | 37,520(差額) |
| 38,070 | 投入　(6,750個) | 期末　800個 | ＊ 4,480 |
| 42,000 | 7,500個 | | |

＊　$42{,}000 \times \frac{800\text{個}}{7{,}500\text{個}} = 4{,}480$

加工費

| | | | |
|---|---|---|---|
| 3,780 | 期首＊2　525個 | 完成　6,700個 | 50,920(差額) |
| ＊1　50,788 | 投入　(6,655個) | 期末＊3　480個 | ＊4　3,648 |
| 54,568 | 7,180個 | | |

＊1　労務費36,464＋製造経費14,324＝50,788

＊2　750個×70％＝525個

＊3　800個×60％＝480個

＊4　$54{,}568 \times \frac{480\text{個}}{7{,}180\text{個}} = 3{,}648$

∴　期末仕掛品：材料費4,480＋加工費3,648＝8,128

当期製品製造原価：

期首仕掛品7,710＋当期総製造費用88,858－期末仕掛品8,128＝88,440

15　製品

| (製品売上原価) ※ | 87,445 | (製品) | 87,445 |
|---|---|---|---|

※ 製品

| | | | |
|---|---|---|---|
| 10,885 | 期首　875個 | 販売　6,675個 | 87,445(差額) |
| 88,440 | 完成　6,700個 | 期末　900個 | ＊ 11,880 |

＊　$88{,}440 \times \frac{900\text{個}}{6{,}700\text{個}} = 11{,}880$

16　法人税等

| (法人税等) ※1 | 10,947 | (仮払金) ※2 | 4,000 |
|---|---|---|---|
| | | (未払法人税等) ※3 | 6,947 |

※1　収益総額557,787－費用総額528,517＝税引前当期純利益29,270

問題18 解答

税引前当期純利益29,270×30%＋法人税等調整額2,166＝10,947

※２　【資料２】仮払金・法人税等予定納税額より

※３　差額

（MEMO）

税理士受験シリーズ

# 2025年度版　2　簿記論　総合計算問題集　基礎編

（平成20年度版　2007年10月１日　初版 第１刷発行）

2024年９月６日　初　版　第１刷発行

編著者　ＴＡＣ株式会社（税理士講座）
発行者　多田敏男
発行所　ＴＡＣ株式会社　出版事業部（ＴＡＣ出版）

〒101-8383
東京都千代田区神田三崎町3-2-18
電話 03 (5276) 9492（営業）
FAX 03 (5276) 9674
https://shuppan.tac-school.co.jp

印　刷　株式会社　ワコー
製　本　株式会社　常川製本



ISBN 978-4-300-11302-8
N.D.C. 336



乱丁・落丁による交換、および正誤のお問合せ対応は、該当書籍の改訂版刊行月末日までといたします。なお、交換につきましては、書籍の在庫状況等により、お受けできない場合もございます。
また、各種本試験の実施の延期、中止を理由とした本書の返品はお受けいたしません。返金もいたしかねますので、あらかじめご了承くださいますようお願い申し上げます。

# 税理士講座のご案内

## 「税理士」の扉を開くカギ

### それは、合格できる教育機関を決めること!

あなたが教育機関を決める最大の決め手は何ですか?
通いやすさ、受講料、評判、規模、いろいろと検討事項はありますが、一番の決め手となること、それは「合格できるか」です。
TACは、税理士講座開講以来今日までの40年以上、「受講生を合格に導く」ことを常に考え続けてきました。そして、「最小の努力で最大の効果を発揮する、良質なコンテンツの提供」をもって多数の合格者を輩出し、今も厚い信頼と支持をいただいております。

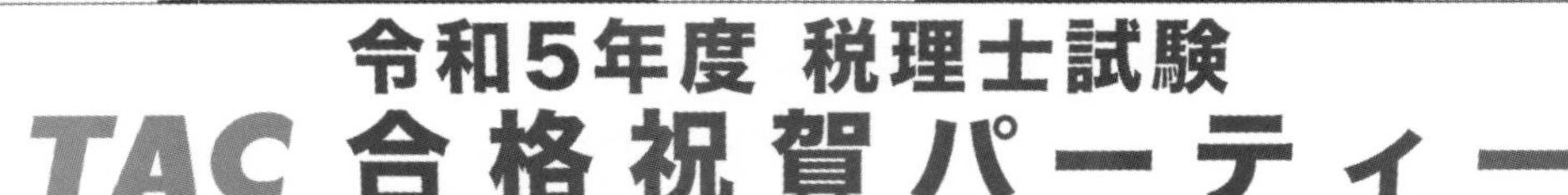


東京会場　ホテルニューオータニ

**合格者から「喜びの声」を多数お寄せいただいています。**

https://www.tac-school.co.jp/kouza_zeiri/zeiri_jisseki.html

# 税理士講座のご案内

# 2025年合格目標コース

## 反復学習でインプット強化！ & 豊富な演習量で実践力強化！

### 対象者：初学者／次の科目の学習に進む方

2024年 9月 10月 11月 12月 / 2025年 1月 2月 3月 4月 5月 6月 7月 8月 → 税理士試験

**9月入学 基礎マスター＋上級コース**（簿記・財表・相続・消費・酒税・固定・事業・国徴）
3回転学習！年内はインプットを強化、年明けは演習機会を増やして実践力を鍛える！
※簿記・財表は5月・7月・8月・10月入学コースもご用意しています。

**9月入学 ベーシックコース（法人・所得）**
2回転学習！週2ペース、8ヵ月かけてインプットを鍛える！

**9月入学 年内完結＋上級コース（法人・所得）**
3回転学習！年内はインプットを強化、年明けは演習機会を増やして実践力を鍛える！

**12月・1月入学　速修コース（全11科目）**
7ヵ月～8ヵ月間で合格レベルまで仕上げる！

**3月入学　速修コース（消費・酒税・固定・国徴）**
短期集中で税法合格を目指す！

### 対象者：受験経験者（受験した科目を再度学習する場合）

2024年 9月 10月 11月 12月 / 2025年 1月 2月 3月 4月 5月 6月 7月 8月 → 税理士試験

**9月入学　年内上級講義＋上級コース（簿記・財表）**
年内に基礎・応用項目の再確認を行い、実力を引き上げる！

**9月入学　年内上級演習＋上級コース（法人・所得・相続・消費）**
年内から問題演習に取り組み、本試験時の実力維持・向上を図る！

**12月入学　上級コース（全10科目）**
※住民税の開講はございません
講義と演習を交互に実施し、答案作成力を養成！

※2024年7月12日時点の情報です。最新の情報は、TAC税理士講座ホームページをご確認ください。

# "入学前サポート"を活用しよう!

## 無料セミナー &個別受講相談

無料セミナーでは、税理士の魅力、試験制度、
科目選択の方法や合格のポイントをお伝えして
いきます。セミナー終了後は、個別受講相談で
みなさんの疑問や不安を解消します。

TAC 税理士 セミナー 検索

ttps://www.tac-school.co.jp/kouza_zeiri/zeiri_gd_gd.htm

## 無料Webセミナー

TAC動画チャンネルでは、校舎で開催している
セミナーのほか、Web限定のセミナーも多数
配信しています。受講前にご活用ください。

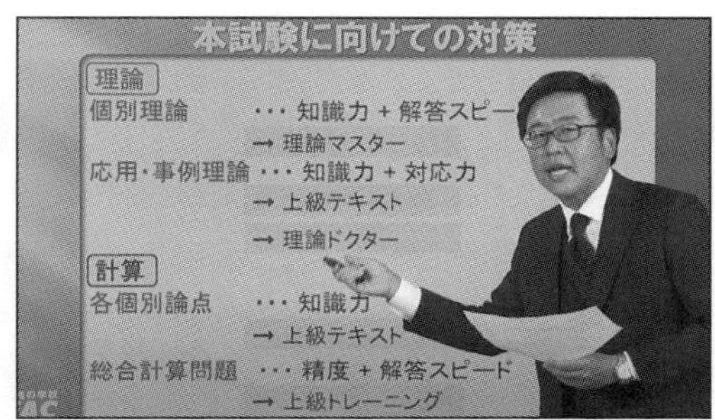


TAC 税理士 動画 検索

https://www.tac-school.co.jp/kouza_zeiri/tacchannel.html

## 体験入学

教室講座開講日(初回講義)は、お申込み前で
も無料で講義を体験できます。講師の熱意や校
舎の雰囲気を是非体感してください。

TAC 税理士 体験

ttps://www.tac-school.co.jp/kouza_zeiri/zeiri_gd_gd.htm

## 税理士11科目 Web体験

「税理士11科目Web体験」では、TAC税理士講
座で開講する各科目・コースの初回講義をWeb視
聴いただけるサービスです。講義の分かりやすさを
確認いただき、学習のイメージを膨らませてください。

TAC 税理士

https://www.tac-school.co.jp/kouza_zeiri/taiken_form.html

# 税理士講座のご案内

## チャレンジコース

**受験経験者・独学生待望のコース!**

4月上旬開講!

| 開講科目 | 簿記・財表・法人 所得・相続・消費 |
|---|---|

**基礎知識の底上げ**  **徹底した本試験対策**

チャレンジ講義 ＋ チャレンジ演習 ＋ 直前対策講座 ＋ 全国公開模試

**受験経験者・独学生向けカリキュラムが一つのコースに!**

※チャレンジコースには直前対策講座(全国公開模試含む)が含まれています。

## 直前対策講座

5月上旬開講!

**本試験突破の最終仕上げ!**

直前期に必要な対策が
すべて揃っています!

徹底分析!「試験委員対策」

即時対応!「税制改正」

毎年的中!「予想答練」

※直前対策講座には全国公開模試が含まれています。

| 学習メディア | 教室講座・ビデオブース講座 Web通信講座・DVD通信講座・資料通信講座 |
|---|---|

＼ 全11科目対応 ／

| 開講科目 | 簿記・財表・法人・所得・相続・消費 酒税・固定・事業・住民・国徴 |
|---|---|

チャレンジコース・直前対策講座ともに詳しくは2月下旬発刊予定の
**「チャレンジコース・直前対策講座パンフレット」**をご覧ください。

# TAC出版 書籍のご案内

TAC出版では、資格の学校TAC各講座の定評ある執筆陣による資格試験の参考書をはじめ、資格取得者の開業法や仕事術、実務書、ビジネス書、一般書などを発行しています！

## TAC出版の書籍

＊一部書籍は、早稲田経営出版のブランドにて刊行しております。

### 資格・検定試験の受験対策書籍

- 日商簿記検定
- 建設業経理士
- 全経簿記上級
- 税　理　士
- 公認会計士
- 社会保険労務士
- 中小企業診断士
- 証券アナリスト
- ファイナンシャルプランナー(FP)
- 証券外務員
- 貸金業務取扱主任者
- 不動産鑑定士
- 宅地建物取引士
- 賃貸不動産経営管理士
- マンション管理士
- 管理業務主任者
- 司法書士
- 行政書士
- 司法試験
- 弁理士
- 公務員試験(大卒程度・高卒者)
- 情報処理試験
- 介護福祉士
- ケアマネジャー
- 電験三種　ほか

### 実務書・ビジネス書

- 会計実務、税法、税務、経理
- 総務、労務、人事
- ビジネススキル、マナー、就職、自己啓発
- 資格取得者の開業法、仕事術、営業術

### 一般書・エンタメ書

- ファッション
- エッセイ、レシピ
- スポーツ
- 旅行ガイド（おとな旅プレミアム/旅コン）

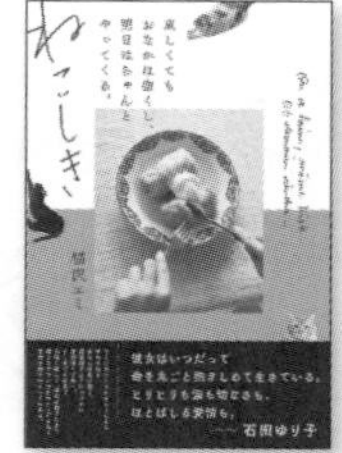

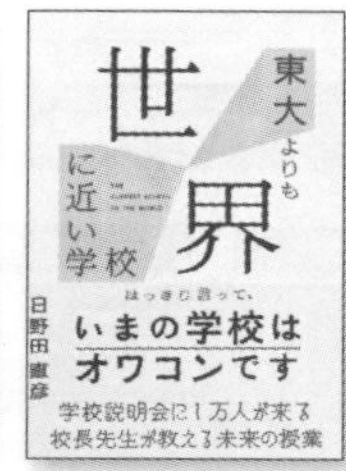

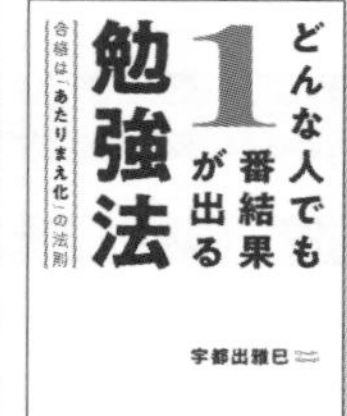

(2024年2月現在)

# 書籍のご購入は

## 1 全国の書店、大学生協、ネット書店で

## 2 TAC各校の書籍コーナーで

資格の学校TACの校舎は全国に展開!
校舎のご確認はホームページにて

資格の学校TAC ホームページ
https://www.tac-school.co.jp

## 3 TAC出版書籍販売サイトで

CYBER BOOK STORE TAC出版書籍販売サイト

24時間ご注文受付中

TAC 出版 で 検索

https://bookstore.tac-school.co.jp/

新刊情報をいち早くチェック!

たっぷり読める立ち読み機能

学習お役立ちの特設ページも充実!

TAC出版書籍販売サイト「サイバーブックストア」では、TAC出版および早稲田経営出版から刊行されている、すべての最新書籍をお取り扱いしています。
また、会員登録(無料)をしていただくことで、会員様限定キャンペーンのほか、送料無料サービス、メールマガジン配信サービス、マイページのご利用など、うれしい特典がたくさん受けられます。

### サイバーブックストア会員は、特典がいっぱい!(一部抜粋)

通常、1万円(税込)未満のご注文につきましては、送料・手数料として500円(全国一律・税込)頂戴しておりますが、1冊から無料となります。

専用の「マイページ」は、「購入履歴・配送状況の確認」のほか、「ほしいものリスト」や「マイフォルダ」など、便利な機能が満載です。

メールマガジンでは、キャンペーンやおすすめ書籍、新刊情報のほか、「電子ブック版TACNEWS(ダイジェスト版)」をお届けします。

書籍の発売を、販売開始当日にメールにてお知らせします。これなら買い忘れの心配もありません。

## 消費税法

| | | | |
|---|---|---|---|
| 25 | 消費税法 | 個別計算問題集 | (10月) |
| 26 | 消費税法 | 総合計算問題集 基礎編 | (10月) |
| 27 | 消費税法 | 総合計算問題集 応用編 | (12月) |
| 28 | 消費税法 | 過去問題集 | (12月) |
| 41 | 消費税法 | 理論マスター | (8月) |
| | ※消費税法 | 理論マスター 暗記音声 | (9月) |
| 42 | 消費税法 | 理論ドクター | (12月) |
| | 消費税法 | 完全無欠の総まとめ | (12月) |

## 固定資産税

| | | | |
|---|---|---|---|
| 29 | 固定資産税 | 計算問題+過去問題集 | (12月) |
| 43 | 固定資産税 | 理論マスター | (8月) |

## 事業税

| | | | |
|---|---|---|---|
| 30 | 事業税 | 計算問題+過去問題集 | (12月) |
| 44 | 事業税 | 理論マスター | (8月) |

## 住民税

| | | | |
|---|---|---|---|
| 31 | 住民税 | 計算問題+過去問題集 | (12月) |
| 45 | 住民税 | 理論マスター | (12月) |

## 国税徴収法

| | | | |
|---|---|---|---|
| 32 | 国税徴収法 | 総合問題+過去問題集 | (12月) |
| 46 | 国税徴収法 | 理論マスター | (8月) |

※暗記音声はダウンロード商品です。TAC出版書籍販売サイト「サイバーブックストア」にてご購入いただけます。

## ●2025年度版 みんなが欲しかった！税理士 教科書&問題集シリーズ

「効率的に税理士試験対策の学習ができないか? これを突き詰めてできあがったのが、「みんなが欲しかった!税理士 教科書&問題集シリーズ」です。必要十分な内容をわかりやすくまとめたテキスト(教科書)と内容確認のためのトレーニング(問題集)が1冊になっているので、効率的な学習に最適です。」

| | |
|---|---|
| みんなが欲しかった! 税理士簿記論の教科書&問題集 1 損益会計編 | (8月) |
| みんなが欲しかった! 税理士簿記論の教科書&問題集 2 資産会計編 | (8月) |
| みんなが欲しかった! 税理士簿記論の教科書&問題集 3 資産・負債・純資産会計編 | (9月) |
| みんなが欲しかった! 税理士簿記論の教科書&問題集 4 構造論点・その他編 | (9月) |

| | |
|---|---|
| みんなが欲しかった! 税理士消費税法の教科書&問題集 1 取引分類・課税標準編 | (8月) |
| みんなが欲しかった! 税理士消費税法の教科書&問題集 2 仕入税額控除編 | (9月) |
| みんなが欲しかった! 税理士消費税法の教科書&問題集 3 納税義務編 | (10月) |
| みんなが欲しかった! 税理士消費税法の教科書&問題集 4 申告制度・新論点その他編 | (11月) |

| | |
|---|---|
| みんなが欲しかった! 税理士財務諸表論の教科書&問題集 1 損益会計編 | (8月) |
| みんなが欲しかった! 税理士財務諸表論の教科書&問題集 2 資産会計編 | (8月) |
| みんなが欲しかった! 税理士財務諸表論の教科書&問題集 3 資産・負債・純資産会計編 | (9月) |
| みんなが欲しかった! 税理士財務諸表論の教科書&問題集 4 構造論点・その他編 | (9月) |
| みんなが欲しかった! 税理士財務諸表論の教科書&問題集 5 理論編 | (9月) |

## ●解き方学習用問題集

現役講師の解答手順、思考過程、実際の書込みなど、㊙テクニックを完全公開した書籍です。

簿記論　個別問題の解き方　〔第7版〕
簿記論　総合問題の解き方　〔第7版〕
財務諸表論　理論答案の書き方　〔第7版〕
財務諸表論　計算問題の解き方　〔第7版〕

## ●その他関連書籍

好評発売中!

消費税課否判定要覧　〔第5版〕
法人税別表4、5(一)(二)書き方完全マスター　〔第6版〕
女性のための資格シリーズ　自力本願で税理士
年商倍々の成功する税理士開業法
Q&Aでわかる 税理士事務所・税理士法人勤務 完全マニュアル

TACの書籍はこちらの方法でご購入いただけます

1 全国の書店・大学生協　2 TAC各校 書籍コーナー
3 CYBER BOOK STORE TAC出版書籍販売サイト　アドレス https://bookstore.tac-school.co.jp/

2024年7月現在　・年度版各巻の価格は、決定しだい上記3のサイバーブックストアに掲載されますのでご参照ください

# 書籍の正誤に関するご確認とお問合せについて

書籍の記載内容に誤りではないかと思われる箇所がございましたら、以下の手順にてご確認とお問合せをしてくださいますよう、お願い申し上げます。
なお、正誤のお問合せ以外の**書籍内容に関する解説および受験指導などは、一切行っておりません。**
そのようなお問合せにつきましては、お答えいたしかねますので、あらかじめご了承ください。

## 1 「Cyber Book Store」にて正誤表を確認する

TAC出版書籍販売サイト「Cyber Book Store」の
トップページ内「正誤表」コーナーにて、正誤表をご確認ください。

CYBER BOOK STORE TAC出版書籍販売サイト

**URL:https://bookstore.tac-school.co.jp/**

## 2 1の正誤表がない、あるいは正誤表に該当箇所の記載がない ⇒ 下記①、②のどちらかの方法で文書にて問合せをする

★ご注意ください★

**お電話でのお問合せは、お受けいたしません。**
①、②のどちらの方法でも、お問合せの際には、「お名前」とともに、
「対象の書籍名(○級・第○回対策も含む)およびその版数(第○版・○○年度版など)」
「お問合せ該当箇所の頁数と行数」
「誤りと思われる記載」
「正しいとお考えになる記載とその根拠」
を明記してください。
なお、回答までに1週間前後を要する場合もございます。あらかじめご了承ください。

**① ウェブページ「Cyber Book Store」内の「お問合せフォーム」より問合せをする**

**【お問合せフォームアドレス】**

**https://bookstore.tac-school.co.jp/inquiry/**

**② メールにより問合せをする**

**【メール宛先 TAC出版】**

**syuppan-h@tac-school.co.jp**

**※土日祝日はお問合せ対応をおこなっておりません。**
**※正誤のお問合せ対応は、該当書籍の改訂版刊行月末日までといたします。**

乱丁・落丁による交換は、該当書籍の改訂版刊行月末日までといたします。なお、書籍の在庫状況等により、お受けできない場合もございます。
また、各種本試験の実施の延期、中止を理由とした本書の返品はお受けいたしません。返金もいたしかねますので、あらかじめご了承くださいますようお願い申し上げます。

TACにおける個人情報の取り扱いについて
■お預かりした個人情報は、TAC(株)で管理させていただき、お問合せへの対応、当社の記録保管にのみ利用いたします。お客様の同意なしに業務委託先以外の第三者に開示、提供することはございません(法令等により開示を求められた場合を除く)。その他、個人情報保護管理者、お預かりした個人情報の開示等及びTAC(株)への個人情報の提供の任意性については、当社ホームページ(https://www.tac-school.co.jp)をご覧いただくか、個人情報に関するお問い合わせ窓口(E-mail:privacy@tac-school.co.jp)までお問合せください。

(2022年7月現在)

# 答案用紙の使い方

この冊子には、答案用紙がとじ込まれています。下記を参照にご利用ください。

**STEP1**

**一番外側の色紙（本紙）を残して、答案用紙の冊子を取り外してください。**

**STEP2**

**取り外した冊子の真ん中にあるホチキスの針は取り外さず、冊子のままご利用ください。**

- 作業中のケガには十分お気をつけください。
- 取り外しの際の損傷についてのお取り替えはご遠慮願います。

税理士受験シリーズ❷
# 簿記論　総合計算問題集　基礎編

# 別冊答案用紙

## 目　次

# 問題1 ＜答案用紙＞

解答時間 ／30分　自己採点 ／50点

損　益　（単位：千円）

| | | | |
|---|---|---|---|
| 仕入 | | 売上 | |
| 営業費 | | 受取配当金 | |
| 減価償却費 | | | |
| 貸倒引当金繰入額 | | | |
| 棚卸減耗損 | | | |
| 支払利息 | | | |
| 手形売却損 | | | |
| 法人税等 | | | |
| 繰越利益剰余金 | | | |
| | | | |

残　高　（単位：千円）

| | | | |
|---|---|---|---|
| 現金預金 | | 支払手形 | |
| 受取手形 | | 買掛金 | |
| 売掛金 | | 未払利息 | |
| 繰越商品 | | 未払法人税等 | |
| 前払営業費 | | 貸倒引当金 | |
| 建物 | 200,000 | 借入金 | 10,000 |
| 車両 | | 減価償却累計額 | |
| 備品 | 12,000 | 繰延税金負債 | |
| 土地 | 350,000 | 資本金 | 500,000 |
| 投資有価証券 | | 利益準備金 | |
| | | 繰越利益剰余金 | |
| | | その他有価証券評価差額金 | |
| | | | |

## 問題2 ＜答案用紙＞

解答時間 ／30分　自己採点 ／50点

繰越試算表　（単位：千円）

| 借方科目 | 金額 | 貸方科目 | 金額 |
|---|---|---|---|
| 現金 | | 支払手形 | 12,600 |
| 当座預金 | | 買掛金 | |
| 受取手形 | 28,000 | 未払金 | |
| 売掛金 | | 未払費用 | |
| 繰越商品 | | 貸倒引当金 | |
| 前払費用 | | 借入金 | 40,000 |
| 建物 | | 建物減価償却累計額 | |
| 備品 | 80,600 | 備品減価償却累計額 | |
| | | 資本金 | 300,000 |
| | | 繰越利益剰余金 | |
| | | | |

損益　（単位：千円）

| 借方科目 | 金額 | 貸方科目 | 金額 |
|---|---|---|---|
| 仕入 | | 売上 | 900,000 |
| 営業費 | | | |
| 見本品費 | | | |
| 減価償却費 | | | |
| 貸倒引当金繰入 | | | |
| 棚卸減耗費 | | | |
| 支払利息 | | | |
| 雑損失 | | | |
| 固定資産取壊損 | | | |
| 繰越利益剰余金 | | | |
| | | | |

## 問題3　<答案用紙>

| 解答時間 | ／30分 | 自己採点 | ／50点 |
|---|---|---|---|

決算整理後残高試算表　　(単位：千円)

| 借方科目 | 金額 | 貸方科目 | 金額 |
|---|---|---|---|
| 現金預金 | | 支払手形 | |
| 受取手形 | | 買掛金 | |
| 売掛金 | | 未払営業費 | |
| 繰越商品 | | 未払消費税等 | |
| 建物 | 10,000 | 未払法人税等 | |
| 車両 | 3,000 | 賞与引当金 | |
| 備品 | 1,200 | 貸倒引当金 | |
| 土地 | | 借入金 | 20,000 |
| 投資有価証券 | | 減価償却累計額 | |
| 繰延税金資産 | | 退職給付引当金 | |
| 仕入 | | 繰延税金負債 | |
| 減価償却費 | | 資本金 | 50,000 |
| 賞与引当金繰入 | | 利益準備金 | 1,000 |
| 退職給付費用 | | 繰越利益剰余金 | 7,671 |
| その他人件費 | | その他有価証券評価差額金 | |
| 貸倒引当金繰入 | | 売上 | |
| その他営業費 | | 有価証券利息 | |
| 棚卸減耗費 | | 法人税等調整額 | |
| 支払利息 | | | |
| 手形売却損 | | | |
| 法人税等 | | | |
| 合計 | | 合計 | |

| 問題４ | ＜答案用紙＞ | 解答時間　／45分 | 自己採点　／50点 |
|---|---|---|---|

決算整理後残高試算表　　（単位：千円）

| 勘定科目 | 金額 | 勘定科目 | 金額 |
|---|---|---|---|
| 現金 | | 支払手形 | |
| 当座預金 | | 買掛金 | |
| 受取手形 | 40,000 | 未払利息 | |
| 売掛金 | | 未払法人税等 | |
| 繰越商品 | | 賞与引当金 | |
| 前払保険料 | | 貸倒引当金 | |
| 建物 | | 借入金 | |
| 車両 | | 退職給付引当金 | |
| 備品 | | 繰延税金負債 | |
| 土地 | | 資本金 | 90,000 |
| 破産更生債権等 | | 資本準備金 | 20,000 |
| 投資有価証券 | | 利益準備金 | 2,000 |
| 繰延税金資産 | | 繰越利益剰余金 | 56,122 |
| 仕入 | | その他有価証券評価差額金 | |
| 見本品費 | | 売上 | |
| 給料 | 135,000 | 受取利息配当金 | |
| 賞与手当 | | 為替差損益 | |
| 賞与引当金繰入額 | | 法人税等調整額 | |
| 退職給付費用 | | | |
| 減価償却費 | | | |
| 修繕費 | | | |
| 支払保険料 | | | |
| 貸倒引当金繰入額 | | | |
| その他営業費 | | | |
| 棚卸減耗費 | | | |
| 支払利息 | | | |
| 雑損失 | | | |
| 備品売却損 | | | |
| 投資有価証券評価損 | | | |
| 減損損失 | | | |
| 法人税等 | | | |
| 合計 | | 合計 | |

| 問題５ | ＜答案用紙＞ | 解答時間 | ／45分 | 自己採点 | ／50点 |
|---|---|---|---|---|---|

決算整理後残高試算表（x11年３月31日）　　（単位：千円）

| 借 | 方 | 貸 | 方 |
|---|---|---|---|
| 勘定科目 | 金額 | 勘定科目 | 金額 |
| 現金 | | 支払手形 | |
| 小口現金 | | 買掛金 | |
| 当座預金 | | 未払金 | |
| 受取手形 | | 未払費用 | |
| 売掛金 | | 貸倒引当金 | |
| 繰越商品 | | 賞与引当金 | |
| 前払費用 | | 借入金 | 12,000 |
| 建物 | | 資本金 | 80,000 |
| 車両 | | 資本準備金 | 40,000 |
| 備品 | | 利益準備金 | 13,000 |
| 土地 | 150,000 | 繰越利益剰余金 | 14,806 |
| 商標権 | | 売上 | |
| 破産更生債権等 | | 受取利息 | 140 |
| 仕入 | | 雑収入 | 95 |
| 営業費 | | | |
| 給料手当 | 150,750 | | |
| 賞与手当 | | | |
| 旅費交通費 | | | |
| 見本品費 | | | |
| 貸倒損失 | | | |
| 棚卸減耗費 | | | |
| 減価償却費 | | | |
| 商標権償却 | | | |
| 貸倒引当金繰入 | | | |
| 賞与引当金繰入 | | | |
| 支払保険料 | | | |
| 支払利息 | 5,000 | | |
| 手形売却損 | | | |
| 雑損失 | | | |
| 車両売却損 | | | |
| 火災損失 | | | |
| 合計 | | 合計 | |

| 問題6 | <答案用紙> | 解答時間 | ／45分 | 自己採点 | ／50点 |
|---|---|---|---|---|---|

決算整理後残高試算表　　（単位：千円）

| 勘定科目 | 金額 | 勘定科目 | 金額 |
|---|---|---|---|
| 現金預金 | | 支払手形 | 33,000 |
| 受取手形 | | 買掛金 | |
| 売掛金 | | 未払法人税等 | |
| 貯蔵品 | | 賞与引当金 | |
| 繰越商品 | | 貸倒引当金 | |
| 建物 | | 社債 | |
| 車両 | | 退職給付引当金 | |
| 備品 | | 繰延税金負債 | |
| 土地 | 300,000 | 資本金 | 500,000 |
| 投資有価証券 | | 資本準備金 | 80,000 |
| 破産更生債権等 | | 利益準備金 | 12,000 |
| 繰延税金資産 | | 繰越利益剰余金 | 86,525 |
| 仕入 | | その他有価証券評価差額金 | |
| 見本品費 | | 売上 | |
| 賞与引当金繰入額 | | 有価証券利息 | |
| 退職給付費用 | | 法人税等調整額 | |
| 貸倒引当金繰入額 | | | |
| 減価償却費 | | | |
| その他人件費 | | | |
| その他営業費 | | | |
| 棚卸減耗損 | | | |
| 社債利息 | | | |
| 雑損失 | | | |
| 車両売却損 | | | |
| 備品除却損 | | | |
| 投資有価証券評価損 | | | |
| 法人税等 | | | |
| 合計 | | 合計 | |

| 問題7 | ＜答案用紙＞ | 解答時間 | ／45分 | 自己採点 | ／50点 |
|---|---|---|---|---|---|

決算整理後残高試算表　　（単位：千円）

| 借方 | | 貸方 | |
|---|---|---|---|
| 科目 | 金額 | 科目 | 金額 |
| 現金預金 | | 支払手形 | |
| 受取手形 | 163,275 | 営業外支払手形 | |
| 売掛金 | | 買掛金 | |
| 繰越商品 | | 借入金 | |
| 建物 | 120,000 | 未払法人税等 | |
| 構築物 | | 前受収益 | |
| 備品 | 51,200 | 未払費用 | |
| 車両 | | 貸倒引当金 | |
| 土地 | | 退職給付引当金 | |
| 建設仮勘定 | | 建物減価償却累計額 | |
| 投資有価証券 | | 構築物減価償却累計額 | |
| 関係会社株式 | | 備品減価償却累計額 | |
| 繰延税金資産 | | 車両減価償却累計額 | |
| 仕入 | | 繰延税金負債 | |
| 販売管理費 | | 資本金 | 300,000 |
| 減価償却費 | | 利益準備金 | 75,000 |
| 退職給付費用 | | 繰越利益剰余金 | 170,138 |
| 棚卸減耗費 | | その他有価証券評価差額金 | |
| 貸倒引当金繰入 | | 売上 | |
| 支払利息 | | 受取利息配当金 | |
| 雑損失 | 166 | 為替差損益 | |
| 投資有価証券評価損 | | 車両売却益 | |
| 関係会社株式評価損 | | | |
| 法人税等 | | | |
| 法人税等調整額 | | | |
| 合計 | | 合計 | |

| 問題８ | ＜答案用紙＞ | 解答時間 | ／45分 | 自己採点 | ／50点 |
|---|---|---|---|---|---|

（単位：千円）

| | | | | | |
|---|---|---|---|---|---|
| ① | | ② | | ③ | |
| ④ | | ⑤ | | ⑥ | |
| ⑦ | | ⑧ | | ⑨ | |
| ⑩ | | ⑪ | | ⑫ | |
| ⑬ | | ⑭ | | ⑮ | |
| ⑯ | | ⑰ | | ⑱ | |
| ⑲ | | ⑳ | | ㉑ | |
| ㉒ | | ㉓ | | ㉔ | |
| ㉕ | | ㉖ | | ㉗ | |
| ㉘ | | ㉙ | | ㉚ | |
| ㉛ | | ㉜ | | ㉝ | |
| ㉞ | | ㉟ | | ㊱ | |
| ㊲ | | ㊳ | | ㊴ | |
| ㊵ | | ㊶ | | | |

## 問題9 <答案用紙>

| 解答時間 | ／30分 | 自己採点 | ／50点 |
|---|---|---|---|

（単位：千円）

| | | | | | |
|---|---|---|---|---|---|
| ① | | ② | | ③ | |
| ④ | | ⑤ | | ⑥ | |
| ⑦ | | ⑧ | | ⑨ | |
| ⑩ | | ⑪ | | ⑫ | |
| ⑬ | | ⑭ | | ⑮ | |
| ⑯ | | ⑰ | | ⑱ | |
| ⑲ | | ⑳ | | ㉑ | |
| ㉒ | | ㉓ | | ㉔ | |
| ㉕ | | ㉖ | | ㉗ | |
| ㉘ | | ㉙ | | ㉚ | |
| ㉛ | | ㉜ | | ㉝ | |

| 問題10 | ＜答案用紙＞ | 解答時間　／45分 | 自己採点　／50点 |
|---|---|---|---|

決算整理後残高試算表　　(単位：千円)

| 借 | 方 | 貸 | 方 |
|---|---|---|---|
| 科　目 | 金　額 | 科　目 | 金　額 |
| 現金預金 | | 支払手形 | 33,000 |
| 受取手形 | 132,000 | 買掛金 | |
| 売掛金 | | 未払消費税等 | |
| 繰越商品 | | 未払法人税等 | |
| 建物 | 300,000 | 前受収益 | |
| 車両 | | 賞与引当金 | |
| 備品 | 2,800 | 貸倒引当金 | |
| 土地 | 250,000 | 借入金 | 30,000 |
| 投資有価証券 | | 退職給付引当金 | |
| 関係会社株式 | | 建物減価償却累計額 | |
| 破産更生債権等 | | 車両減価償却累計額 | |
| 繰延税金資産 | | 備品減価償却累計額 | |
| 仕入 | | 繰延税金負債 | |
| 販売管理費 | | 資本金 | 110,000 |
| 減価償却費 | | 利益準備金 | 11,000 |
| 賞与引当金繰入額 | | 繰越利益剰余金 | 88,554 |
| 退職給付費用 | | その他有価証券評価差額金 | |
| 貸倒引当金繰入額 | | 売上 | |
| 棚卸減耗費 | | 受取利息配当金 | |
| 支払利息 | 600 | 法人税等調整額 | |
| 雑損失 | | | |
| 為替差損益 | | | |
| 車両売却損 | | | |
| 関係会社株式評価損 | | | |
| 法人税等 | | | |
| 合　計 | | 合　計 | |

# 問題11　＜答案用紙＞

| 解答時間 | ／30分 | 自己採点 | ／50点 |
|---|---|---|---|

決算整理後残高試算表　(単位：千円)

| 借方科目 | 金額 | 貸方科目 | 金額 |
|---|---|---|---|
| 現金預金 | | 支払手形 | |
| 受取手形 | | 買掛金 | |
| 売掛金 | | 未払法人税等 | |
| 繰越商品 | | 返金負債 | |
| 返品資産 | | 賞与引当金 | |
| 建物 | | 貸倒引当金 | |
| 車両 | | 借入金 | |
| 備品 | | 退職給付引当金 | |
| 土地 | | 繰延税金負債 | |
| 投資有価証券 | | 資本金 | |
| 破産更生債権等 | | 資本準備金 | |
| 繰延税金資産 | | 利益準備金 | |
| 仕入 | | 繰越利益剰余金 | |
| 人件費 | | その他有価証券評価差額金 | |
| 営業費 | | 売上 | |
| 賞与引当金繰入額 | | 受取利息配当金 | |
| 退職給付費用 | | 為替差損益 | |
| 減価償却費 | | 法人税等調整額 | |
| 貸倒引当金繰入額 | | | |
| 棚卸減耗費 | | | |
| 支払利息 | | | |
| 雑損失 | | | |
| 法人税等 | | | |
| 合計 | | 合計 | |

| 問題12 | ＜答案用紙＞ | 解答時間 | ／45分 | 自己採点 | ／50点 |
|---|---|---|---|---|---|

決算整理後残高試算表　（単位：千円）

| 借方 | | 貸方 | |
|---|---|---|---|
| 科目 | 金額 | 科目 | 金額 |
| 現金預金 | | 支払手形 | 100,695 |
| 受取手形 | 142,400 | 買掛金 | |
| 売掛金 | | 未払金 | |
| 有価証券 | | 未払法人税等 | |
| 繰越商品 | | 賞与引当金 | |
| 建物 | | 貸倒引当金 | |
| 備品 | | 借入金 | 40,000 |
| 車両 | | 社債 | |
| 土地 | 100,000 | 退職給付引当金 | |
| 投資有価証券 | | その他の負債 | 5,233 |
| 関係会社株式 | | 繰延税金負債 | |
| その他の資産 | 4,657 | 資本金 | 120,000 |
| 繰延税金資産 | | 資本準備金 | 60,000 |
| 仕入 | | 利益準備金 | 5,000 |
| 営業費 | | 別途積立金 | 16,000 |
| 退職給付費用 | | 繰越利益剰余金 | 33,783 |
| 賞与引当金繰入 | | その他有価証券評価差額金 | |
| 貸倒引当金繰入 | | 売上 | |
| 減価償却費 | | 受取利息配当金 | |
| 棚卸減耗費 | | 社債買入消却損益 | |
| 支払利息 | 1,120 | 法人税等調整額 | |
| 社債利息 | | | |
| 有価証券運用損益 | | | |
| 為替差損益 | | | |
| 雑損失 | | | |
| 関係会社株式評価損 | | | |
| 法人税等 | | | |
| 合計 | | 合計 | |

| 問題13 | ＜答案用紙＞ | 解答時間 ／30分 | 自己採点 ／50点 |
|---|---|---|---|

A 　　　　千円

B 　　　　千円

C 　　　　千円

D 　　　　千円

E 　　　　千円

F 　　　　千円

G 　　　　千円

H 　　　　千円

I 　　　　千円

J 　　　　千円

K 　　　　千円

L 　　　　千円

M 　　　　千円

N 　　　　千円

O 　　　　千円

P 　　　　千円

Q 　　　　千円

R 　　　　千円

S 　　　　千円

| 問題14 | ＜答案用紙＞ | 解答時間 | ／30分 | 自己採点 | ／50点 |
|---|---|---|---|---|---|

| | | | | | |
|---|---|---|---|---|---|
| ① | | 千円 | ⑩ | | 千円 |
| ② | | 千円 | ⑪ | | 千円 |
| ③ | | 千円 | ⑫ | | 千円 |
| ④ | | 千円 | ⑬ | | 千円 |
| ⑤ | | 千円 | ⑭ | | 千円 |
| ⑥ | | 千円 | ⑮ | | 千円 |
| ⑦ | | 千円 | ⑯ | | 千円 |
| ⑧ | | 千円 | ⑰ | | 千円 |
| ⑨ | | 千円 | ⑱ | | 千円 |

| 問題15 | ＜答案用紙＞ | 解答時間 | ／60分 | 自己採点 | ／50点 |
|---|---|---|---|---|---|

修正後の決算整理後残高試算表　（単位：千円）

| 借方 | | 貸方 | |
|---|---|---|---|
| 勘定科目 | 金額 | 勘定科目 | 金額 |
| 現金預金 | | 支払手形 | |
| 受取手形 | | 買掛金 | |
| 売掛金 | | 未払金 | |
| 商品 | | 未払費用 | |
| 貯蔵品 | | 未払法人税等 | |
| 有価証券 | | 貸倒引当金 | |
| 未収収益 | | 賞与引当金 | |
| 建物 | | リース債務 | |
| 車両 | | 社債 | |
| 備品 | | 退職給付引当金 | |
| リース資産 | | 繰延税金負債 | |
| 土地 | | 資本金 | 165,000 |
| ソフトウェア | | 資本準備金 | 48,750 |
| 投資有価証券 | | 繰越利益剰余金 | 161,322 |
| 破産更生債権等 | | その他有価証券評価差額金 | |
| 繰延税金資産 | | 売上高 | |
| 売上原価 | | 受取利息配当金 | |
| 棚卸減耗損 | | 有価証券利息 | |
| 営業費 | | | |
| 減価償却費 | | | |
| ソフトウェア償却 | | | |
| 貸倒引当金繰入 | | | |
| 人件費 | | | |
| 手形売却損 | | | |
| 支払利息 | | | |
| 社債利息 | | | |
| 為替差損益 | | | |
| 法人税等 | | | |
| 法人税等調整額 | | | |
| 合計 | | 合計 | |

## 問題16　＜答案用紙＞

| 解答時間 | ／60分 | 自己採点 | ／50点 |
|---|---|---|---|

（単位：円）

| | | | | | |
|---|---|---|---|---|---|
| ① | | ② | | ③ | |
| ④ | | ⑤ | | ⑥ | |
| ⑦ | | ⑧ | | ⑨ | |
| ⑩ | | ⑪ | | ⑫ | |
| ⑬ | | ⑭ | | ⑮ | |
| ⑯ | | ⑰ | | ⑱ | |
| ⑲ | | ⑳ | | ㉑ | |
| ㉒ | | ㉓ | | ㉔ | |
| ㉕ | | ㉖ | | ㉗ | |
| ㉘ | | ㉙ | | ㉚ | |
| ㉛ | | ㉜ | | ㉝ | |

問題17　＜答案用紙＞

| 解答時間 | ／60分 | 自己採点 | ／50点 |
|---|---|---|---|

決算整理後残高試算表　（単位：円）

| 借方 勘定科目 | 借方 金額 | 貸方 勘定科目 | 貸方 金額 |
|---|---|---|---|
| 現金 | | 支払手形 | 22,312,000 |
| 当座預金 | | 買掛金 | |
| 普通預金 | 32,518,665 | 未払金 | 3,150,000 |
| 受取手形 | | 預り金 | |
| 売掛金 | | 未払費用 | |
| 貯蔵品 | | 未払法人税等 | |
| 繰越商品 | | 貸倒引当金 | |
| 建物 | | 賞与引当金 | |
| 車両 | | 借入金 | 50,000,000 |
| 備品 | 20,500,000 | 社債 | |
| 土地 | 180,000,000 | 繰延税金負債 | |
| 投資有価証券 | | 建物減価償却累計額 | |
| 破産更生債権等 | | 車両減価償却累計額 | |
| 繰延税金資産 | | 備品減価償却累計額 | |
| 仕入 | | 資本金 | 100,000,000 |
| 商品評価損益 | | 利益準備金 | 25,000,000 |
| 棚卸減耗費 | | 別途積立金 | 22,700,000 |
| 見本品費 | | 繰越利益剰余金 | 128,909,215 |
| 人件費 | | その他有価証券評価差額金 | |
| 法定福利費 | | 売上 | |
| 減価償却費 | | 受取利息配当金 | |
| 貸倒引当金繰入 | | 法人税等調整額 | |
| 賞与引当金繰入 | | | |
| 租税公課 | | | |
| 支払手数料 | | | |
| 修繕費 | | | |
| その他営業費 | | | |
| 支払利息 | 1,500,000 | | |
| 社債利息 | | | |
| 投資有価証券評価損 | | | |
| 車両売却損 | | | |
| 法人税等 | | | |
| 合計 | | 合計 | |

| 問題18 | ＜答案用紙＞ | 解答時間 | ／60分 | 自己採点 | ／50点 |
|---|---|---|---|---|---|

Ⅰ　貸借対照表（×11年３月31日現在、単位：千円）

| 借方 | | 貸方 | |
|---|---|---|---|
| 勘定科目 | 金額 | 勘定科目 | 金額 |
| 現金 | (1) | 支払手形 | |
| 当座預金 | (2) | 買掛金 | (18) |
| 受取手形 | (3) | 短期借入金 | (19) |
| 売掛金 | (4) | リース債務 | (20) |
| 商品 | (5) | 賞与引当金 | (21) |
| 製品 | (6) | 未払法人税等 | |
| 材料 | (7) | 未払費用 | (22) |
| 仕掛品 | | 前受金 | (23) |
| 前払費用 | (8) | 預り営業保証金 | (24) |
| 建物 | (9) | 退職給付引当金 | (25) |
| 機械装置 | (10) | 繰延税金負債 | (26) |
| 器具備品 | (11) | 資本金 | |
| リース資産 | (12) | 資本準備金 | |
| 土地 | | 繰越利益剰余金 | |
| 投資有価証券 | (13) | その他有価証券評価差額金 | (27) |
| 不渡手形 | (14) | | |
| 破産更生債権等 | (15) | | |
| 繰延税金資産 | (16) | | |
| 貸倒引当金 | (17) | | |
| 合計 | | 合計 | |

Ⅱ 損益計算書（自×10年４月１日 至×11年３月31日、単位：千円）

| 借方 | | 貸方 | |
|---|---|---|---|
| 勘定科目 | 金額 | 勘定科目 | 金額 |
| 商品売上原価 | (28) | 商品売上高 | |
| 製品売上原価 | (29) | 製品売上高 | |
| 人件費 | (30) | 受取配当金 | (40) |
| 支払手数料 | | 法人税等調整額 | (41) |
| 減価償却費 | (31) | | |
| 貸倒引当金繰入額 | (32) | | |
| 商品減耗損 | (33) | | |
| 材料減耗損 | (34) | | |
| その他営業費用 | (35) | | |
| 支払利息 | (36) | | |
| 為替差損 | (37) | | |
| 雑損失 | (38) | | |
| 車両運搬具売却損 | (39) | | |
| 法人税等 | | | |
| 当期純利益 | | | |
| 合計 | | 合計 | |

Ⅲ 製造原価報告書（自×10年４月１日 至×11年３月31日、単位：千円）

| 借方 | | 貸方 | |
|---|---|---|---|
| 勘定科目 | 金額 | 勘定科目 | 金額 |
| 期首仕掛品 | | 期末仕掛品 | (45) |
| 材料費 | (42) | 当期製品製造原価 | (46) |
| 労務費 | (43) | | |
| 製造経費 | (44) | | |
| 合計 | | 合計 | |